山陰最後の殿様

定安と慶徳

目次

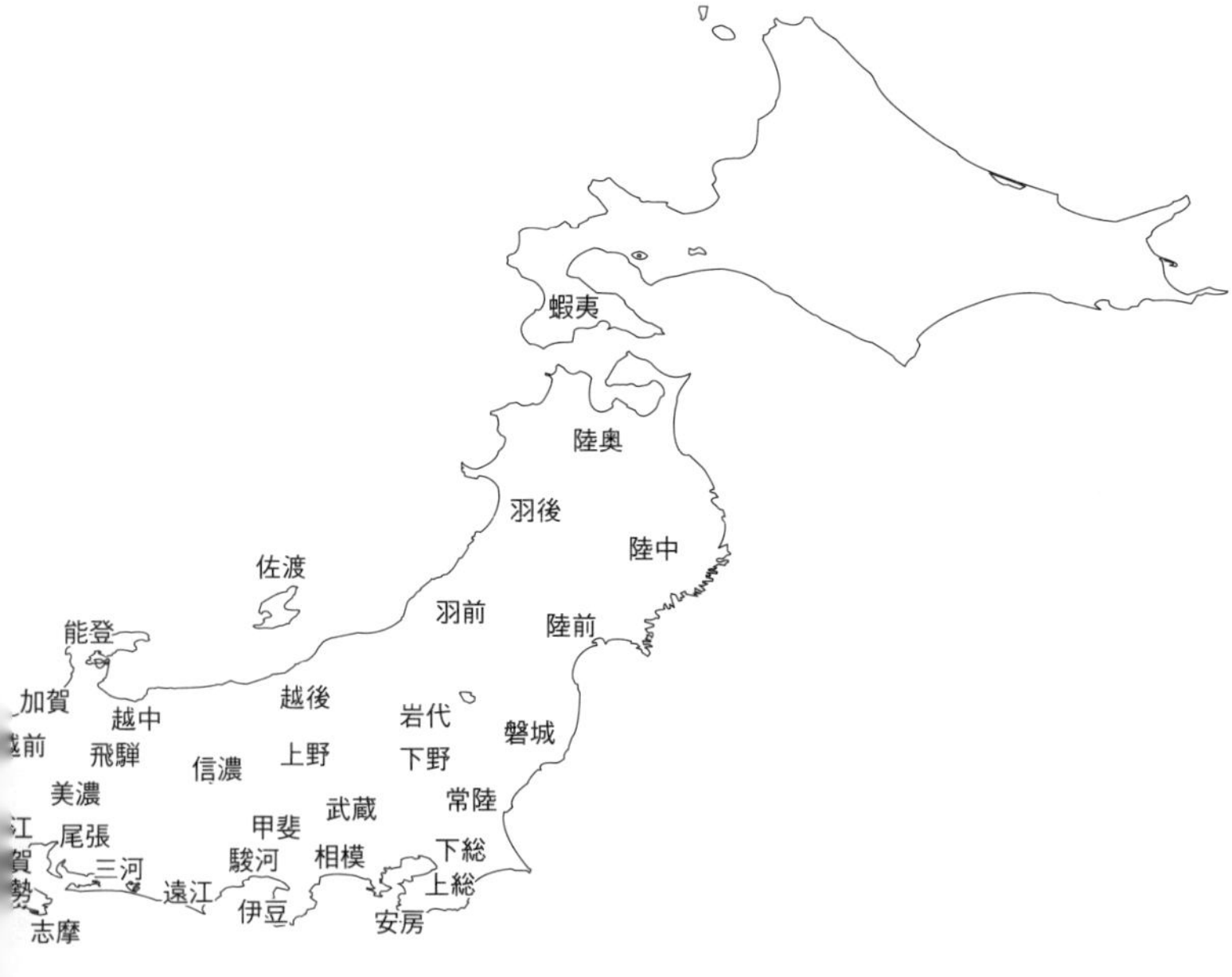

蝦夷
陸奥
羽後
陸中
佐渡
羽前
陸前
能登
加賀
越後
岩代
越中
磐城
飛騨
上野
下野
信濃
美濃
常陸
武蔵
甲斐
尾張
下総
駿河
相模
三河
上総
遠江
伊豆
安房
志摩

江戸末期の日本

慶州
対馬
壱岐
隠岐
出雲
伯耆
因幡
丹後
石見
長門
安芸
備中
美作
但馬
丹波
周防
備後
備前
播磨
摂津
山城
筑前
豊前
肥前
讃岐
淡路
筑後
伊予
土佐
阿波
和泉
肥後
豊後
紀伊
日向
薩摩
大隅

主な登場人物

◎京の都

岩倉具視《ともみ》　討幕派の公家。政治能力高く、西郷らと連携して将軍慶喜を失脚させ新政府を樹立。

西郷隆盛　薩摩藩の志士。討幕運動を主導した頭脳派。江戸城無血開城、新政府樹立の立役者。

西園寺公望《きんもち》　十八歳の公卿《くぎょう》。山陰道鎮撫使の総督として松江藩など諸藩を新政府へ帰順させた。

◎松江藩

松平定安　第十代藩主。津山藩主の四男、西洋通にして諸藩に先駆け軍艦購入。誠実な平和主義者。

大橋筑後　筆頭家老で定安の忠臣。藩を守るため切腹を決断した赤心の情熱家。

妹尾謙三郎　後年の雨森精翁《せいおう》。儒者で藩主の知恵袋。外交役として東奔西走し藩の危機を救う。

◎鳥取藩

池田慶徳《よしのり》　第十二代藩主。将軍慶喜の義兄。家臣との板挟みに耐えて藩主の任を果たす。

荒尾駿河　在京家老。戊辰戦争で政府軍として参戦を牽引。河田一派を独断で帰藩さす。

河田佐久馬　討幕派の首魁《しゅかい》。二十二士を率いて本圀寺事件、手結浦事件等主導。討幕戦争で活躍。

◎出雲国

中西毅男《はたお》　隠岐山田村出身。京に学んだ激烈な勤王家で隠岐騒動を主導し、独立に導く。

錦織加代　錦織玄丹の娘。大橋家老の助命を嘆願。大宴会の座で鎮撫使に一矢浴びせた女傑。

隠岐

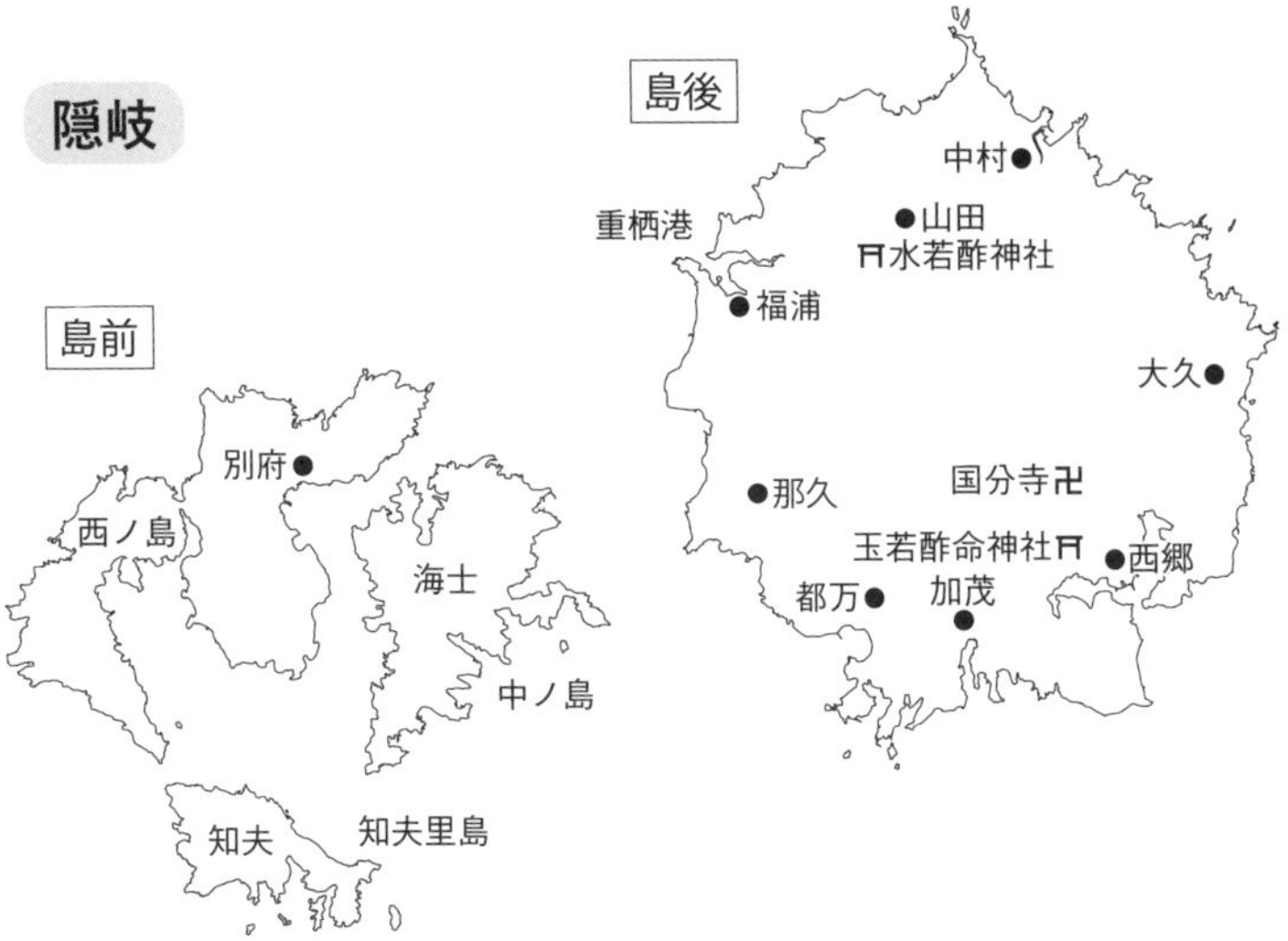
島後
中村
重栖港
山田
水若酢神社
福浦
大久
那久
国分寺
玉若酢命神社
西郷
都万
加茂
島前
別府
西ノ島
海士
中ノ島
知夫
知夫里島

出雲国・因幡国周辺

出雲国
手結浦
境港
因幡国
出雲大社
松江
米子
大山
鳥取
宮津
石見銀山
黒坂
浜田
津山
福知山
津和野
姫路
京都
広島
福山
大坂
高松
松山
徳島
奈良
和歌山
土佐
宇和島

「日本は国が一つでいいね」

　四年前、香港を旅した時のこと、ガイドの呉《ご》氏が言った。振り返ると、香港がアヘン戦争でイギリスに植民地化された二十六年後、我が国も西洋列強の侵略の中で、単独立国を果たした。

呉氏が憂慮した通り、今、香港の民主派は風前の灯と化している。日本は、大国の迫害を如何にしてくいとめ、独立国家を造り得たのか――。鳥取と松江の果たした役割は、因幡二十士とは、山陰道鎮撫使の役割とは、隠岐騒動の意義とは――。

　因幡国と出雲国、隠岐国を舞台として、山陰最後の殿様、定安と慶徳が繰り広げる山陰の夜明けへ誘おう。

一　気配り殿の誕生

嘉永四年（一八五一）十一月〜嘉永五年五月　江戸・津山

「殿、この増右衛門、一生のお願いにござります。なにとぞ、なにとぞ、公務にお戻りを……」

「ええい、やかましい！　貴様の説教など聞き飽きた、下がれ、下がれ！」

　江戸は赤坂の松江藩上屋敷、奥の院は殿の居室である。相撲取りのような巨体を花柄の派手な着物に包み、夕餉には間があるというに大皿に盛った料理に茶碗酒の藩主斉貴《なりたけ》だ。その前で羽織袴を纏《まと》い、跪《ひざまず》く江戸詰め家老塩見増右衛門の必死の姿があった。

「なんだ、その恰好《かっこう》は、予への当てつけか」

「殿、この七年間、国元にお戻りは僅かに一度、登城日のお勤め（一月に三度）もここ三月懈怠《けたい》しておられます。なにとぞ公務にお戻りをなにとぞ……」

「ええい、しつこい、下がれ、下がれ！」

「いえ、下がりませぬ。このままでは家名に傷がつきます。松平家を守るため、なにとぞ自重を、どうぞ一生のお願いに……。自重を、殿、ウッウッ……」

「……家名に傷だと、幕閣の奴らに左様な度胸などあるものか。……貴様、予が気に入らんのだな。なら出雲へ戻れ！　江戸詰めは失格じゃ、戻れ、戻れ！」

「……ならば、わたくしめと一緒に出雲へ、お供致しますゆえ、出雲へ一緒に戻っていただけませぬか」

「な、何だと、この馬鹿者め！　これでも食らえ」

――バーン、ガチャーン！

怒り狂った殿が、大皿をひっくり返し、手にしていた茶碗を増右衛門の顔めがけて投げ付けた。魚やかまぼこ、吸い物があたり一面に飛び散り、茶碗は増右衛門の額に当たって砕けた。鼻や口からおびただしい血が流れ、羽織袴が血だらけとなった。

「ウッウッ、ウッウッ」

「下がれ！　下がりおれ！」

人生のすべてをかけた諫言《かんげん》であったが、全く聞く耳を持たぬ斉貴であった。

家老部屋に下がった増右衛門は、青白い顔で筆を手に半紙に向かい一首したためると、神棚に供えた。やおら上半身裸になると、短刀の鞘を払い、両の手で柄を逆手に握り頭上に振りかぶった。

「イヤー！」

鋭い気合とともに、己のみぞおちに振り下ろしたのだ。陰に隠れて一部始終を見ていた小姓が、飛び散った血に驚き、我に返った。

「た、大変だ！　ご家老、ご家老が――。誰かー、早くー」

たちまち屋敷中が大騒ぎとなった。

「ご家老が腹を、腹を――医者を、早く雲仙殿を！　殿に！　殿に――」

腹に布をあてがうもの、医者を呼ぶもの、殿に報告するもの……。やがて不機嫌な顔つきで敷居をまたいだ斉貴だが――青ざめて茫然とその場に立ちすくんだ。

君のため　思う心は一筋に
　はや消えて行く　赤坂の露

その夜、家老部屋の神棚から増右衛門の辞世の歌が発見された。

時に嘉永四年十一月三日のことであった

斉貴が藩主を務める出雲国は、日本海を隔てて中国大陸に対し、西日本の表玄関に位置している。中国山地を流れる斐伊川・飯梨川・伯太川によって沖積平野の開けたこの地には、姫原西遺跡、西谷墳墓群、荒島古墳群が存在し、古代、大陸との交易によって強大な国家が栄えていたことを物語る。近年、これを裏付けるべく荒神谷遺跡や加茂岩倉遺跡から大量の銅鐸や銅剣が出土したのをはじめ、出雲大社本殿から巨大柱が発掘されるなど、出雲の地を舞台とする多くの神話が、単なる伝説や幻想の世界の物語ではないことを想起させる。

堀尾忠氏《ただうじ》は慶長五年（一六〇〇）、関ヶ原の戦いで徳川方として活躍し、その戦功によって家康から出雲・隠岐両国二十四万石を与えられた。領地は、東に伯耆、南を備後、西は石見の各国と接し、北は日本海を経て朝鮮半島に対する。

出雲国入りした忠氏は父吉晴と意見を重ね、「富田城」のある狭隘な広瀬から飛び出した。松江を新たな城地と定めた忠氏であったが早世し、松江城は父吉晴によって慶長十六年に築城された。爾来二代忠晴、初代京極忠高は宍道湖の水を制しつつ、城下町松江を整備していった。

京極氏改易の後を受けて寛永十五年（一六三八）、徳川家康の次男である結城《ゆうき》秀康の三男、信濃松本城主松平直政が出雲国十八万六千石に封ぜられ、三つ葉葵を家紋とする名門の扉を開いた。

将軍の孫という高い家格にあった直政は、高みを目指して奮闘したものの、二代綱隆から五代宣維《のぶすみ》までの六十五年間は災害の多発などで飢饉が続き、六代宗衍《むねのぶ》は窮乏打開のため延享三年（一七四六）「延享の改革」に着手した。その最中、幕府から比叡山延暦寺山門修復を命ぜられ、江戸にあって一両（十万円）はおろか一朱（六千円）すら借りることも叶わぬほど、松江藩は破たん寸前に追い込まれた。

危機打開策の切り札として仕置役（筆頭）家老に任ぜられた朝日丹波は、明和四年（一七六七）藩主宗衍の退任を起点として「御立派《おたては》の改革」に打って出た。

商から農への転換、下級藩士の大量解任、藩札の使用停止、豪農・豪商からの借金の帳消しなど矢継ぎ早に秘策を繰り出し、短期間で財政改革を緒に就けた。

七代藩主治郷、八代藩主斉恒《なりつね》の時代には殖産興業が花開き、製鉄・蝋燭・木綿製造、朝鮮人参栽培などの利益によって、他藩も羨む豊かな藩財政となった。

松江藩九代藩主松平斉貴《なりたけ》は、文化十二年（一八一五）三月十八日、父を八代藩主斉恒、祖父を七代藩主治郷にもつ名門の血筋として生を受けた。

聡明であったものの、生まれつき腺病質（病弱な体質）のため腫物《はれもの》に触るように育てられ、もしも早死にしたならばと、親族の協議により津山藩主の第二子、信進《のぶゆき》をその備えとして傍においた。

文政五年（一八二二）父斉恒は早世し、斉貴は八歳で九代藩主を襲名するところとなった。そこで藩は、後見役として塩見家五代家老の小兵衛を指名した。小兵衛は既に古稀を過ぎており、杖をつきながら斉貴に寄り添い、自ら範となり質実剛健と学びの道を説いた。その効あって斉貴の体調は徐々に回復し、順調に成長していった。

ところが無理の祟《たた》った小兵衛は、文政六年六月、病に侵されて道半ばにして世を去ることとなった。小兵衛は、死に臨み、枕元に見舞った斉貴に言った。

「このまままっすぐ成長して下され。爺はあの世から見守っております。なにとぞ思うがままに真っすぐ……」

「わかった。さように致そう」

期待にたがわず成長した斉貴は、十歳を過ぎた頃から頭角を現し、その言動は世にも人にも驚嘆されるところとなった。

「これからは洋学だ。西洋では『時は金なり』という。まずは時計の勉強からだ」

斉貴の非凡な行動の先駆けは、時計の蒐集であった。柱時計、懐中時計、腕時計などその数は三百六十点にも及び、保管庫として専用の土蔵が二棟も必要となった。

一方、遊びも桁外《けたはず》れであった。健康第一と我儘《わがまま》放題にさせたことから、十三歳の頃から暇さえあれば鷹狩り、相撲、鯨漁にと興じた。鷹狩りには、狩に用いる鷹と餌となる雀や鳩などの捕獲、それに鳥類や兎、狸、狐などの生存する狩場が必要である。

斉貴十四歳の文政十一年、役人はこの年の鷹狩りのため、九月から翌三月まで大川川下への出漁と停船を禁止し、鷹の餌や、狩場の確保に努めた。また、殿様お気に入りの狩場である浜佐陀には、茶室をこしらえた。斉貴は茶を飲みながら鷹の行動を見守った。

鷹一羽に要する経費はおよそ米三十石、常時百羽の鷹を擁した斉貴の狩りは、藩の財政を大いに圧迫したのだ。

天保八年（一八三七）斉貴は二十三歳となり、肥前佐賀藩主鍋島斉直《なりなお》の娘充姫《みちひめ》を娶《めと》った。この頃から派手好みで金銭感覚に欠ける放漫な性格がより度を増していった。

天保五年、関東以北の飢饉対策と初代徳川将軍の霊廟である紅葉山《もみじ》遷宮《せんぐう》のために六万両（六十億円）、同七年、将軍家斉《いえなり》がその職を家慶《いえよし》に譲るための費用として三万両、更に同九年には江戸城西ノ丸の火災による再建手伝上納金として三万両など、いずれも自ら申し出でた。

このことの賞揚の意味もあったであろうか、幕府は、斉貴を二十四歳の若さで少将に任じたほか、長刀の使用を許した。

「天保の飢饉」と呼ばれる非常時、出雲国では毎年のように風水害、虫害が襲い、収穫は半減ないしはそれ以下となり、連日のように餓死者が出た。献金は、民が喘《あえ》ぎ苦しんでいるその最中のことであった。

斐伊川の氾濫を食い止めるための新川の開削、洋学書の蒐集や学者の育成、種痘の普及に尽くすなどの功績はあったものの、言動の異常さは三十を過ぎる頃から次第に陰惨を帯びてきた。

弘化二年（一八四五）九月、斉貴は江戸城の東方の砂村に広さ六百九十七坪の新田を買い上げた。当初は鷹の飼育や訓練に用いていたが、嘉永四年（一八五一）、下屋敷の名目をもって華美を尽くした楼閣の建築に取りかかった。人呼んで「極楽楼」なるこの高楼、一階は厨房と茶室、二階は時計の間、三階は宴会場、四階は望楼の間で、屋敷の周囲には堤を築き、池を掘り梅林を配し、三階には著名な彫師の彫刻戸棚を配した。

作事《さくじ》（建築）奉行役を仰せつかった江戸詰家老、塩見家六代当主増右衛門は、検査に詣でた殿を迎え、与力の甲山佐久衛門と立ち会った。

四階へ足を踏み入れ、しばし見渡していた斉貴が相好を崩した。

「ここは舞踏場にする。この景色を見ながら歌舞音曲だ。そうだ、料理も運ばせよう。階段を運ぶのは面倒くさい、吊り上げろ、滑車だ」

「滑車？　滑車にござりますか。大工の造作が大事《おおごと》にござります」

「造作が何だ、滑車を付ければ運搬の手間も省ける。そうであろう」

「はあ、さりとて」

「何だと？　その目は何だ！　予の命令が聞けぬというのか！」

殿の命令は絶対である。増右衛門と佐久衛門は、急遽四階に舞台をこしらえ、一階から四階へ料理を吊り上げる滑車も取り付けた。

完成した極楽楼にはその日から斉貴が籠り、芸者を侍《はべ》らせ歌舞音曲に裸踊り、笛や太鼓の囃子におかめやひょっとこの面を付けて踊る馬鹿囃子にと、連日のようにどんちゃん騒ぎの場と化した。

極楽楼完成の日から半月経った登城の前日、たまりかねた増右衛門は館に殿を訪ねた。

「殿、明日は登城日にござります。そろそろ屋敷へお戻りを……」

「なんだと、登城日だ？　明日は病気だ、病気だぞ！」

「既に二カ月も勤めをされておりませぬ。幕閣にも殿の仮病の噂が流れておるようにござります。これ以上懈怠《けたい》されますと……」

増右衛門の親しい役人がわざわざ上屋敷を訪れ、「勤めには出て戴かぬと我々の立場もありますゆえ」と苦言を呈したのだ。さすがに増右衛門も困り果てた。

「心配致すな、幕府には貢物をしておる。それより増右衛門、折角造ったこの館、今度はこれまでやったことのない異国体験がしたい。居ながらに他国を実感するのじゃ。お前にも手伝って貰いたい」

殿の所望はこうだ。自分は朝鮮・清国・インド・西洋に行ったことがない。そこでその国の装束を手に入れ、自身がそれを身に纏《まと》い、姫役にも着せ毎日楼の周りを練り歩く。仮装体験の後は四階に場を移し、その国の歌舞音曲を愛《め》で宴を催す、まさに居ながらにして異国の文化が実感出来るというのだ。

翌日から増右衛門は、家臣に命じて他国の衣装探しに、東洋人に似た女、色の浅黒い女、髪の赤い背の高い女探しにと奔走した。それから二カ月後、曲がりなりにも衣装と女が揃い、いよいよ異国体験の四日間が始まった。

初日は朝鮮、二日目は清国、三日目はインドとご満悦の日が続き、今日は最終日のイギリスなのだ。殿はにわか仕立ての横文字を筆記してそらんじるなど、準備に余念がない。

総髪に山高帽、鼻の下に八の字の髭、モーニングスーツ、鎖の付いた時計、皮靴、鞄とステッキを手にした斉貴公だ。

姫の役の女は、長身で彫の深い面立ち、茶色がかった色の長髪にピンクのレディース帽子、胸元を広げたロングドレス、ネックレス、白の手袋、ハイヒールと気品に満ちた装いで、洋傘を手にした。

仮装した二人の晴れやかな行進が拍手喝さいの中でフィナーレとなり、西洋体験の締めくくりは四階の舞踏場に場を移した。

初日、二日、三日と殿の相手をした朝鮮、清国、インドの各女性も装束を身に纏って列席し、いよいよ宴が始まった。

増右衛門が調達した焼酎、中国酒、ウイスキー、ブランデー、葡萄《ぶどう》酒などを嗜《たしな》み、歌や踊りを愛でる殿は、始めの頃は品よく構えていたものの、行燈に灯が入り宴が最高潮に達する頃になると地金が出てきた。

「おい、お前たち、異国の衣装は見飽きた。これから、衣装を一枚ずつ脱いで見せてくれ。その国の情緒を味わいたい。恥ずかしがることはない……。いや、脱げば皆同じかな？」

この催しに集った姫達に遊女や芸者は一人もいなかった。始めは笑っていた姫だが、殿のしつこい要求で本気とわかり、次第に青ざめ下を向いた。慌てた増右衛門が殿の許へ膝行《しっこう》した。

「殿、左様な冗談を。このお人達は、身分のお高い屋敷の奥方や、お姫様にござります。左様な失礼はなりませぬ」

「何、脱がぬと申すか、罰当たりめ！　貴様らには高い駄賃を与えておる。脱げと言ったら脱げ！」

殿は家臣に命令するが如く厳しく声を張った。だが、四人とも、衣装の胸元を押さえて下を向いている。遂に殿は、眉を吊り上げ怒号を発した。

「お前ら、本当に嫌か！　五つ数える間に答えろ。脱ぐことを承知した者には十両つかわす。十両だ。拒み通した者は、今夜この場から出られぬぞ。監禁する。ええな。一つ、二つ、三つ」

「殿、お止め下され！」

増右衛門が、駆け寄って、手を左右に大きく振った。が、その声は届かぬばかりか、顔面に殿の拳が飛んだ。

「四つ、五つ！　ううーん、どいつもこいつも意気地なしめ、くそ！　腹の立つ、予は戻る。おい、佐久衛門、階段を全部外せ。貴様ら戻りたければ滑車で降りろ、命令に背いた奴には罰を科す、厳罰だ！」

殿の乱心に心を痛めた増右衛門は、家老役の吉田小右衛門に助けを求め、諫言を試みたのだが――。打つ手を欠き、やむなく国元へ支援を求めるところとなった。

心配していた国元の上席は驚き、急遽仕置役家老神谷源五郎、中老仙石城之助を江戸に遣わした。

二人は極楽楼に遊ぶ斉貴を上屋敷に呼び戻し、入れ代わり立ち代わり厳しく諫言した。だが斉貴はどこ吹く風と笑い飛ばし、挙句の果ては怒り狂い、仙石を足蹴りしたのだ。

増右衛門の切腹はその七日後のことであった。親子二代にわたる後見役として死をもって臨んだ増右衛門――その腹から流れ出る血を目にし、さすがの斉貴も呆然とした。ようやく我に返った斉貴は、幕府への露見を恐れ、十二月十四日重い腰を上げ江戸を発ったのだ。

この頃、国元では藩の行く末に危機感を募らせる大橋家老ら重鎮が連日のように額を寄せ合い、前後策を評議していた。

「狂った殿にこの国を託すわけにはいかぬ、やがてここへ戻られたなら、この大橋が入れ違いに江戸へ向かおう。親族会議を招集して、跡目を決めるのだ」
大橋家七代当主大橋豊後四十四歳は、責任感に燃えていた。

一方、水面下でも、殿を亡き者にしようとの画策が密かに進行していた。首謀者は用人安藤貞兵衛で、広瀬藩家老片山主膳と気脈を通じて、暴君斉貴を廃して名君の呼び声高い広瀬藩主松平直諒《なおあき》に交替させようというのだ。

この陰謀は斉貴の帰国を前に露見するところとなった。驚愕した上席は年明けとともに嫌疑者の摘発を始め、貞兵衛とその子謙之丞《けんのじょう》、下役人中溝佐次、瀧川祐助、大野虎次郎、更に広瀬藩家老片山主繕に至るまで次々と拘束していった。斉貴が松江に帰り来たのは、丁度その最中のこと——殿には完全秘匿で摘発は進められた。

斉貴にとって心の重い旅であったが、唯一の心の支えは三谷忠太郎の存在であった。斉貴より七つ年下で、斉貴二十四歳の折登用、昇進にも肩入れし、先頃江戸勤番を経て松江に戻っていた。出迎える藩士の少ない中、忠太郎は津田にて斉貴を待ち受けて相を崩し、斉貴も久々に明るい笑顔を振り向けた。

家老の諫言死と御家騒動、二つの事件はひとえに藩主斉貴の怠慢、横暴、狂気が招いたもので、時を置いたなら最悪の「御家お取り潰し」は必至と見込まれた。

かろうじて公邊《こうへん》の沙汰（表沙汰）となることを食い止めた豊後は、斉貴の帰国と入れ違いに江戸へ飛んだ。

久方ぶりに帰国した斉貴、唯一の忠臣と見込んでいた忠太郎の訪問を心待ちにするも、何日経っても姿を見せない。しびれを切らせ、二月のある日忠太郎を呼びに行かせた。しばらく後、大野家老が険しい顔つきで殿の面前に罷り出でた。

「殿、忠太郎を参らせることは相成りません」

「何を言う、予が呼んでおるのだぞ！　参らせよ」

「なりませぬ。殿には報告いたしておりませぬが……忠太郎は、いま座敷牢に繋ぎ、問責いたしております」

「な、何だと、座敷牢だと！　何があったのじゃ」

「それはいずれ……」

斉貴は、己を追い落とそうと企てている一味の摘発が進んでいることを知らなかった。そして、松江入りの折、津田にて出迎えた忠太郎が、なんとその一味であったことなど……。耳を疑った斉貴だが、時を同じくして、父親で仕置役家老の三谷権太夫が辞任した。

「な、なんと、権太夫が辞任だと！　ということは……」

責任を負っての父親の辞任――。

さすがの斉貴も声を失い、屋敷に籠《こも》る日々となった。

三月初旬江戸入りした豊後は、一門の当主で宗家の福井藩に難問を持ち込んだ。

越前福井藩三十二万石の藩主松平慶永《よしなが》（春嶽《しゅんがく》）は、二十五歳ながら幕府でも名の知れた実力者にして先見性があったから、直ちに親族会議を招集した。

美作津山藩主松平斉民、肥前佐賀藩主鍋島斉直《なりなお》、播磨国明石藩主松平慶憲、松江藩の支藩母里《もり》藩主松平直温、それに大橋豊後の面々が急遽江戸福井藩邸に参集し、秘密の評議となった。

塩見家老らによって厳重に封印されていた斉貴の非行が、大橋家老や母里藩主の口から次々と明かされると、さすがの慶永も目をむいた。

「家老が腹を切らねば気付かぬとは、馬鹿者めが！」

「ここまで事を大きくするとは。幕府も松平家の出方を見ておりましょう。……鍋島殿には気の毒なれど、荒療治せぬと治まりますまい」

斉民が遠慮がちに口を開いた。鍋島斉直の娘充姫《みちひめ》は、斉貴の妻であった。

「誠に残念でござるが、致し方ありませぬ。御随意に」

斉直が苦しそうな表情をして頭を垂れ、これを受けてまとめ役の慶永が全員を見渡し、押し殺した声を発した。

「松江藩十八万六千石を守るために、隠居してもらいましょう」

四人の藩主が首を縦に振り、斉貴の「押し込め隠居」が決まった。続いて後任の藩主選びである。慶永が再び口を開いた。

「斉貴には世継ぎがいないゆえ、親戚筋からだ。となると津山藩に頼ることになるが、信進《のぶゆき》を小島に出した今、適任者は弟の直利《なおとし》であろう。津山殿、よろしいでしょうな」

慶永が斉民の目を覗き込んだ。信進は、斉貴が病弱であったため、その備えとして津山藩から松江に養子入りさせていたのであるが、つい先年松江から離れ、駿河国一万石小島《こじま》藩主を襲封（国を引継ぐ）していた。斉民が大きく息をして首を縦に振り、畳に両手を突き深々と礼をした。

「承りました。直利十七歳には、しかと藩主教育を致しております。見どころのある若者ゆえ、必ずや役目を果たすものと存じ上げます」

緊急の評議に時間はかからなかった。斉貴の隠居を決すると、後任として、前津山藩主斉孝《なりたか》の四男直利を取り決めたのである。


出雲国から伯耆国《ほうきこく》の大山《だいせん》を越え瀬戸の海に向かうその途中にある盆地、そこが津山藩所領の美作《みまさか》の国である。

北方に伯耆の国大山などの山並みが連なり、美作の国名は大山に繋がる「三坂山《みさかやま》」の呼称が転じたとも伝わる。北東に因幡《いなば》、西に備中、南に備前、東を播磨《はりま》に囲まれ、海とは無縁の山国、その中央に津山城は聳える。東部から西南に流れる吉井川と、丘陵の断崖を外郭とする天然の要塞、加えて、迷路の如く張り巡らされた石垣と櫓に囲まれた五重の城、これが日本三大平山城の一つに数えられる津山城である。

文化二年（一八〇五）津山藩七代藩主を襲封した斉孝は、家康の次男秀康の直系で、四人の男子がいた。

長男慶倫《よしとも》は次期津山藩主で部屋住み、次男信進は松江藩を経て小島藩主に、三男直温《なおより》は松江藩の支藩母里藩主、四男が直利で、幼名済三郎である。

済三郎は、天保六年（一八三五）四月八日、津山において生を受けた。母は側室で、生国は定かではないが、雨森家《あめのもり》（祖は近江国）から嫁いだ於千雄《おちお》で、父の斉孝は済三郎が四歳の時没した。

幼くして父を失った済三郎であるが、心身とも健全に成長し、向学心旺盛であった。八歳で漢学・乗馬を、十四歳で槍術・弓術を、十五歳に達すると剣術・越後流軍学を学んだ。

また、洋学の草分けとして名高い津山藩の影響を受けて、十五歳の頃から洋学に興味を抱く一方、父亡きあと、母によってもたらされた精神教育によって、寛容と忍耐の若者へと着実に成長していった。

十六歳になった済三郎は直利と名を改めた。

直利の背丈は五尺二寸（百五十七センチ）、男としては低い方であったが、骨組みはがっちりとし肉好きもよく、健康そのものであった。母に似て目元が涼しく、誰からも親しまれる笑顔が備わっていた。

母於千雄は、直利が背の低いことを気にするのではと心配し、物心ついた頃から「人間は中身ですよ、知恵と人格を磨けばいくらでも大きくなります」と繰り返し励ました。

八代藩主、斉民がこの地を踏んだのは、藩主斉孝の没した天保三年（一八三二）、済三郎四歳の時のことである。斉民は十一代将軍家斉《いえなり》の実子で、将軍譲りの品の良い面立ち、若白髪、口元に笑みを絶やさぬ人格者で、子供を可愛がったから済三郎もすっかり懐《なつ》いた。

嘉永五年（一八五二）四月上旬の寒い日の午後のことである。江戸から津山に帰り来た斉民は、戻るなり直利を天守に呼び付けた。斉民は、重要な案件に遭遇すると一人天守で瞑想し、大事な命令を発する折も、しばしばこの望楼を用いた。

──何の御用であろうか。江戸からお戻りになられたばかりというに……。よほどの重要な案件であろう。

急な階段を登りつつ、直利は父の心情に思いを巡らせた。

息せき切って階段を登りつめ、ひときわ明るく展望の開けた望楼に足を踏み入れた直利、そこには家臣を退け一人物思いにふける斉民の疲れた横顔があった。

「父上、長旅、お疲れ様にござりました。只今参上いたしました」

「おう、来たか。この頃忙しいゆえ久しくそなたとも話しておらぬが、勉学は進んでおるか」

「はい、父上からお借り致しました三冊の書は読破しました。今は箕作阮甫《みつくりげんぽ》先生の洋学書に熱中致しております」

箕作阮甫は、津山藩の生んだ洋学者で、長崎にも学び洋学の書物を著すなど、近年とみにその名は高まっていた。

直利の呼吸が落ち着いたところで、父が切り出した。

「実は、出雲の国から直利を藩主にと所望されてな」

──出雲の国？　藩主に？　何処であろう。母里藩には数年前兄が取り立てられた。広瀬の藩主殿もお若くてその時期ではない。松江の斉貴公は働き盛りにして、幕府でも名の通ったお偉い方と聞く。おかしい、何処なのだ？

「父上、出雲の国にも三藩ございますが……」

「一番大きい藩、松江じゃよ」

「な、何ですと、手前が、松江藩、松江藩の藩主に！」

「左様、出雲国、大国主命の地じゃ、不足か？」

藩主を父に持つ男子の進むべき道は限られている。父の跡を継いで藩主となるか、他藩から請《こ》われて養子となるか、「部屋住み」と称する藩の居候《いそうろう》になるかだ。

「ふ、不足などと、とんでもございません」

「実は、松江の藩主殿がお辞めになる……」

「お辞めに？　それはまた、いかなる事情によりましょう」

「いずれ分かることゆえ事の訳を話そう……。押し込め隠居じゃ」

斉民は、白く輝く伯耆大山の尾根に目をやりながら寂しそうにつぶやいた。

「押し込め隠居？　それはまた……。余程の事情が……」

この時代、世間に顔向け出来ぬような非行のあった藩主、精神障害などで役目の果たせなくなった藩主は、一族の協議で強引に世間の目から隠してしまう、いわゆる「主君押し込め」なのである。

直利は末っ子である。部屋住みとはいえ長兄の慶倫は次期津山藩主が内定しており、残るは直利のみ。十八万六千石は己にとって、この上もない良縁である。だが、直利には躊躇する理由があった。

「父上、それがしに松江のような大藩は勤まりませぬ。しかも殿が隠居させられた後の藩主、とても……」

「心配する気持ちは分かる。だが既に決めたこと。親戚筋と身共で合意した。そちにとってまたとない良縁ではないか」

「それに、信進殿が……」

信進とは、直利と二回りも年上の長兄で、松江藩の養子として斉貴のそばにいた。信進は、たまに津山に戻った時など、直利を膝の上に乗せ、松江の土産話をしてくれた。直利はこんな信進が好きで、つい先年、一万石の小藩にやられた兄が不憫《ふびん》であった。

「何を言う……。とうに駿府に入部しておる。気を遣うことなどない」

斉民には直利の反応が予想外であったとみえ、困惑の表情をした。

もちろん親の命令は絶対である。しかも幕府の重役、宗家の越前を囲んで、斉貴の嫁の里鍋島藩主までがかかわって決めたことに口をはさむ余地などありえぬことであった。

「……わ、分かりました」

「これがお前の定め、運命だ。辞めさせられる殿や兄を思う気持ちは分かる。が、松江藩を存続させる唯一の方途であり、お前の生きる道だ、二人の分まで力を尽くせ」

「……分かりましてございます」

斉民は、直利が決心を固めたことで肩の荷を下ろしたのか、表情をやわらげ、笑みを浮かべた。

「それと、大事なことが後になったが、このはなしには斉貴公の婿養子になり長女、熈姫《ひろひめ》を娶《めと》るということも含んでおる。まだ三歳の可愛い女子じゃ」

斉民が笑い声をあげ、直利もつられて笑みを浮かべた。


直利は、母が側室であったことから、兄達と違って津山で生まれ育った。母は直利のほかに、斉孝の子供を二人授っていたから、主亡き後もこの屋敷に留まり、子育てや奥向きの世話をしていた。

その日から五十日経った嘉永五年五月二十七日、いよいよ明日江戸へ旅立つ前日、直利は母の許を訪れた。

「母上、いよいよ明日出立にござります。今日は、母上に暇《いとま》を申し上げに参じました」

「それはおめでとう。準備は万端整ったかい」

「はい、母上から賜りました和紙と筆、それに羊羹や椎茸もちゃんと荷物に収めました」

「いらぬお節介かもしれぬが、母として餞《はなむけ》の言葉を贈らせて下され。直利は、出雲の国のことはどれぐらい知っていますか」

「はい、父上から役目を仰せつかって以来、地理、産業、藩の歴史などについて少々勉強いたしました」

「出雲神話は知っていますか」

「知っていますとも、因幡の白兎の話ですよね、それがいかが致しました」

「……それはほんの入り口、古代の出雲は、日本で最も栄えていたのです。江戸に着いたならしっかり勉強しなされ」

直利は驚いた。古代、出雲が日本の中で最も栄えていたと、耳を疑うような言葉が母の口から出たからだ。一月半、自分はいったい何を勉強していたのだ、反省の念に駆られるのであった。

「分かりました。勉強いたします」

「仕事のことは大丈夫でしょうね。直利には知恵と忍耐力、それに亡き殿譲りの優しさがあります。人を生かすことで己が生きます。人の力を引き出し、和を図ることです。決して争ってはいけませぬ。耐えることで先が見えてきます」

母は、我が子が見ず知らずの松江の地で藩主としてその任を全うするために、何を取り柄として伸ばしてやるべきか、ここ二月心を砕いていたのだ。

「物事には表と裏があります。表から見て良いと思うことでも裏から見ると悪しきこともあり、功を焦って性急に走ってはなりませぬ。縁《よすが》となる人を見つけて相談しながら、慎重に進みなされ」

「はい、母上の教えを大切にし、父上に喜んでいただけるような藩主になります」

幼くして父を失った直利にとって、母の教えほど心に響くものはなかった。

二　因出の鞘当て

嘉永六年（一八五三）六月三日〜十二月二十三日　九里浜・江戸

「おお！　あれが黒船！　津山城が海に浮いておるようだ」

　嘉永六年六月九日朝五ツ（午前八時）、江戸湾を一望する相模国《さがみのくに》久里浜の高台に立った直利は、眼下に迫り来る巨大な鉄の固まりを目にして息をのんだ。それは紛れもない黒船であった。湾に漂う朝靄《あさもや》を突き破るかのように、もくもくと黒煙を噴き上げ、帆を畳んだままエンジン音を響かせながら悠然と北進している。

　松江藩十代藩主襲封を九月に控えた直利は、江戸赤坂藩邸からこの地に繰り出し、同行した江戸《えど》定府《じょうふ》の聞番《ききばん》望月《もちづき》兎毛《とも》、それに組筆頭の磯貝《いそがい》求馬《きゅうま》を左右に従え、身を乗り出していた。

　浦賀にアメリカの黒船四隻襲来、大砲の数七十三門、耳を疑うような触れが松江藩上屋敷に飛び込んだのはつい四日前、六月五日のことであった。

　その頃の直利は、藩主襲封を前に江戸津山藩高田下屋敷から正式に松江藩赤坂の上屋敷に入り、帝王学を学ぶ一方、藩主としての心得やしきたりなど、襲封に向けた諸準備に勤《いそ》しんでいた。

そこへこの大事件だ。幕府は、東日本の諸藩に非常出陣を命じ、旗本、御家人挙げて警戒態勢に入った。

人々の眠りを覚ますこの事件は、数日のうちに触書や瓦版などで江戸の隅々まで知れ渡り、城下はたちまち上を下への大騒ぎ。殊に庶民を恐怖に陥れたのは、巨大な大砲を装備したアメリカ艦隊が幕府の煮え切らぬ態度に立腹し、江戸湾から上陸し、江戸城をめがけて突進する、との危機迫る噂であった。

江戸城を取り囲む諸藩はことのほか慌《あわ》てた。徳川幕府二百五十三年、永年の平穏慣れから、武具を倉庫の奥にしまい込んだり、金に困って入質していた下級藩士などは先を競って員数揃えに奔走した。

海端の屋敷はいうに及ばず、江戸川や隅田川沿いの家々は、大八車に家財道具や食糧を積み込み、緊急避難する老若男女で溢れ返った。

竹皮、草鞋《わらじ》、蝋燭、梅干し、味噌は数日後に品切れとなり、米、野菜、干し魚などの食糧は異常なまでの高値となった。

赤坂を拠点とする松江藩上屋敷では、急遽割り振られた品川沿岸に陣を張る一方、青山の中屋敷、大崎の下屋敷に不寝番を立て厳重な警戒に入った。

――かように緊迫しておるところで言うべきか……。

直利は躊躇した。だが、藩主として旗を振る日は近い。

「……身共を品川に行かせては下さらぬか。立場上傍観しておるわけにはまいりませぬ」

六月五日、屋敷を挙げた緊急対策が進行するのを横目に、我慢出来なくなり、控えめながら口を開いた直利だ。

「いやそれは……大事な襲封の儀を目前にしておられますゆえ、ここは控えられた方がよろしいかと」

仕置役家老に任ぜられて日の浅い小田隼人は、慎重であった。


前年の六月江戸入りした直利は、九月、赤坂の松江藩上屋敷入りするまでの間、出雲の地や、その土地に伝わる「出雲神話」の研究に打ち込んだ。

天平五年（七三三）聖武天皇に奏上された『出雲国風土記』は、出雲の地の歴史や産物・伝説などを、国造《こくぞう》（地方の豪族）が認めた全国でも数少ない完本で、それらの書物をひもとき研究を進めるにつれて、古の出雲国が、我が国屈指の豊かな文化圏域であったことに行き着き、まだ見ぬ出雲の地に心をときめかせるのであった。

その一方で、憧れの洋学者で国内最右翼とその名の高い箕作阮甫《みつくりげんぽ》から、洋学の教えを受けた。この頃の阮甫は、幕府からも声がかかるほど多忙を極めていたものの、面と対すると、直利の知識の豊富さや熱心さに驚くところとなり、心を込めた手ほどきをし、直利が赤坂の屋敷に移る折は、西洋の船の図鑑を与えた。

直利は小田家老に食い下がった。

「品川が駄目であれば別の手立てを、何としてもこの目で黒船とやらを見たいのです」

その時、家老の脇にいた長老の聞番（幕府との連絡に当たる渉外係）、望月兎毛《ともう》が割って入った。

「今の御立場で現地指揮をなされるのは時期尚早なれど、我が国の一大事。如何でしょう、浦賀に赴かれてご視察なされては……」

兎毛は、次期藩主の、梃《てこ》でも動かぬ強い意志を感じ取っていた。

「……浦賀と？　それならば問題はござらん」

小田も長老の意見に押され同調するところとなり、直利の久里浜行は実現したのだ。


六月九日朝五ツ、江戸湾を一望する久里浜の高台は、武装した藩士が横一線で警戒する中、近郷近在から繰り出した各藩の密偵、有識者、町人、百姓であふれ返った。本日、この高台の下の広場で、アメリカ大統領の国書が幕府の代表に手渡されるという。その情報は前夜のうちに知れ渡っていた。

海とおよそ縁のない津山育ちの直利であったが、義父斉民の計らいで、十三歳の頃から何度か安芸《あき》に旅し、日本の軍艦や北前船などの大型船を目にしていた。が、目前の軍艦は城の如く巨大で、構造、装備、速度、何もかも桁外れなのだ。

この頃、日本最大の船舶は「千石船」で百ﾄﾝ、これに比し米艦隊の最大の汽走艦「サスケハナ号」は二千四百五十トン、最も小型の帆船「サラトガ号」でも八百八十二トンもあった。

「……拙者、かように大きな船は見たことがござらん」

「これがアメリカの軍艦か。清国のは帆船であったが」

同行した兎毛、求馬ともに顔を紅潮させ唸っている。望遠鏡から目を離した直利は、二人に正対した。

「我々の目的は二つ。一つは江戸詰の家臣にこのありさまを正確に伝えること、今一つは、松江藩として当面何が出来るか、特に江戸湾沿いの大崎下屋敷をいかに利用すべきかを考えることです。ついては、絵や文章で正確に記録しておいて下さい」

随員の二人は我に返り、所携の紙を広げ、筆を手にした。

我が国の鎖国政策は、江戸初期のキリシタン禁止と貿易統制に始まり、寛永十年（一六三三）二月十九日以降邦人の海外渡航や帰国を禁止し、対外貿易はオランダ商館と中国船のみで、港は長崎港に限定していた。だが、十九世紀に入り、日本近海には西洋諸国の船が頻繁に来航するようになった。産業革命を成し遂げた諸外国が海外市場を求めアジアへ進出してきたのだ。これらの国の多くは、自国の権益を拡大しようと武力をちらつかせて接近するため、鎖国を決め込んでいた日本としても避けることの出来ぬ緊急な課題となっていた。

その先陣を切ったのはロシアである。日本はこの大国を前に国交すべきか否か煮え切らぬ態度に終始していたものの、文化二年（一八〇五）、長崎に派遣された目付の遠山景晋《とおやまかげくに》は、国書の不受理と通商の拒絶を正式に表明した。期待を裏切られたロシアは、日本の非礼への報復として、択捉島《えとろふとう》・礼文島《れぶんとう》・利尻島《りしりとう》を襲い、家屋や船を焼き、貨物を奪い、番人を捕らえる等の卑劣な武力攻撃に出た。そこで幕府は方針を転換し、文政八年（一八二五）"海岸に接近する異国船は攻撃すべし"と「異国船打払令」を発令し、戦う姿勢を鮮明にした。

一方、イギリスは一八四二年、アヘン戦争によって清国を屈服させて香港を支配下に治めると、強硬な覇権を繰り返し、我が国にも狙いを定めてきた。

アメリカの黒船は、このような情勢の中で、突如来日した。

嘉永六年六月三日午前、米国東インド艦隊のマシュー・カルブレイス・ペリー司令長官は、四隻の軍艦を率いて浦賀沖から江戸湾に進行し、威嚇しつつ大統領フィルモアの通商を促す国書の受領を迫った。

緊急事態発生、台場は狼煙《のろし》を打ち上げ、警備艇をくりだして艦隊にたち向かった。だが巨大な四隻の軍艦を目の前にし、桁違いの戦力に圧倒された浦賀奉行は「刺激せぬように視察せよ」と指図し、遠巻きに様子を見るのみであった。

浦賀奉行の報告で圧倒的な戦力の違いを悟った幕府は、将軍家慶《いえよし》が病で臥していることもあり、翌四日夜になって、従来の「異国船打払令」による戦闘姿勢から「穏便専要《おんびんせんよう》」に方向転換したのだ。

通訳を通じて、日本側の姿勢を知った艦隊は、浦賀奉行から「交渉は長崎で行うので回航せよ」との要請を無視して居座り続け、「あくまでも拒否するのなら武力をもって江戸に上陸する」と通告した。

困りあぐねた幕府は九日、久里浜で国書を受け取る、との苦渋の選択を余儀なくされた。

五ツ半（午前九時）、直利らが見守る久里浜海岸の埠頭《ふとう》に上陸用舟艇が接岸し、白い服、白い帽子の水兵が上陸を始めた。

号令一下、水兵三百人、陸戦隊員百人が整然と並び、隊列の先頭に赤の上着、白のズボンに統一された、五十人の軍楽隊が配置についた。


——ピー！　ドンドン　ドンドン　ザードン　パーパラパーパーパーパラパー

指揮官の笛の合図で、太鼓、ラッパが鳴り響き、勇壮な行進曲が始まった。曲に導かれて四百人の兵士による一糸乱れぬ美しいばかりの隊列行進である。

その後方から、護衛官に守られ長身の男が現れた。ペリー総督である。金ボタンに肩章、袖章に装飾された黒の軍服に身を包み、白手袋、長剣を吊り悠然と歩み、その前を国書を携えた二人の少年がしずしずと進んだ。

行列の先には式典会場がある。畳敷きに毛織物の床、金屏風を配置し、あらん限りの装飾を施した仮設の会場、その中央に二人の武士が待機している。

会場に到着した総督は、直立の幕府代表浦賀奉行戸田氏栄《うじよし》、井戸弘道の前に立ち、少年から木箱の中身を受け取った。書類は、国書に加えてペリーの信任状と書簡であった。

総督は二人の武士に笑みを浮かべ軽く会釈し、信任状と書簡を順次手渡した。が、二人の奉行はぎこちなく手を差し出して受け取り、無表情のままである。会話もなく式典は終了し、ほどなくペリーは二人の浦賀奉行に見送られて退出、埠頭から警備艇に乗り込んだ。

式典が終了し緊張が解かれると、異様な空気が漂った。水兵や隊員が日本の役人や警備陣を見ながら指差し、嘲弄《ちょうろう》（あざけり）しているではないか。

――残念だが卑下されても仕方ない。それにしても何という行き届いた美しいばかりの調練、総督の威厳、軍楽隊までもが花を添えるとは……。それに引き換え、日本の警備陣のみすぼらしさ、一目で国力や軍事力の貧しさが透けて見える。

直利が抱いていた大和の国の崇高さは、もろくも打ち砕かれた。

この日、幕府は通訳を通して首脳部と会談し、総督から受領した大統領国書への回答は、将軍病気のため一年後と告げ、米国は明年再度来航することを約した。

江戸屋敷に戻り来た直利は、同伴した二人を自室に招き入れ、小姓に筆と紙を用意させた。

翌十日、直利は夜も明けぬまに飛び起きた。

――襲封も待たずして口出しすべきか、家臣が気付いて進言するのを待つべきか……。いや、待っていて思うような意見が出るとは限らぬ。弱腰だと幕府から指示を受けて動くことになるぞ。ここは進むべきだ。

直利は小田家老が登庁すると、すぐさま大崎下屋敷地の有効利用についての己の考えを打ち明けた。

「……それは誠に良きご提言にござります。大崎に臨まれる前に、黒船視察の様子を家臣に説明下さり、その上で行かれることが良かろうと存じます」

「おお、賛同して下さるか……。説明？　それは当然のことです」

小田家老は、意外とあっさり直利の考えを受け入れ、早速家臣三十人を広間に招集した。

直利は、昨日夜なべをして描いた絵を広間の中央に配置させ、兎毛と求馬に久里浜で見聞した状況を説明させた後、立ち上がった。

「異国船はいつ再来せぬとも限らぬ。江戸湾沿いに下屋敷を持つ我が藩として、あの土地を有効に活用する責任がある。急なことだが、只今から現地に赴き実地に検討したい。予はまだ襲封前につき、兎毛殿に仕切ってもらう」

小田家老の人選で大崎行きの十五人が決まり、聞番として他藩の事情に明るい兎毛、台場事情に詳しい辻宗太郎、砲撃訓練に通じている園山徳右衛門を長とする三班に割り振られ、一同は直利を囲んで即刻出発した。

江戸の夏は、今が真っ盛り。大崎上屋敷の高台から東方を望むと、青い水を満々と湛えた江戸湾が何事もないかのように広がっている。西から北に凹凸して延びる回遊式の庭園には百日紅《さるすべり》、ノウゼンカズラ、オシロイバナ、ガクアジサイが競うように咲き乱れ、葉桜が風にそよぎ、あたり一面に夏の香りをただよわせている。

七代藩主治郷（不昧）が九年の歳月を費やして取得したこの土地、かつては十一の茶室を巡らせ、著名な庭師五人によって庭木一本、草花一株に至るまで徹底管理されていたものであるが、今は手入れも行き届かず、花々は自由奔放に咲き乱れている。

直利は、昨年の秋赤坂の上屋敷に移り来て以来、この下屋敷に数度足を運んだ。主《あるじ》亡き後目的を失い、荒れるに任せたこの広大な庭園であったが、思いがけず光が当たることとなった。

各班が、班長の指揮で土地の探索を終えると、かつて治郷が愛した茶室「独楽庵」の見晴らし台に勢揃いした。

額に汗した若手家臣の面々は、茶をすすりながら兎毛を囲んだ。

「身共は、茶室のあった高台は見張り場とし、屋敷は隊員の待機所、仮設の宿泊所がよろしいかと存ずる」

「いや、高台は台場だ。敵をおびき寄せ大砲でせん滅させるのだ」

「それがしは反対だ、台場としては海まで距離があり過ぎる。藩の経費を抑えてこの地形を有効に使いたい。その意味では調練場が良かろう」

「そげだ！　凹凸のある地形は調練や射撃訓練に適す。それに三十棟もある屋敷は待機場所や宿舎としても使える」

求馬の甲高い声に引きずられて、辻や園山を中心に議論は進み、幕府への提案は調練場とする方向で意見の一致を見た。

年長の兎毛が、直利の方を見やった。

「この仕事はこちらにおわします殿の初仕事である。茶苑が国防に役立つとなれば不昧公もお喜びになろう。肝心なことは、ご老中から指図される前に当方から打って出ることだ」

「御意（異存なし）。ここらで攻守交代だ！」

江戸湾警備の事情に明るい宗太郎が声を上げ、活気がみなぎった。


ペリー退去から過ぎること十日の六月二十二日、将軍家慶《いえよし》が死去した。幕府の実質的な最高権力者、老中首座の阿部正弘は、迫りくる米国艦船の「再来航」を迎え撃つため、品川に砲撃用の台場造営の方針を打ち立て、勘定吟味役格海防掛の江川太郎左衛門に計画作りを命じた。

幕府の苦悩は、江戸を守護する諸大名にもひしひしと伝わり、松江藩は直利の陣頭指揮の下、大崎下屋敷を用いた警備強化方策を練り上げた。

「松江藩下屋敷を用いた調練場建設計画」と冠したこの構想は、小田家老をして「時宜を得た提案でこれに勝るものはそうそうないであろう」と自画自賛させた。

七月二十二日、命を受けて幕府を訪れた兎毛は、顔を紅潮させながら紺色の大風呂敷から分厚い書類を取り出し、勘定吟味役江川の側《かたわ》らにいる役人の前に、どさっと置いた。

「ほう、調練場ですか、あの場所は海から三町（三百メートル）、当方としても目を向けておったが……。藩の方から提案されるとは、これは嬉しい。そう、調練場にはまたとない適地であろう。当方でも総合的に検討しておるところゆえ、決定次第沙汰を致す」

歓《よろこ》んで受け取る補佐役の横で、責任者の江川も笑みを浮かべている。

数日後、幕府は江戸湾沿いや海中に、十一の台場設置という途方もない一大計画を固め、昼夜兼行による突貫工事に着手した。

海岸への台場設置は、必然的に埠頭《ふとう》の建設、射手や戦闘員の配置場所、砲弾や火薬の保管・輸送、隊員の調練・宿泊・給食等の兵站《へいたん》業務を伴う。松江藩の提案は、痒《かゆ》い所に手の届くものと言えた。


江戸赤坂の松江藩上屋敷は、江戸城外堀が東から南に屋敷を取り巻くように水を湛《たた》え、初秋ともなると土手一面に野菊が可憐な花を咲かせ、これに負けじと、アザミが青紫の見事な花をつけた。

そんな嘉永六年の初秋、直利の松江藩十代藩主襲封の儀が執り行われた。九月五日、江戸城に召された直利は、初めて大広間に足を踏み入れ、老中牧野忠雅から「松江藩十八万六千石の襲封、これを許す」との内命を賜った。

喜びに沸き立つ赤坂の上屋敷に、十月十七日、幕府から「沙汰をするゆえ登城せよ」との達しが届いた。

家老の小田は「来るべきものが来た」と顔をほころばし、この案件に当初から取り組んできた兎毛と求馬に登城を下命し、二人は十八日朝、一張羅に身を包み勇んで赤坂の門を後にした。

二人を送り出した家老部屋では、小田家老を囲んで調練場の配置や装備、資機材、必要経費や担当者の人選など、幕府から用命を受けたなら即刻とりかかるべく評議を行っていた。

そこへ二人が戻り来た。

「ご苦労であった。皆にも関係あることゆえ、この場で申してみよ」

笑顔で迎えた家老の労《ねぎら》いの言葉も、兎毛や求馬には届いていないかのようである。まるで萎《しお》れた花のようにおずおずとしている。

「なんだその顔は、しっかり笑えよ」

「実は、江川様が異なことを申されまして」

「異なことじゃと……。一体なんだ。担《かつ》ぐとためにならぬぞ！」

兎毛は普段から冗句が得意で、しばしば人を担ぐ癖があった。

「それが、役目の指図ではのうて……あの土地のうち一万五千坪を召し上げると……」

「な、何？　何じゃと、屋敷地を召し上げる？　おかしなことを……。これは殿にもお聞き頂かぬと」

藩主を襲封した直利は、登城日のしきたりや幕閣の名前を覚えることに余念がなく、自室に籠っていた。そこへ、慌てた様子の野沢助左衛門が呼びに来た。直利は、手元を片付けながらも口元が緩んだ。

——いよいよ幕命だ。藩主としての初仕事だぞ。

胸の高鳴りを覚えつつ、ゆっくりと家老部屋に歩を運んだ。

「戻られましたか、早朝来ご苦労でござりました」

「殿、兎毛が異なことを申すので、一緒にお聞きいただこうと……」

　家老が恐縮しながら、直利に上座を勧めた。

「異なこと？　して、いかような役目を授かったのじゃ」

　笑顔の直利に、兎毛が眉間に縦皺を寄せた。

「はい、それが……。土地を召し上げると……。下屋敷の土地の三分の二を戻せと……」

「何、召し上げ？　戻せだと。どういう意味ですか」

　冷静な直利に比べて、小田家老は眉を吊り上げ、野沢も口をへの字に曲げている。

「一万五千坪を戻せだ……。冗談を！　調練場は如何なったのじゃ」

「それが……」

「あの土地には込み入った事情がある。ほかの土地とは訳が違う」

　経理に明るい近習頭の廣田右馬が、色あせた五十年も前の売買取引の書類をめくって、取得の経緯について説明を始めた。

　大崎下屋敷の用地、二万千九百坪は、七代藩主の治郷が隠居後の余生を風光明媚な大崎の地に大茶園を築き全うしようと、享和三年（一八〇三）獲得に乗り出したもので、形の上では幕府から拝領したこととなっていたが、その実はあの手この手を駆使し、九年がかりでものにした執念の土地であった。

　中老の中では最も若く、俊敏な頭脳の布施源次郎が首を傾《かし》げた。

「この非常時に、五十年前の裏話をしても幕府は耳を貸しますまい。で、一万五千坪を召し上げ、幕府はどうしようというのですか」

「何でも、鉄砲角場（鉄砲の稽古場）とか……」

「鉄砲角場？　であれば、当藩が提案したこととあまり変わりないぞ」

「この前、此方《こちら》から提案したのだから、我が藩に下命するのが筋、鉄砲角場？　一体どこにやらせようというのだ」

口々に問い、兎毛が目を伏せ、小さい声で答えた。

「因幡《いなば》、鳥取藩に」

「何と、鳥取藩！　鳥取藩だと！」

各人が背をのけぞらし、目を見開いて驚き、大声を発した。


鳥取は、大化元年（六四五）の大化の改新により、因幡国・伯耆《ほうき》国として統治されるようになった。

南北朝期には山名氏が北朝方の伯耆守護となり、室町期においても因伯両国の支配権を保持した。戦国期に入ると山名氏が衰退し、尼子家や毛利家が因伯へ進出、戦国末期には豊臣秀吉が毛利家を破って因幡と伯耆東部を制圧し、南条家など中小大名五家を置くところとなった。

近世徳川時代の寛永九年（一六三二）、備前と入れ替わって池田相模守家が入封、池田家が因幡・伯耆二国、三十二万五千石を支配することとなった。池田家はもともと外様大名であるものの家康と縁戚関係にあったから親藩に次ぐ家格となり、全国二百七十七ある藩の中で十二番目に大きかった。

十一代藩主池田慶栄は十七歳で早世し、嘉永三年（一八五〇）十月二十九日、幕府の仲介で水戸藩主徳川斉昭の第十二子慶徳《よしのり》十三歳が第十二代鳥取藩主を襲封した。

鳥取藩は東に但馬《たじま》国、南東に播磨《はりま》国、南に美作国・備中国・備後国、西方を出雲国と接しており、米子城の城郭整備は、天正十九年（一五九一）出雲国富田《とだ》城の城主毛利家臣の吉川広家によって手掛けられるなど、出雲との繋がりは古《いにしえ》から緊密であった。

出雲と鳥取の民族気質は、「泥と砂」で表現することが出来る。

春先、泥に水を加え、籾《もみ》を蒔き、苗を植え、雑草や害虫を退治し、やがて実りの秋を迎える。これが出雲の地に代表される泥の文化なのだ。

一方、砂地に水を引き野菜を育て、砂浜で貝を獲り、舟を操って魚を捕る、これが砂丘の国、鳥取に代表される砂の文化といえる。

米作りは、豊凶判定に一年かかるから功を焦らず、悠長にして争いを避ける気長な民族が育つのに対し、漁業はその日のうちに豊漁、不漁の判定が付くから、戦略戦術を練り活路を求めて戦いを挑む、気短な民族が育つといえる。

慶徳の父、水戸藩主斉昭は尊王攘夷思想の草分けで、「烈公」と称せられた。慶徳には、異母弟に、同い年の慶喜《よしのぶ》（幼名は七郎麿）がいた。

嘉永五年閏二月十六日、十六歳で初入国した慶徳は、入国後間無しに藩校「尚徳館」の充実という教育改革に着手するなど、勇ましくその第一歩を踏み出した。

「それにしても、隣国の鳥取藩とは……。兎毛殿、もう少し詳しく説明せよ！」

一同が、驚愕して兎毛と求馬を責めた。

「……幕府において全体計画の中で決め、他意はないと……」

それまで兎毛の後ろに隠れるようにしていた求馬が、口を開いた。

「……それと、二十二日に、大崎に鳥取藩を招致して説明会をもつと。我が藩にも立ち会うようにとの仰せがありました」

「な、何だと、四日後ではないか」

「鳥取藩も来《く》ーだと！」

「そこんところ、早言《はや》わんかい！」

一同が興奮し眉を吊り上げた。口々に不満と疑問を兎毛と求馬にぶつけたものの、二人の口からそれ以上の言葉は聞けなかった。

――そうか、残念なことだが致し方ない。方針は覆るまい。

ここまで一言も発しなかった直利が、ゆっくりと口を開いた。

「一万五千坪というと七千坪は我が藩に残る。線引きはいかがいたすのか、何ゆえに鳥取藩に下命するのか、しっかりと幕府の考えを質《ただ》さぬと……。小田家老、明日にでも登城して下され」

兎毛と求馬は目を伏せてうな垂れ、一同は苦り切って家老部屋を後にした。

翌朝四ツ（午前十時）、家老小田は幕府に海防掛の江川を訪ねた。

「昨日、望月らを遣わしまするに、大崎の土地を召し上げるとか。しかもその理由が鉄砲角場を造るためと。先に我が方が具申いたしました調練場も大差ござらぬ。にもかかわらずその役目を鳥取藩にとは、いったい如何なる理由によるのでありまするか！」

小田の剣幕に押された江川付の役人は、当惑しつつ対峙した。

「警備計画策定は当方の専権事項、全体計画の中で決めました。既に鳥取藩に下命致しております」

「だから……。我が方の領地を外してまで、何ゆえ、隣国の鳥取藩へ」

「隣国？　左様か、左様であったなあ因幡は……。出雲の隣国か」

「あの土地は七代藩主が藩の金までつぎ込んで手にした土地、他の土地とは訳が違う。それを何ゆえに鳥取に……」

小田は憤慨した。とかく摩擦《まさつ》の多い隣藩、鳥取藩に、いわく付きの領地を提供してまで名誉な仕事を譲るのかと。

殊に、藩主の初仕事となるであろうこの仕事、殿が強い意欲を持って取り組もうとしている一大事業なのだ。士気の落ちている松江藩の起死回生とすべく、小田は熱意に燃えていたのだが……。

目に涙して、抗議を続ける小田を横目に、役人は当惑しつつ、机の上の分厚い書類に手をやった。パラパラとめくり、その中の一頁を開いて小田に指し示した。

嘉永六年八月十四日と日付のあるその文書の表題は
「芝金杉下屋敷邸内に台場建設の意見書　鳥取藩主　池田慶徳」

と太い文字で鮮明に書かれていた。

鳥取藩は、東京湾のほとり、芝金杉に一万七千五百坪の下屋敷地を保有していた。海に近接し、海防にはより重要な地点であった。藩主の慶徳は、黒船が去った直後自藩の領地を実地踏査し、アメリカ艦隊の再来航を迎え撃つべく、自ら所有する下屋敷地を台場として役立てる、そう決意を固めたのだ。


江川が小田を慰めるように、脇から口をはさんだ。

「実は、松江藩が調練場の提案をされた直後、鳥取藩主殿が直々にここを訪問され、『自藩の屋敷地に台場を造りたい』と進言されましてな。だが幕府としては、芝金杉の地は海岸防御の要所につき幕府の直轄として用いたい。よって鳥取藩には、松江藩所有の大崎の土地を代地として提供し、鉄砲角場として活動してもらおう、左様な計画と致しました。大崎は自ら血を流す決意をされた鳥取藩への代地ですよ」

「さ、左様か、鳥取藩主殿が……」

「松江藩の具申も考慮した上での結論です。線引きのこともあるゆえ二十二日に現地を踏む。所要の準備をして下され」

た。

「……承知いたしてござります」

小田は、愕然《がくぜん》として目を伏せてうな垂れ、江川と目を合わせることなく、深い礼をして立ち去った。


十月二十二日昼四ツ（午前十時）、直利は二十人の家臣を従えて大崎の下屋敷に臨んだ。三日前から、多人数の作業員を差し向けて樹木の剪定や清掃に従事させたのだが、この日はいよいよ拝領地の引き渡しである。

昼八ツ（午後二時）、幕府の勘定吟味役格海防掛の江川太郎左衛門以下三人、鳥取藩主池田慶徳以下五人が大崎下屋敷の門をくぐった。

直利は慶徳公と顔を合わせるのは初めてであった。年は直利より少々若いが藩主歴は既に二年もある。背丈は直利より五寸（十五《セン》チ）も高く、目鼻立ちの整った好青年であった。

この日を迎えるに当たり、家老から一連の経緯について詳細な説明を受けた直利は、穏やかな表情で臨んでいた。

江川吟味役による趣旨説明の後、早速、区域割が始まった。松江藩の預かり地、二万千九百七十五坪のうち三分の二に当たる一万四千九百八十二坪が鳥取藩の鉄砲角場用地として縄張りされ、杭《くい》打ちが行われた。

続いて、引き渡しの儀である。

正面に幕府の三人、上手に鳥取藩主以下五人、下手に松江藩主以下十人が整列、幕府担当官の号令により、江川吟味役の前へ鳥取藩主と松江藩主が並んだ。

「此度は最重要課題である国防に関し、鳥取藩、松江藩から時宜を得た具申がなされ……」

直利には、江川の言葉が耳に入らなかった。期待していただけに落胆は大きかった。だが、それを顔に表すわけにはいかない。

「……松江藩においては、下屋敷用地の返却に快く応じたことを多とする。この上は、鳥取藩にあっては、国防の大任完遂のために、松江藩の分まで精進されたい。以上、将軍に代わって申し渡す」

儀式が滞りなく完了し、勢ぞろいした松江藩士の見送りを受けて江川以下幕臣が、そして鳥取藩の五人も、門の外に出た。幕府の三人が出発し、続いて鳥取藩の五人だ。その時、駕籠に乗りかけた慶徳が、くるっと向き直り、直利のところへ歩み来た。

「松江藩主殿、此度は大事な屋敷地をお譲りいただくこと、感謝いたします。いつの日にか、ご恩に報いたく存じます」

――なんという心遣いであろう、鳥取藩三十二万石はさすがに大藩、己は松江藩主に任ぜられて僅かに四十八日、ようやく足が地に着いたところだ。なーに、先は永い。戦いはこれからだ。

直利は慶徳に笑顔で対し、手を差し出し、固く握りあった。

時は過ぐること四十日の嘉永六年十二月二十三日、直利は将軍家定に謁《えっ》し、家定の「定」の字を授かり出羽守定安《さだやす》を称し、従四位下侍従に叙せられた。

三　起き上がり小法師《こぼし》

安政元年（一八五四）一月〜三月　松江・津山

「下にー下に、下にー下に」

定安が、初の出雲国入りを果たしたのは、安政元年一月十四日のことである。

行列が鳥取と出雲の国境吉佐の峠に差し掛かったところで、松江藩仕置役家老大橋家七代当主大橋豊後四十五歳が恭《うやうや》しく出迎え、ここから先導を務めた。

定安は高なる胸の鼓動に浸りながら、さっそうと馬に跨った。

真冬とはいえ、まるで定安を歓迎するかのような青空の下、五百名からなる行列は、奈良・平安時代に出雲国庁が建造された意宇平野を経て、津田海道の松並木に差し掛かった。

見事に手入れされた松並木の路肩に、茣座《ござ》を敷いて待ち構えていた老若男女が、一斉に頭を地面に擦りつけた。

「おお、待っていてくれたか、有難う」

定安の口から、思わず感嘆の声が漏れた。

やがて列は松並木通りを北方に折れて天神川を渡り、白潟天満宮前の勢溜《せいだまり》へと繰り出した。広場には露店が軒を接して賑わい、饅頭や甘酒の甘い香りが定安を歓迎した。広場を通り抜け白潟の商業地に差し掛かると、店の前の人垣が大きく揺れ、歓声が上がった。

行列はしずしずと進み、突然、眼前に大きく視界が広がった。大川である。幅八十間もの大川に木製の曲がりくねった橋が南北に伸び、橋のたもとの柳並木土手には、千人を超す民が今や遅しと定安を待ちかねていた。

押し込め隠居させられた九代藩主の噂は民の耳にも伝わり、暗雲の漂う出雲の地であったが、十九歳と若々しい定安のお国入りは久々にこの地を明るくし、民の表情に生気を甦《よみがえ》らせていた。

馬上から東の空に目をやれば、真っ白い雪を頂いた伯耆富士《ほうきふじ》が天にそびえ、正面の小高い丘には荘厳な天守が輝く。西に目を転ずれば、青い水を満々とたたえる宍道湖に、白い帆を風になびかせながら船が悠然と進んでいる。

二日後の二月十日、定安は豊後の案内で、初めて松江城本丸に臨んだ。

定安が幼少の頃から目に親しんできた津山城の天守閣は、高く堅牢な石垣に支えられた五層造りであったが、屋根を飾る破風は最上階のみで見た目は質素であった。だが、眼前の松江城は、各階に見事な破風が施され、天守はまるで千鳥が羽を広げた如く美しい。

最上階に足を踏み入れた定安は、思わず感嘆の声を発した。

「おお、なんという絶景！　これが出雲、出雲の国にござるか」

定安の胸は、感激で打ち震えた。

――神の国出雲！　これが予に託された国だ、すばらしい。退任なされた斉貴公、小島藩に追いやられた兄上のためにも、大任を果たすぞ。母上、どうぞ見ていて下さい。

「豊後、身共は津山の山家育ち、もとより力量などない。家老を始め、家臣の意見をよく聞き事に対処したい。何なりと気付いたことは申すがよい」

「御意。藩の運営は、先の騒動も殿のご就任により一段落し、当面する重大案件は異国船対策にございます」

我が国は鎖国政策により、十七世紀のころから沿岸線の要所に「唐船番」という兵団を置いて異国船に備えていた。

松江藩における異国船進出の動きは十八世紀に始まった。享保二年（一七一七）、出雲の半島、美保関、川下浦、古津浦などに得体のしれぬ船が再三接近したため、時の藩主宣維《のぶずみ》は軍を配置して警戒中、翌三年二月、十六島《うっぷるい》へ、三月には再び美保関に接近した。

武装した船舶隊が上陸直前でこれを阻止したのもつかの間、七月十一日、またも川下浦に。宣維は非常事態とみて、川下浦の高台に大砲を据え、百名体制で待ち受けた。翌十三日未明、性懲りもなく接近した異国船に宣維は発砲を命じ、弾丸が帆柱を貫《つらぬ》き帆を打ち破った。その船は積み荷を投棄し一目散に退却、残留物から清国籍と判明した。

寛政年間に至り、ロシアやイギリスが東方侵略に手を伸ばしたことから、幕府は同四年（一七九二）、海辺に領地を有する諸大名に防衛体制の強化を指示した。

日本海に面し、大陸と向き合う山陰の両藩は、実地に沿岸を視察するなどして見張り場の増強、侵入阻止方策等につき再検討した。

新体制として因幡には浜村・青谷・由良・大塚・赤崎など八カ所、伯耆には米子・八橋・浦留・泊の四カ所を、出雲には森山・河下・日御碕・杵築・赤塚・手引ケ浦・口田儀など二十四カ所を、隠岐島は島前に五カ所、島後に三カ所の警戒地点を設定するに至った。

見張りに従事する兵団と活動要領、危険時の対処方法、銃砲・石火矢等の配置、拘束要領、異国人との筆談体制なども敷いた。

だが、その主力は地方《じかた》の農・漁民に頼るもので、攻めの体制には程遠いものであった。

「出雲の国は全国三百余国の中でも五指に入る海防の重点地域と聞く。皆で知恵を絞って、万全の警備を果たそう」

「昨年来発せられた幕府の指導にのっとり、見張り体制を強化したところにござりますれば、初巡視において十分ご視察、督励賜りたく存じ上げます」

「分かった。左様に心致そう」

翌二月十一日、在国藩士の謁見を行い、十二日は軍学教授横田新兵衛、儒学教授桃題藏《ももだいぞう》と交わった。

かねて江戸屋敷で、国には桃題藏、妹尾謙三郎なる儒学者が教授していると聞き及んでおり、学問好きの定安は、二人に会えることを楽しみにしていたものの、桃一人が罷り出でた。

「この地では藩士に限らず町民、農民に至るまで学習意欲が高いと聞き及んでおるが、如何かな」

「仰せの通りにござります。藩校を始め、私塾に学ぶ若者も増えております。ただ、困ったことは、この頃私塾に、伝統的な朱子学の精神からはみ出た倫理を持ち込み、人気を取ろうとする輩《やから》の見受けられることであります」

齢《よわい》四十過ぎ、藩校の責任者として長くこの地の学問を牽引してきたこの学者に、少なからず不満があるように見てとった。

「いかようにじゃ」

「学ぶことの目的や心構えなどを強調し、朗読や暗記、作文などを軽視する風潮があるということにござります」

「なるほど、その理論とやらを一度聞いてみたいものじゃ」

桃は、定安が意に反する反応をしたのか、怪訝《けげん》な表情をした。


二月十六日、いよいよ国内巡視に出発、十七日は憧れの出雲大社《おおやしろ》に臨んだ。

国造りの神大国主命を御祭神とするこの社は、かつては倍の高さの十六丈（四十八米《メートル》）もあったと伝わり、さすがに壮大である。神殿の鰐口《わにぐち》が高らかに打ち鳴らされ、これを合図に千家、北島両国造《こくぞう》に導かれ、定安は神殿上段に着座し、厳かなうちに参社の式が執り行われた。式典を終え賓席に案内されて茶の接待を受けた定安は、千家家第七十九代宮司、千家尊澄《たかずみ》に問いを発した。

「国造殿が日々祈っておられることは、如何様なことですかな」

「……和平にござります」

穏やかな表情の宮司は、一瞬間を置き、爽やかな口調で答えた。

――和平……。やはりそうか。

定安は深々と礼をし、千家宮司の前からしりぞいた。


国内巡視の一段落した二月下旬のある日、定安は「観山御殿」に前藩主斉貴公の御機嫌伺をした。藩主襲封に当たり、斉貴公と養子縁組し、長女熈姫《ひろひめ》を娶《めと》る条件付きであったから、斉貴公にとって定安は娘婿の関係にあった。

深い緑色の水を湛えた濠には白鳥や鴨などの水鳥が遊び、濠の緑と対照的に、土手には数十本の椿が真っ赤な花を付けていた。

人呼んで観山御殿、三の丸の西側、通称御花畑の一等地に建つこの館は、隠居に入る公への配慮をもって新築されたもので、館の北側には小舟の係留が可能となるよう、栈橋が敷かれていた。

――正直言って、この御殿の門を潜るのは気が進まぬ。それがしは公の婿養子とはいうものの、「押し込め隠居」の後釜《あとがま》だ。しかも、隠居させたのは我が父や兄なのだから。

冬には珍しく暖かいこの日、斉貴は濠に舟を浮かべて詩を作っていた。定安の訪問を知ると、船頭に命じて舟を栈橋に着け、定安をじろりと見た。

「初にお目にかかります。父上の後を受けて十代藩主を拝命仕りました定安にござります。よろしくお導きのほどを……」

「挨拶はよい、お前も乗れ」

定安は指示されるまま、桟橋から舟に乗り込んだ。特製のその小舟には真ん中に炬燵が備え付けられ、斉貴は舟尾にどっかりと座り、足を炬燵に入れていた。定安も炬燵に足を伸ばした。

公は、分厚い綿入れをはおり、定安の倍もありそうな肥った体を横たえている。剃髪しているとはいうものの、顔の髭は伸び放題、野太い声、鋭いまなざしで定安を圧倒した。

——人は外見で判断はしてはなりませぬ。つかず離れず添いなさい。さすれば意外と見えてくるもの、始めから当たりの良い人ほど警戒した方が良い。親しくなった時その人の本当の姿が表れる。

定安は、母の教えを思い出し、つとめて平静を保とうとした。

「せっかくお楽しみのところ、お邪魔を致します」

「いつ、国入りした。えらく顔を見せるのが遅いではないか」

「あっ、はい、公務に忙殺されまして……」

定安は、国入り早々に挨拶を、と気が急《せ》いていたが、家老から「公務第一、ご隠居も病の身ゆえ落ち着かれてからごゆるりと」との意見を入れてこの日の訪問となった。だが、まさか小舟の上での対面となろうとは……。

「お前のような礼儀もわきまえぬ青二才に、藩主が務まるかな」

家老の諫言死、お家騒動、忠臣忠太郎の裏切り、身から出た錆により押し込め隠居させられて一年余、ようやく身の置き所を得た斉貴であったが、依然として態度は大きく見下した口調、嫌みたっぷりの言いぶりだ。

――いきなり「青二才」はあるまいに……。待て待て、父上はご病気なのだ、だから隠居させられたのだ。ここは冷静に、冷静に。

「で、お前、出雲大社《おおやしろ》へ行ったか、宮司に会ったのか」

「はい、出雲神話のこと、日夜平和を祈願していることなどを受け賜りました」

「おお、そうか、出雲神話は何を知っておる」

「国引きの神話、黄泉《よみ》の国の神話、ヤマタノオロチ退治、因幡の白兎、それに国譲り神話などを学んでおります」

「おお、そうか、だいぶ勉強が進んでおるようじゃな」

「父上、ご体調は如何にござりますか」

「体調じゃと、わっははは。病気の二つや三つ、屁でもないわ」

炬燵板の上には徳利と茶碗が置かれている。公は徳利を手にして茶碗に酒を注ぎ、大口を開けてゴクリと音を立てて飲んだ。

「お前も飲め、この酒は予が造らせた『上伝酒《かみでんしゅ》』じゃ」

斉貴は、天保の頃江戸表へ出向の道中、摂津《せっつ》の国灘の銘酒「惣花《そうはな》」に出くわした。これが頗《すこぶ》る口に合い、杜氏《とうじ》を飯石の豪農、田部家に呼び寄せて灘流の辛口の酒を造らせた。以後この地では、この酒を上方からの伝来を意味する「上伝酒」と呼称していた。

勧められるまま、定安も一杯相伴《しょうばん》に預かった。

「おお、美味い、この味は初めてです」

「なに、お前、酒の味が分かるのか」

斉貴がニタッとした。少々気を良くしたようである。

「父上、それがしは江戸で、黒船を目前にいたしました」

「ほう、見たのか。で、如何であった」

「これをご覧下され。身共が描きました」

定安は、己が久里浜で描写した黒船の絵を懐から取り出し、斉貴に手渡した。

「おう、これが黒船……。お前、結構絵が上手じゃのう」

斉貴は、三百諸侯の中で自他ともに認める西洋通で鳴らしていた。趣味の時計集めが発端となり、砲術や医学にも精通し、思慮の浅い幕閣の先例踏襲を決め込んだ鎖国政策に、強い批判の目を向けていた。

「久里浜の沖合に停泊致しておりましたが、その船体は城の如く巨大にして、煙突からは黒煙を吹き上げ、船首には釣鐘の如き大砲を装備しており、胆《きも》を抜かれました」

「そうであろう。幕閣の馬鹿共に如何様に説明しても埒《らち》が明かなんだが、奴らも此度は思い知ったであろう」

しばし絵に見入っていた斉貴が、おもむろに目線を上げ、定安の顔をしげしげと眺めた。

「で、我が国はこれから異国と如何に向き合うべきと考える」

「はい、まず沿岸線をがっちり固め異国人の侵入を阻止いたします。残念ながら我が国はアメリカを始めとした列強と兵備において大きな差があります。急ぎ兵備の充実を図り対等の関係に近付ける、その上で開国することが肝要と存じ上げます」

「なるほど、一理あるのう。では、沿岸の守りはいかがいたす」

松江藩の最も重要な任務、それが異国船対策であると自覚する定安は、着任早々沿岸対策に精力をつぎ込んだ。

「只今、遠見番所の点検と見直しが終わったところにござります。人員増強や規模拡大を検討中であります」

「砲術方を配置した台場が要るではないか」

「幕府は目下江戸湾沿いに設置中です。近い将来我が国にもと」

この時期、大砲の製造は佐賀・鹿児島・水戸などで取り組まれていたが、見張り場へ砲術方を配置した台場はまだ存在しなかった。

「武器や船はいかがいたす」

「久里浜でアメリカの兵備を目の当たりにし、その規模の大きさに圧倒されました。列強に対抗するためにはオランダなどの知恵を借り、国内でも製造して増強すべきと……」

松江藩は、古くから御手船を所有し、船手組《ふなてぐみ》（水軍）を置いていたが、保有する船は小型の帆船や伝馬船という有様であった。

「オランダの知恵だと、アメリカに対抗する力はないぞ。まあよい、先のことはさておき、急を告げておる隠岐の島の守りはいかがいたす」

「隠岐は……。公儀からの預かり地ゆえ、幕府の指導を仰いで……」

「な、なんだと、お前、今何と言った。馬鹿もん、甘い！」

俄かに機嫌を損ねた斉貴は、目を吊り上げ、顔を赤くして定安を睨みすえ、声を荒げた。

「隠岐は預かり地だと、幕府の指導じゃと、馬鹿もん！　隠岐は我が所領じゃ、その程度の分別で、十八万六千石の藩主が務まるか！」

「い、いいえ、それがしは只今、勉強の途上にして、その……」

「左様、勉強が足らぬ、出直せ！　出直して来い！」

こめかみに青筋を立てている。酒の酔いから出た暴言、侮《あなど》りではないようだ。前藩主として定安の甘さを見て取り、期待外れから出た言葉である、そのことが定安にはよく解った。

――おお、何という屈辱、甘いだと、だがそう言われても今の自分には反論出来ない。

定安自身、己が甘いと反省する出来事がついこの前あった。

国入りを果たした二月八日のその日、家老乙部九郎兵衛が、江戸飛脚便の書状を持参した。一月十八日付幕府発信で、松江に届いたのは二十八日であった。

『昨年浦賀へ来航したアメリカ艦隊が、一月十六日再び江戸湾へ来航した。万全の警戒を図れ。いかに対処したかを報告せよ』

まさに緊急の通達であった。

「この書状を作用驛辺りまで持参させ、殿を待ち受けることも考えましたが、入れ違いになることや、道中でお目にかけても如何ともし難いと存じ、今日まで保管いたしておりました」

乙部の、何とも定安を小馬鹿にしたような報告で無性に腹立たしくなった。だが、国入り早々家老に苦言を呈することに躊躇《ためら》いがあり、仕方のないこと、と己を鎮め、成り行きに任せるしかなかった。

――人には相性というものがある。殊に、斉貴公の如き傲岸不遜《ごうがんふそん》な人間は大の苦手だ。今日は日が悪かった、出直そう。

そう思い小舟に立ち上がった定安は、酒の酔いも手伝ってふらつき、重心を失ってよろよろ、慌てて舟べりに手をやったものの舟は大きく揺れ、次の瞬間、身体は弧を描いて舟べりを越えた。

――ばっしゃーん
頭から濠に転落した定安、慌てふためいて手足をばたつかせ、足を濠の底に付けようとしたが届かぬ。辛うじて舟べりにつかまり、慌てて駆け寄った船頭の手を借り、やっとの思いで桟橋の上へ。

「わっはっはっは」

大笑いする公に、腹は立つが怒る訳もならず、暇《いとま》の挨拶もそこそこに、ほうほうの体で逃れたのだ。

「殿が濠に落ちた」。その珍事は用人から家老に報告されたものの、豊後らによる厳しい緘口令《かんこうれい》が敷かれ、噂の広まることは避けられた。定安は、家老の配慮から、気分転換にと寺社巡りや剣術、槍術、砲技などの初巡視をこなす日々となった。

ある日の夕方、予定を繰り上げて三の丸に戻り、厠《かわや》で用を足していたところ……。

「……江戸はさぞかし火の車であろう。幕府から本牧《ほんもく》警備の打診があったらしい」

「新米の小田家老も困っておろう。殿には内緒だぞ、何でもかでもお耳に入れると、こっちの予定が立たぬ」

声の主は分からぬが、江戸の様子を知ることの出来る重臣であろう。定安は俄かに江戸の様子が気になりだした。

――そうか、アメリカ艦隊が再来航して一月半、ここは悠長に巡視をしておる時ではないぞ。

遅まきながら気付いた定安は、松江の出発を予定より三カ月繰り上げることとした。


三月十五日松江を出発した定安は、十七日夕刻、出雲街道沿いの津山に到着し、久々にかつての我が家の門を潜った。

思えば一昨年の五月江戸に旅立って以来、実に一年十カ月ぶりの生家である。ようやく安堵出来る義父との再会であった。

「お父上、お懐かしゅうございます。定安、お陰をもちまして国入りを果たし、此度は初の参勤です。その道すがら、是非とも父上のお顔を拝みたく、罷り越してございます」

「おう、それは良うお越し下された。手土産まで持参された由、有難く頂戴いたす」

定安が持参した土産は、出雲名物の干し鮑《あわび》と上伝酒であった。

「藩主の装束もよう似合っておる。成長したようだな。祝いにまず一献」

「これは父上、勿体《もったい》のうございります」

酒の好きな斉民は、定安が座に就くや酒を勧め、己も美味そうに飲んだ。前もって訪問を告げていたことから、この日の定安は客人として迎えられ、勧められるままに盃を重ね、ほんのりと頬を紅潮させた。

「で、初の国入り、出雲の地はいかがであったかな」

「はい、景色も習慣も言葉も違い戸惑いましたが、ようやく落ち着きました。米や麦の収穫も安定しており、鉄、朝鮮人参、木綿などの産業も活発で、藩の財政も堅調に推移しておるようにございります」

「それは何より。出雲は土地が肥えており、民も勤勉実直と聞く。藩のごたごたも片付き、待ちに待った新しい藩主の国入り、民も喜んだことであろう。よき選択をなされた」

「何もかも御父上のお陰、日々勉学に努め、津山藩の名を汚さぬようにと勤めております」

「ははは、その心掛けたるや良し。ただ、藩主とは孤独なもの。歳も経験も関係ござらん。誰にも頼らず己の頭で考えぬとな……。悠長に勉強しておる暇《いとま》などござらぬぞよ」

「実はそのことです。手前には特別な知恵も経験もなく、これから出てくるでありましょう難問に果たしてまともな答えが出せるか、藩を引っ張って行けるのかと、不安で」

定安の口からつい本音が出た。斉民は首を振り頷いていたが、やがて薄ら笑いの目を向けた。

「今夜ここへ来たのは、泣き言を言うためかな……。ははは」

「は、はい、未熟者ゆえ、恥を忍んでお教え願いたいと……」

「そうか、正直でよろしい。が、他では口にせぬことじゃ。要は腹構え、藩主としての洞察力だ……。少々問いを発することとしよう」

「は、はい」

――丁寧に教えて貰えると思い本音を言ったが、いきなり問とは、いったい何が飛び出すやら……。

「では聞こう。『金』と『名誉』と『勇気』、藩主にとって何が一番大事じゃ」

――ウーン、これは……。ない袖は振れぬというゆえ、金であろう。

「金、でありましょう」

「そうか……。そう答えると思っておった。金は借ることも稼ぐことも出来るが、名誉も勇気も金では買えぬ。金を失うことは小さい。名誉は大きい、勇気を失った藩主など、居らぬ方がよい。分かったか！」

「は、はい、分かりましてござります」

「次に、出雲は沿岸線が長い、護りは如何する」

「はい、急ぎ重要な遠見番所八カ所の巡視を致しました。人員増強と見張りの強化を指図したところにござります」

「鳥取藩との境界はどうじゃ」

「はい、境灘を挟んで対しており、島根半島は我が藩、弓浜《きゅうひん》半島は鳥取藩、相互に唐船番を有しており、円満に治めております」

「ははは、摩擦はないか……。なら隠岐の島はどうじゃ」

「隠岐は我が領地、因幡からも近いとはいえ、我が藩でしっかりと警備を……」

先日斉貴公から隠岐のことを聞かれた折、うかつにも「公儀からの預かり地」と言ってしまった。よって今宵はしっかり返答したつもりであったものの、父は意外なことを言い出した。

「時に定安、松江を出発して、いずれの地に泊まった」

「はあ？　一昨日は溝口、昨夜は新庄にござります。それがどうか？」

「参勤交代の始まった頃は、初日は米子に泊まっておったらしい。ところが初代の直政公は〝油《あぶら》口《くち》〟と言われるぐらい放言癖があってのう。ある時家臣が『松江藩は大藩ゆえ安来あたりに出城を』と言ったと。そうすると直政公は『まさかの時には米子城を当方の出城とするゆえ必要ない』と放言したとか。それが米子に知れてな、以後宿泊はおろか、休憩すら拒否されるようになったと。如何思う」

「まさか……。どうせ作り話にござりましょう」

「そうかもしれぬ。だがなあ、隣国というのはやっかいなもの、面目や競争で国が動く。まだお前は経験が浅いゆえ、親戚ぐらいに思っておろうが……。今に分かるであろう」

――思い出した。ついこの前大崎の地を因幡に取られたばかりではないか。そうか、父は、それを教えんとしているのか。

「では次だ、先の幕府による開国の意見聴取に、そちはいかような答をした」

昨年、浦賀にアメリカが踏み込み強硬な姿勢で開国を迫ると、困り果てた幕府はなんとかその場を繕《つくろ》い、回答を引き延ばすと、諸大名に先例のない開国の是非を問う意見書の提出を求めた。

「はい、手前も久里浜に臨み、黒船の凄さはこの目でしかと……」

「何、見た、見たのか、それで？」

「残念ながら我が国は兵備において大きな差が。そこでアメリカの要求を延ばせるだけ引き延ばし、この間に大砲を鋳《い》、軍艦を造り、沿岸を固めます。兵備が整ったところで敵の要求に応じます。さすれば、仮に戦いになったとしても互角の戦いが出来ると存じます」

「そなた、日本の大砲とアメリカのそれとどれほど差があるか知っておるか？」

「い、いえ」

「日本の大砲は丸い弾《たま》で射程距離が八町（八百五十𠀋《メートル》）、アメリカのそれは先端が尖《とが》っており二十町から三十町。江戸湾岸から狙っても敵の軍艦には届かぬ。ところが、敵の軍艦から発射される弾は、ゆうに江戸城を打ち砕く。兵備が追い付くことなど至難の業じゃ」

「おお！　それほどもの差が……。驚きました。ならば、父上、父上のご意見は？」

「開国じゃ、開国すべし！」

「えっ！　開国？　でありますか。それはまた……」

洋学の津山、定安は進歩的な父に敬服するとともに、自分もその薫陶を受け思考は柔軟であると自負していた。だが「開国」は想定外であった。

——父がまさかそれを言い切るとは……。

「で、その理由は？」

「今、日を追うて地理の学が盛んになり、進んだ西洋諸国は、相互に貿易で交わって国を富ましめておる。仮にアメリカの要求を退けても、すぐ別の国が来る。イギリスが清国を襲った如く暴虐に出る国もあろう。ならば、礼を尽くして開国を請うておるアメリカに国を開く。快く開国することが皇国としての儀礼、得策でもあろう」

アメリカの要求は、捕鯨で日本近海を訪れた折、水や食糧、燃料切れになることを口実とした相互援助であった。これに対し、大半の大名は旧態然として、外国を撃退して鎖国に徹すべし、との「攘夷論」であった中で、斉民の見識は頗《すこぶ》る異色であった。

「なるほど……。さは申しましても幕府の方針は鎖国、父上はそこまであからさまに開国を？　並みの藩主には憚《はばか》られると存じまするが」

「何だと、情けない、ここまで説いてもまだわからぬか！」

「は、はい」

定安は、「情けない」と軽蔑の眼を向けられ愕然とした。

「時代は動いておる、体制が鎖国だからといって深く考えもせず迎合するなどもってのほかじゃ。見識のないものは国を亡ぼすぞ！」

酒の酔いもあったであろうか、斉民は声を荒げた。その目には涙が光っていた。

背に汗が流れた。藩の格付けは津山より松江がはるかに上位。いざ緊急事態に臨み父に頼ることなどとうてい出来ないのだ。

定安が落ち込んだと見たか、斉民は軟らかな口調となった。

「話は変わるが、斉貴公はお達者かな」

「はい、すこぶるご壮健にございます。本日持参いたしました酒、これは義父ご自慢の名物にございます」

瞬間、父の顔が曇るのを見て、定安は怪訝《けげん》に思った。

「……それはまあ良い。で、親戚筋から隠居させられたことについて、何かお言いか」

「いえ、そのことは一切……。悠々自適、濠に舟を浮かべて詩歌などを作っておられます」

「ふーん、そうか。で、そなた、斉貴公とはうまくやっていけそうか」

気に掛けていることをずばりと聞かれた。

「はあ、ご心配に及びませぬ。洋学の師であり、義父ですから」

叱られた後でもあったからか、深く考えもせず言葉が口を突いた。

「なに、洋学の師だと！　斉貴公がか？　そなた……」

首を傾《かし》げた斉民は、定安の目を穴が開くほど覗き込んだ。

「そなた、毒されてはおらぬか？　あの男が如何なる人間か、親戚筋がどれほど困らされてきたか、知っておる筈であるが……」

斉貴は幼少の頃から洋学に長じ、何人かの人材も育成していた。が、それは多分に金に物を言わせた道楽の延長であって、津山藩の如く藩に根差したものではなかった。定安もそのことを薄々感じていた。

「姫のことがあるからのう、そなたの立ち位置の難しいことは分かる。が、藩主はそなただ。引きずられぬようくれぐれも心せよ」

斉民の心に、駆け出しの定安がその座を奪われるのではと、その心配が宿っていることを、定安は読み取ることが出来た。

「……心得ましてござります」

定安にとって、父との楽しい再会の美酒となるべきその夜は、ひたすら試され、説教され忠告され、苦い酒となった。だがやはり父である。「情けない」と毒づきながらも、藩主の心構えはいかにあるべきかを噛んで含めるように教えた。定安にとってまたとない勉学の夜ともなったのだ。


翌十八日朝、重い頭を抱えつつ出発の準備を整え、家臣が呼びに来るのを待つ定安であった。障子を開け放つと、美作の山麓からまばゆいばかりの朝日が差し込んだ。故郷の懐かしい緑の山並みは、定安の行く手に待ち受ける苦難をしばし忘れさせるが如く、優しく包み込んだ。

「殿、ご婦人から、預かりものにござります」

部屋の外から声がした。襖を開けると、同行の家臣が風呂敷包を大事そうに両手で抱えていた。

「預かりもの？　ご婦人だと？」

風呂敷を手で触ると、固く丸いものに触れた。

――誰から？　何だ、これは。

昨夜の酒が覚めやらず、うつろな目をして風呂敷を解いた。絹布に包んだ三寸ぐらいの丸い固まりに奉書が添えられていた。次の瞬間、定安は目を皿のようにした。奉書の表の「済三郎殿」の流れるような文字、それはまぎれもない、定安をこの世に送り出してくれた母於千雄の直筆であった。

「は、母上！」

四歳の定安を残して死別した父亡き後、側室という肩身の狭い立場ながら、父親代わりとなって一心に定安を育み教育してくれた母。読み書き算術はもとより、ある時は木刀を手に、ある時は肌着一枚となり水浴にと、女を捨て、父親さながら定安の成長にすべてを注いだ。

「どこへ、これを下された方はどこへ？」

「はい、先ほど戻られました」

「なに、戻られた、行く！　身共の母君だ！　行く、行くぞ！」

廊下を、音を立てて走った定安は、土間にあった草履を引掛けるや、家臣が止めるのも聞かず戸外へ走り出た。

「母上！　母上！」

二町も走ったであろうか。定安の行く手に、緑色の着物を纏った、小柄な婦人が従者らしき身なりの老女を伴い歩いているではないか。定安の声に気付いた婦人が振り向いた。

「母上、母上！」

「済三郎、済三郎！」

定安が走り寄ると、従者は気を利かして離れ、婦人は定安の方へ歩み来た。定安は婦人に駆け寄り、両の手で抱きすくめた。

この世で一番愛し、信頼し、尊敬する母、すべてを擲《なげう》って定安を一人前にしてくれた母、その母於千雄と十カ月ぶりの再会であった。

「は、母上、母上……」

小柄で痩せた躰、まぎれもない懐かしい母の匂い、温もりだ。熱いものが定安の頬を伝った。

「さ、済三郎、済三郎殿……」

「お懐かしゅうござります。母上、ご壮健にござりますか」

「済三郎殿こそ……少し痩せたね……顔色が悪いようですが」

「はい、多忙ゆえ……。いえ、壮健にござります」

「藩主の勤めは、きちんと果たしていますか」

母の目はごまかせなかった。初の国入りによる多忙な行事と、初対面の家臣や義父、知名の士との面接など気疲れも手伝って、この頃食欲も落ち、目がくぼみ頬はこけていた。

「今朝、ご家老の使いが来られて済三郎殿のことを聞き、それで顔を見にと思ったが、面会が叶わぬ折にと、達磨を届けたのです」

家老というのは、定安母子を陰になり日向になって支えてくれた苦労人佐久馬上総《かずさ》であった。気骨者で媚《こ》びることが嫌いで千五百石に甘んじていた。

――父に内緒で気を利かせてくれたのであろう、上総殿、かたじけない。

「母上、この達磨、探していたのです。やはりこちらに……」

達磨は、定安が三歳の頃、参勤から戻った父から戴いた福島名物の「起き上がり小法師《こぼし》」であった。側室の子で体格も劣っていたが知恵に長けている我が子を逞しくしようと「縁起の良い玩具」として取り寄せたもので、定安はこの玩具をたいそう気に入っていた。

江戸出発に臨み荷物の中へ入れたつもりが、見当たらない。以来、気に掛けていたのだ。

「大変な時期に藩主になって、さぞ辛いことでしょう。でも、済三郎殿は大丈夫。賢いし粘り強いからあの達磨のように、転んでも倒れても起き上がれます」

「はい」

「松江を故郷だと思いなさい。戦は最後の手段、貧しい人たちが幸せになるよう、精一杯努めるのですよ。それと、自分の欲を押さえて、人の気持ちを思いやりなさい」

「分かりましてござります」

「そなたに言いたいことはこれだけです。身体をいといなされ……。ほら、あの木の陰で家臣のお方がお待ちです。さあ、行きなされ」

於千雄は、定安の背をポンと押した。二、三歩歩んだ定安であったが、咄嗟に後戻りし、母の両の手を握りしめた。

「母上、定安、お約束します。今度お会いする時は、必ずや藩主として成長した姿をお目に掛けましょう……。母上、どうぞ、御身体をおいといなされ。どうぞ……」

ほんのひと時の再会であった。だが、母の金言に勝るものはない。

――そうだ、起き上がり小法師だ。松江を故郷だと思って、己のままでぶち当たろう。転けたら起き上がればよいのだ。

心を覆っていた暗雲が瞬く間に吹き飛び、爽快さが躰の隅々に満ち溢れてきた。着物の袂《たもと》で顔を拭いた定安は、大きく息を吸い込み向き直った。顔一杯に笑みを浮かべ、胸を張り、来た方向へ大股でゆっくりと歩を運んだ。

定安、二十歳を目前にした、春たけなわの美作の朝であった。

四　御前試業

安政元年（一八五四）四月～文久二年（一八六二）江戸―松江

アメリカ艦船の日本来航は、隙あらばと身構えていた他国をも刺激し、かねてより我が国に狙いを定めていたロシアも急接近してきた。ペリー来航から僅か一カ月後の七月十八日、ロシア使節プチャーチンは長崎に上陸し、開国と北方の国境画定を要求したのだ。

年が明けた安政元年、ペリーは軍艦七隻を率いて再び浦賀に来航し、江戸湾の測量を行うなど軍事的圧力を掛けつつ条約の締結を強く迫った。幕府にこれを回避する手立てはなく、その威力に屈して三月三日、日米和親条約を締結するところとなった。

さて、初の国入りを果たし一回り大きくなった定安は、四月八日家臣を国書院に集め、威儀を正して藩主としての所信を表明した。

「孫子の兵法に『彼を知らずして己を知れば、一たび勝ちて一たび負く。彼を知らず己を知らざれば、戦うごとに必ず敗る』とある。

予は、一月に江戸を発って初の国入りを果たし、今日戻ってきた。この間、アメリカをはじめとした異国の進出は著しく、孫子の兵法を今の日本に当てはめれば『必ず敗れる、歯が立たぬ』といえよう。そこでわれらが急がねばならぬことは『敵を知り己を高める』ことである。幕府の指導を待ち、周囲の動きを見ながら腰を引いておるようでは後れを取るばかりか、自国の安全すら保ち得ぬ。

ついては、今後我が藩は失敗を恐れず打って出る。その方向付けとして西洋に倣《なら》うこと、すなわち洋学を学び、良きことはどんどん取り入れ、追いつき追い越したい。もちろん経験豊富な皆の意見は十分に聞く。よき知恵を出した者にはしっかり褒美を取らせる。皆で力を合わせこの難局を乗り越えよう」

黒船来航以来十カ月、突如として到来した大きな時代のうねりの中で、二人の父や家臣にもまれ、母の金言を胸に、ようやく定安流の政治手法を見出したのであった。

黒船来航は日本を大きく揺さぶり、幕府は急ごしらえで江戸湾の警備を増強した。沿岸一帯を数町ごとに区切り、各藩に守備範囲を割り当てたほか、品川沖に台場を造営するなど大わらわであった。

十一月、鳥取藩は「本牧警備《ほんもく》」の命を受けた。本牧は武蔵国の沿岸で、鳥取藩は台場四カ所を築造し、一番手鵜殿《うどの》藤輔、二番手荒尾駿河に陣を張らせた。

翌安政元年十一月、鳥取藩の本牧警備は解除され、新たに品川台場警備が下命された。この時幕府は二年前松江藩から鳥取藩へ管理替えした大崎の下屋敷地を「台場付属陣屋」に指定し、品川台場の物資置き場や兵士の宿舎等に活用することを命じた。

一方、鳥取藩の後を受けて本牧警備を下命された松江藩は、安政四年（一八五七）四月までの間、連日二百人の隊員を配置し、藩主自ら陣頭指揮し隊員を鼓舞した。

その後鳥取藩には大坂湾「摂海《せっかい》警備」が、松江藩には「大坂安治川口警備」が命ぜられるなど、文久年間まで、自国沿岸線の護りとは別に国役《くにやく》が課せられ、両藩とも苦しみながらもその大役を果たした。

失敗を恐れず前進することを約した定安は、安政二年五月、軍事強化策として、大砲の鋳造に乗り出した。

きっかけは、父から日本とアメリカの大砲の威力の差を聞かされ驚愕したところへ、江戸詰の蘭学者金森建策が「鉄熕鋳鑑《てっこうちゅうかん》」なる書物を献じたことによる。その書物は、オランダのヒュゲェニンの著作を翻訳したもので、従来の銅製大砲から鉄製に切り替えることで威力が増すとするものので、建策は「出雲国で産する鉄を用いては」と藩の軍制刷新を建言したのだ。

善は急げ、定安は、城下乃木口の鉄製道具製造の「釜甑方《ふそう》」に反射炉を建設させ、一歩を踏み出した。反射炉は金属の溶解・製錬などに用いる炉の一種で、「たたら」で生産された粗製銑鉄を製錬し、火器に適した錬鉄を造るものである。

この頃、長崎に駐在し朝鮮人参の清国輸出などに携わっていた雑賀町出身の宮次群蔵は、出島の蘭人から西洋近代砲術を学んだ幕府の役人高島秋帆と親交を重ね、反射炉鋳筒の知識を身に付けるに至った。そこで定安は、群蔵の配下に幕府砲術師に学んだ荒川扇平、鋳筒師村松幸左衛門、山田順兵衛、佐々六郎らを配置し、大砲の鋳造を命じた。

体制を敷いて数カ月経たある日、定安は釜甑方を訪れた。

「どうじゃな、これまでの鍋・釜と違い、大砲は簡単には造れぬぞ」

「はい、西洋の大砲を手本にしつつ、手探りでやっております」

これ以前に我が国が試作した大砲は、木製や銅製で使用に耐えず、国内に鉄製大砲の鋳造に成功した例は佐賀など数例しかなかった。

「銅であれば造り易かろうがそれでは弾は撃てぬ。時間は掛けても威力のある大砲を造れ、期待しておるぞ」

「はい、砲筒が出来ましたならば、殿をお招きして試射を致します」

群蔵らは、殿直々の激励で大いに感激し、懸命に製造に励んだ。

ところが熱心な幸左衛門、或る日試作した大砲を古志原の射撃場に持ち込み打ち試しをするに、砲筒が破裂し自ら即死するとともに、その破片が周囲一面に飛び散り、民家などを損壊させた。

幸左衛門の死を無駄にするな、群蔵らは諦めることなく製造と実験を繰り返し、数年後、何とか鉄製の大砲製造に成功した。西洋の大砲と比べれば威力において大きく劣ったが、佐賀、鹿児島、水戸に続く快挙であった。

群蔵らは城下の洗骸《あらわい》に大砲を据え付け、宍道湖に船を浮かべて殿の御前で試射し、見事に船を射抜いた。これに続き、唐船番隊の演習にも試作の大砲を用いた。

黒光りする新調の大砲は、文久元年（一八六一）以降、美保関から石見国境までの二十の台場に据え付け、並行して台場要員の射撃実戦力を付けるため、主要な台場に指導員を派遣した。

定安が藩主を継いで十年、戦闘の武器も刀や槍から銃器に変わり、唐船番隊の現場も、形式的な配置から、大砲など銃器の操作に熟達した戦う集団への転換が求められた。そこで定安は、文久三年一月十四日兵制改革を行い、訓練から配置まで実戦主義を貫いた。

七月、古浦で西洋式銃隊の演習と大砲の射撃訓練を行い、八月、島根郡末次村に一大練兵場を建設、農兵を徴発し、歩・騎・砲兵の習練を実施し、以来反復継続させた。

更に、隠岐島の防衛は、先に増設した島前五カ所、島後三カ所の主要な拠点に、大砲を帯同した兵士を駐屯させたのだ。


ペリー再来航による日米和親条約の締結は、ロシア、イギリス、オランダをも刺激し、三国連携による厳しい開国要求を突き付けられたことから、幕府はこれら三国ともアメリカと類似の条約を結ばざるを得なかった。

幕府の老中首座の阿部正弘は、このままでは西洋列強に国を取られてしまうと憂慮し、国力を高めて対処すべく発想を転換した。

まず、過去の慣習を破って、実力のある外様大名や勝海舟など知恵ある人物を登用したこと、それまで禁止していた五百石以上の大船建造を解除したこと、軍事及び外交研究機関として海軍伝習所を設置したことで、これがいわゆる「安政の改革」である。

一方、和親条約締結によって下田に駐在したアメリカのハリスは、将軍に謁見《えっけん》し、更に緊密な国交を求めて通商条約の締結を迫った。

だが朝廷は、孝明天皇《こうめい》を先頭に強い反対の姿勢を崩さなかった。ところが、安政五年（一八五八）第二次アヘン戦争で清国がイギリス・フランスに敗北し天津《てんしん》条約を結んだことが伝わると、ハリスは二国の脅威を説き、速やかに通商条約に調印するよう迫った。

この頃幕府では、十三代将軍家定に世継ぎがなかったため、その跡目を巡って、水戸藩主の松平斉昭《なりあき》の子で一橋派の徳川慶喜《よしのぶ》を推す越前藩主松平慶永《よしなが》ら雄藩と、紀伊藩主徳川慶福《よしとみ》を推す譜代大名派が対立していた。

通商条約を巡る朝廷と幕府の対立、将軍継嗣《けいし》問題を巡る大名間の対立という二つの難局に対処するため、幕府は、四月二十三日、両勢力に影響力を持つ南紀派の彦根藩主井伊直弼《なおすけ》を大老に就任させた。

井伊は、生来、冷徹にして決断力を有する政治家であったから、大老に就任すると、辣腕《らつわん》ぶりを発揮した。同年六月十九日、勅許（天皇の許可）を得ぬまま日米修好通商《しゅうこうつうしょう》条約に調印、更にオランダ・ロシア・イギリス・フランスとも同様の条約を結んだ。また、将軍継嗣問題では、一橋派の反対を押し切って、慶福改め徳川家茂《いえもち》を十四代将軍に任じた。

井伊の強引極まりない政治は、開港を好まぬ孝明天皇の激しい怒りを買い、一橋派による井伊降ろしが始まろうとしたその矢先、井伊は敵の動きを察知するや、先手を取って大胆な弾圧に打って出た。

「安政の大獄」と呼ばれるこの弾圧は、公家や大名とその家臣、更には幕臣たち多数を拘束、処罰するという先例のないものであった。

徳川斉昭、徳川慶喜、松平慶永らには蟄居《ちっきょ》（自宅謹慎）、長州藩士吉田松陰、越前藩士橋本左内、儒学者頼《らい》三樹三郎、若狭小浜藩士梅田雲浜《うんぴん》、鵜飼吉左衛門父子六人を死刑に処した。処罰を受けた者は実に百人を超えた。


〝目には目を歯には歯を〟。井伊の激しい弾圧に憤激し水戸藩を脱藩した十六人の浪人は、万延元年（一八六〇）三月三日、ぼたん雪の降りしきる朝、登城する井伊の駕籠を江戸城桜田門外に待ち伏せし、井伊を急襲した。

「桜田門外の変」と呼ばれるこの事変により井伊は殺害されたものの、締結した条約は効力を発揮し、いよいよ日本は資本主義的世界市場の中に組み込まれ、五カ国と貿易を始めるところとなった。初期の貿易は輸出が占めていたが、間もなく輸入超過となり、貿易額は急速に増大、それに刺激されて物価が著しく上昇するなど国内産業は急変を余儀なくされ、庶民の生活は著しく圧迫されていった。

やがて、貿易に対する不信、反感となり、外国の脅威から我が国を守るための攘夷論（実力行使により外敵を払う）が彷彿し、尊王論と相まって「尊王攘夷運動」（天皇を敬い外国を撃退しようとする思想）として広まるところとなった。

これに対して、朝廷の権威を笠に、幕藩体制の刷新によって体勢を立て直そうとする「公武合体論」が出現した。この考えは、日米修好通商条約締結後分裂状態となった朝廷、幕府、諸藩の関係を修復しようと、越前藩の松平慶永、薩摩藩の島津斉彬《なりあきら》・久光、土佐藩の山内容堂《ようどう》らによって主導された。

安政の大獄の後、鳴りを潜めていた尊王攘夷派であったが、井伊が暗殺されると再び息を吹き返した。わけても、松陰の松下村塾などに刺激を受けた長州志士は、戦争を覚悟の上で条約破棄を主張するなど、京都に集まる尊王攘夷派の盟主的存在となった。


学問は政治を正しく導き社会を変える、定安はこの信念のもと、出雲国の学問向上に情熱を注いだ。

松江藩が学問の扉を開いたのは六代藩主宗衍《むねのぶ》の時代で、宝暦八年（一七五八）、母衣町に藩校「文明館」を開校し、江戸から儒学者桃源蔵《ももげんぞう》を呼び戻して教鞭を執らせたことに始まる。

爾来、松江の学問熱は高まり、嘉永の頃には、源蔵の息子題藏《だいぞう》率いる藩校「明教館」を開校したものの、藩校のみでは勉学欲に対処出来ぬところとなり、そこで出現したのが「家塾」すなわち個人の経営する塾であった。

家塾で一躍名をはせたのが、妹尾謙三郎であった。

謙三郎は松江藩士妹尾清左衛門の三男として城下の田町で生を受け、内中原で成長し、幼少の頃から兄に触発されて勉学に親しんだ。十歳の時藩校「明教館」に学び、間もなく田村寧我《ねいが》の「学半舎」に移って儒学を修め、やがて講師の代講をするほど力を付けた。この頃神童の名をほしいままにした謙三郎は、一夜にして百もの詩を作るなど、師を驚かせた。

家老神谷源五郎は謙三郎の天分に着眼し、十七歳の時大坂に、二十一歳の時江戸に藩命で留学させ実力の涵養に意を注いだ。丁度その頃、松江藩は幕府から「南北史の改定」の命を受けるところとなり、藩は、謙三郎を呼び戻し、七年間もその手伝いをさせた。

やがて謙三郎は東西に知名度が高まり、彼が松江に戻ると、教えを請う若者が次々と門を叩いたことから、謙三郎は屋敷の片隅に私塾を開いた。

謙三郎が扶持（藩から支給される俸給）取りになったのは嘉永三年（一八五〇）二十九歳の時で、藩はようやく謙三郎を儒者として認め、塾を開くことを許した。

謙三郎が正式に開校した「養正塾」は、他の塾が藩士の子弟のみを対象としていたのに対し、町人、百姓の子といわず平民にも門戸を開く画期的なもので、塾の教育目標として独自の視点で「塾規三条《じゅくきさんじょう》」なる方針を定め、稽古場に張り出した。

一　学問を心がける趣旨は、倫理をわきまえ有用な人物になることである。たとえ万巻の書を暗昌したとしても、この志が無いと無意味である。
二　学問は道理を明らかにするためのものである。いたずらに漢土の人を真似してはならぬ。古書をかみ分けることが肝要である。
三　文章は芸に属するものであり、学問中の一時である。実行無くして読書、作文に流れてはならない。

まさに真理を突いた教育目標であった。だが、儒学万能の時代にとっぷり浸かっていた藩校の学者たちには、耳障りなもので、あの手この手で嫌がらせをした。

定安が謙三郎を知ったのは安政二年五月、参勤交代で松江へ戻った直後のことである。神谷家老から「会って欲しい人物がいる」と耳打ちがあり、定安は快くこれに応じた。やがて、藩主の前に謙三郎が現れた。

歳は三十半ば、無造作に髷を結い、広い額、大きな目と鼻、吊り上がった眉、長身、やせ形のその男は、丁寧に礼をした。

「妹尾謙三郎にございます。儒学を少々講じております。以後、お見知りおき願い奉ります」

型通りの挨拶をし、にこりともしない。が、何処となく親しみの持てる風貌である。

「噂はかねがね聞き及んでおる。身共も藩主修行の身、内外の厳しい情勢に対処するために、学問が最も大事と心得る。何なりと提言せよ」

「はい、只今、申し上げることは何もございません。今後気の付いたことがあれば、遠慮なく申し上げます」

ほんの束の間の顔合わせであったが、定安は謙三郎に真実を感じとることが出来た。謙三郎が退室すると、入れ違いに神谷が入室した。

「妹尾は、何か申しましたか？」

「いや、何も」

「そうでしょう。そんな男です、あの者は」

「何か、訳がありそうだな」

「これまで藩のために多大な貢献をしてくれました。本来なら、十五年も前に藩士に取り立てるべきところ、運悪く六年前ようやく……」

「何があったのじゃ」

「賢《かしこ》過ぎるため、藩校側がその存在を恐れ、取り立ての邪魔をしたようです。そうするうちに軍備拡張が急務となり、後回しになったのです。冷や飯食いです。だがあの者は何も不満を申しませぬ」

――なるほど、昨年、題藏が「最近の私塾は伝統的な朱子学からはみ出ておる」と批判したが、この男のことであったか。

定安は、健三郎の置かれた立場を読み取るとともに、家老が対面させた意図についても伺い知ることが出来た。


定安が謙三郎を知って数カ月、暑さも峠を越えた初秋の松江は三の丸御殿である。御殿入り口に「儒学学業人御前試業会場」の看板が掲げられ、朝から藩士らしからぬ十代前半から後半の若者が、三人五人と屋敷の門を潜った。

数ある塾の中から代表的な四塾、塾長谷敬蔵・園山朔助・信太謙二郎・妹尾謙三郎を選定し、各塾の門人合計九十六人により、殿の御前で学習発表を行うのである。

当然のことながら、桃題藏を始めとした藩校の教授たちも招かれ、特別席に陣取っている。入門して間のない者は漢文の「素読」で暗唱を、学問の進んでいる者は漢文の意味についての解説を行う「講釈」である。

午前五ツ（八時）御殿に上がると、四ツ半（十一時）まで稽古場での事前練習である。初めて御殿に足を踏み入れた若者は塾ごとに廓座となり、暗唱や講釈に打ち込んだ。

昼食が終わると太鼓が打ち鳴らされ、いよいよ御前試業である。

出場者たちは緊張した面持ちで出番を待つ。やがて、係官によって谷塾の門人を先頭に呼び出しがあり、殿の居間の近くの廊下に待機するのだ。名前を呼ばれたら御前に進み出て発表である。

「谷塾、丸山明人にございます。漢詩の暗唱を致します」

「江碧《かわみどりにして》鳥《とり》逾《いよいよ》白《しろく》　山《やま》青《あおくして》花《はな》欲然《もえんとほっす》
今《いま》春《はる》看《みすみす》又《また》過《すぐ》　何《いずれの》日《ひにか》是《これ》歸《き》年《ねん》」

ある者は手を握りしめ、ある者は目をつむり、ある者は汗だくになって声を震わす。記憶を辿れども、暗記したはずの詩が出てこない。

愛弟子の発表に一喜一憂する塾長たち。このさまを定安は、笑顔で見守っていた。

全員の発表が終わったところで定安は係官に命じ、各塾から四人を選ばせ、素読と講釈に挑ませた。谷塾、園山塾、信太塾の代表の面々は、戸惑いながらも発表を終えた。そこで定安は一瞬考えたのち、笑みを浮かべた。

「どうだろう、妹尾塾には、詩作をさせては」

「詩作？　詩作にございますか。そは……突然にして難しいかと……」

各塾には、この発表会の課題が事前に示されていた。だが、その場で詩を作る「詩作」は定安の咄嗟の思い付きで、塾長も塾生にとっても驚きであった。

妹尾塾の先頭にいた黒川八百三郎が、勢いよく手を挙げた。

「やります、やらせて下さい……。して詩の題名は」

黒川は妹尾塾の最年長者で二十を出たばかり、まさに新進気鋭であった。

「皆が朝に夕に眺めている、伯耆富士『大山』でどうだ」

定安が題名を決めると、神谷慎二郎、赤木増太郎、北尾見輪も黒川に負けじと机に就き、首をひねり始めた。

会場に緊張が走り、ひと時が過ぎた。

まず、黒川が筆を置き、ほどなく他の三人も筆から手を離した。

「それでは、仕上がった黒川から作品を高く掲げ、詩を朗読せよ」

係官の指示を受けで、黒川が墨の香りも鮮《あざ》やかな和紙を手に立ち上がり、高く掲げて声を張った。

「大《たい》嶽《がく》削《けずり》成《なす》三《さん》萬《まん》丈《じゃう》　絶《ぜつ》嶺《てん》縹《ひょう》渺《びょう》有《う》無《むの》中《うち》
吹《ふき》散《さんじ》雪《せっ》氷《びょう》来《きたって》作《なす》雹《ひょう》　濤《とう》聲《せい》動《ち》地《ち》北《ほく》溟《めいの》風《かぜ》」

「講釈をいたします。神人が大斧を振るい削って造ったかのような、三万丈の大山の嶺が聳《そび》えている。嶺は雲の中にあるがごとく、遠く霞んでいる。折から雪や氷を吹き散らし、時ならぬ雹《ひょう》を降らせたかと見たところ、なんと日本海の風が大地を轟かし鼕々《どうどう》と鳴っていたのだ。……それがしは大山の景色が好きで、殊に春夏秋冬、季節の変わり目には心を震わせております。以上です」

「おお凄い」

「良く出来ておる」

「おべた（たまげた）のう」

会場にどよめきが起こった。口々に黒川を褒め讃え、黒川は上気して赤くなった顔をほころばせ、はにかみながら礼をした。

続く神谷、そして赤木、北尾も見事に詩を吟じ、黒川と同様、堂々と作詩の講釈をした。

満面に笑みを浮かべた定安の拍手に導かれて、三の丸は割れんばかりの拍手が響き渡った。桃題藏を始めとした藩の教授たちも手を叩いて讃え、謙三郎が四人の右翼に進み出、定安に深々と礼をした。

「見事であった。感激した、さらなる精進を期待しておる」

ここで再び拍手が沸き起こった。

初の試みである試業が終わり、定安が自室にてくつろいでいたところ、源五郎が題藏を伴って訪れた。

「殿、まことに良き試みに、参加者一同敬服いたしております。ついては、桃教授から提案があるようにござります」

「おお、それはようこそ。提案、何事でござる」

「この題藏、これまで私塾とやや距離を置いておりましたが、どうして、なかなかのものと見直しました。如何でありましょう、今後この試業を定期的に開催致してはと……」

「おう、それは良い。では、それがしの方からも頼みたい。この試業、今後は藩と藩校との共同で開催することとしては……。神谷家老、そちはどう思う」

「それは妙案にござります。藩校にとっても優秀な人材の発掘に役立つことでありましょう」

定安の提案によって実現した御前試業は、藩校と私塾との関係を近づける格好の行事として、その後も数次にわたって開催されるところとなった。また、定安の狙い通り、謙三郎率いる養正塾の教育の高さが認識され、かねて先進的な教育方針から、先輩儒学者に煙たがられていた謙三郎の評価は、急速に高まっていった。

――この男こそ待ち望んでいた人物だ。儒学者として、また藩運営の知恵袋として即戦力になる、この男を予のそばに置こう。

定安は機を置かず謙三郎に「行人《ぎょうにん》」（客をもてなす役職）を仰せつけ、藩主直属の外交役とした。以降、江戸に向かう都度謙三郎を同伴し、儒学の相手をさせ、あるいは内外の情勢を探知分析させて意見を巡らせるのであった。

「安政の大獄」に端を発し、「桜田門外の変」「坂下門外の変」が勃発したのに続き、薩摩藩の行列を横切ったイギリス人を殺傷した「生麦事件」、薩摩藩の指導者島津久光が、尊攘派による討幕の挙兵を粛清した「寺田屋事件」の発生など、国内は騒然とした。その背景には西洋列強の強引な進出があったから、必然的に武力で外国を打ち払う尊攘思想が熱を帯びてきた。

　文久二年（一八六二）初夏の午後の江戸屋敷である。定安は謙三郎に問を発した。

「今、世の中は攘夷を巡って揺れておるが、如何に考える」

「これはなかなか奥の深い案件、明日の朝まで時間を頂戴したく存じます」

　一夜が明けた。朝一番に殿の室を訪れた謙三郎は、認めた書状「攘夷についての意見書」を定安の面前に広げた。

「我が国は鎖国主義を改め、五か国と条約を結び使節をも差し向けました。歴史の必然であります。開国した国との交際は大事、殊にロシアやアメリカは隣国ともいえましょう。兵力を以って対するのはよろしくありません。まずは国力を高め、対等の立場で礼節をもっての交際が肝要かと存じます」

「……それは理想だが、只今港を開いておるのは三港のみ、便乗しようとして山陰海岸を狙う悪《あく》辣《らつ》な国もある。それらへの備えはいかに」

「はい、先頃台場の強化が図られたとはいえ、固定の場所で待ち受けて追い払うのみではいたちごっこ、さりとて我が藩の警備艇では……。強力な船舶の確保が急がれます」

「そのことだ。我が藩においても台場という点の護りから線の護りへと踏み出す時期と考える。すなわち、軍艦を保有し、海軍を創設すべきと……いかがかな」

「軍艦！　それは……。幕府も先年、大型船の建造を許したところなれば、……ただ建造は容易ではありますまい」

「異国から買い入れようと思う。薩摩と戦っている国などは論外だが、探せばあろう」

「おお、面白き発想……。異国が造った軍艦で我が国を守る、う〜ん、これは名案にございます」

定安は、十七歳の頃、洋学の師箕作阮甫から「学問にも国防にも領域はない」と教えられ、その言葉を胸に刻み、藩主の道を歩んできた。そして、大陸に相対する自国の領地を踏むにつけ、最大の課題が国防にあること、その任を全うするためには、台場では不十分で、線の守りの主役である軍艦こそ出雲の国にとって不可欠である、近年とみにその意識が高まっていた。

「……とは言うものの急いては事を仕損ずる。まずは、内外の情勢や購入についての問題点など、十分検証してくれ」

「承知つかまつりました」

信頼する謙三郎に初めて軍艦取得という胸の内を明かし、腹心が一も二もなく同意したことで、定安の決意はより強固なものとなった。

五　八雲丸

安政三年（一八五六）十月～元治元年（一八六四）七月　江戸・境・松江

定安が熙姫《ひろひめ》と初めて顔を合わせたのは、姫が六歳になった安政三年（一八五六）の秋、野山の果実が熟す好季のことであった。

幕府の命による本牧警備に携わって一年余、毎日二百人を投じての警備が順調に推移していたことから、定安は久々の骨休めと、江戸屋敷正面の庭で木刀の素振りをしていた、その時である。

――バリバリ

「キャー」

突然、奥の庭で異様な音がし、悲鳴が聞こえた。ぱたぱたと駆け寄る足音、うろたえる女の黄色い声だ。

江戸屋敷では、めったに子供の顔を見ることもなかった定安は、驚いて声のする方向へと走った。屋敷の角を曲がり奥向きの住まいのある中庭に駆け付けた。柿の木の下で泣き叫んでいる女児を、乳母らしき女が抱き起こし、大声で助けを求めている。

「あーあー、痛いよう、痛いようー」

「如何した」

「木から、木から落ちたようです」

見れば、五、六歳の女児である。膝を押さえて、大声で泣き叫んでいる。その足元には、赤く熟れた柿の実の付いた木の枝が、黄色い裂け目を見せて無残に転がっている。

「よしよし、見て進ぜよう」

幼少の頃から津山の野山を駆け巡り、生傷の絶えなかった定安にとって、この程度の事故は日常茶飯事であった。急ぎ、女児が手で押さえる左足を調べた。膝をすりむき、血がにじんでいる。足を優しく動かし屈伸させたが、どうやら骨に異常はなさそうだ。定安は、側に生えていた蓬《よもぎ》の葉を無造作にちぎり、両の手でぐしゃぐしゃと揉《も》みほぐし傷口に当て、もう一方の手で己の額に巻いていた手拭いを外して膝を覆い、傷口を縛った。

急を聞いてようやく二、三人の女中がその場へ駆けつけた。

「熙姫《ひろひめ》様、如何なされました」

「だから言ったであろう、目を離してはいけぬと！　柿の木は折れ易いのだ」

先輩格の女が子守役を叱った。「まあまあ」と嗜《たしな》めた定安。

「骨に異常はないとみたが、念のため、雲山先生に診てもらいなさい」

「は、はい、どうもお世話をお掛け致しました。有難う存じました」

女中たちは、立ち去る定安を目で追おうともせず、医者だの、奥方への注進だのと騒いでいた。

柿の木の一件から二週間以上も経った頃である。洗濯され、丁寧にたたまれた手拭いが小姓を通して定安のもとへ届けられた。奥女中の調べで、手ぬぐいの持ち主に到達したのだ。

「殿、ご存知でしたか。柿の木から落ちられたのは熈姫様ですよ」

「左様であったか、あのお転婆娘が、ははは、姫であったか……」

定安の脳裏に、泣きじゃくる童の面立ちが浮かんだ。

「楽しみにしておると伝えておくれ」

「？　楽しみにと……。何のことにござりますか？」

「ははは、まあ良い」


その一件から七年後の文久三年（一八六三）一月八日、江戸赤坂の上屋敷で定安二十七歳と、熈姫十三歳の婚儀は執り行われた。

座敷の上座中央に定安と熈姫が寄り添った。熈姫の髪は文金高島田、衣装は紅梅の綿入れと白の小袖、白の打掛で、まだ童顔の抜けきらぬ初々しい花嫁である。

上手来賓席には、駿河国小島藩主松平信進《のぶゆき》、松江藩支藩母里藩主松平直温《なおより》、同広瀬藩中老神山頼母、下手は熈姫の父斉貴、松江藩執政（政務担当家老）参政、近習頭等々の面々である。

定安の兄である母里藩主は、斉貴の乱れから押し込め隠居に奔走した人物であり、一方の広瀬藩主は、騒動の陰で藩主の座を狙った。かような因縁から広瀬藩からは、中老が出席していた。

熙姫はというと、あどけない笑顔で祝辞を聞き、料理を口にし、家臣らの謡や踊りに拍手を送っている。お家騒動も押し込め隠居も知らぬまま、十三も歳の違う定安の妻になったのだ。

――運命にあらがえぬのは予も姫も同じ。予はこの姫を、家族を、家臣を、領民を幸せにするぞ。

宴もたけなわとなった頃、熙姫が落ち着かぬ様子で躰を左右に動かし始めた。側に寄った女中が、手を貸せて足を崩させた。

やがて宴はお開きとなり、定安は、湯殿で汗を流した後、寝所へ向かった。

しばらくして、奥女中に付き添われて、熙姫が入ってきた。女中が去ると、姫は周囲を見廻していたが、やがて意を決したように定安に正対し、深い礼をした。

「殿、熙姫、不束者《ふつつかもの》にございますがよろしくお願い致します」

奥女中から指導を受けてきたのであろう、たどたどしい物言いである。背丈こそ五尺を越しているというものの、体のふくらみはこれからとみえる。頬に赤みの残るあどけない笑顔である。

「これは姫、もったいない。身共の方こそよろしく……。宴の最中、身体をひねっておったが、柿の木の傷が痛むのか」

定安は手を伸ばして姫の右足の膝に置いた。腫れているようである。

「ここか、柿の木の傷は？」

「えっ、まあ、覚えていて下さりました」

「少し腫れておるな。式の最中にも、気にしておったようであるが」

「いいえ、もうすっかり……。先ほどの行儀の悪いなりは、いつもの癖、足の痺《しび》れにございます」

「何、痺れじゃと、ははは、左様であったか、痺れか。はははは」

「ほほほほほ……」

「今宵は疲れておろう、早く休むとよい。予は、少々することがあるゆえ」

「あのー……。はい、では」

姫は思案していたが、やがて布団をめくり体を滑り込ませた。定安が書き物を始めると、間無しに寝息を立てた。


遡ること半年の文久二年初夏、定安は軍艦購入に一歩を踏み出した。

まず、軍艦取得の見極めである。謙三郎の調査では、この時点で幕府の保有する軍艦は九隻、蒸汽船の軍艦を保有する藩は佐賀、薩摩、長崎の三藩で、自藩の用途のみならず、幕府の特命事項に駆り出されるなど、極めて重宝されていた。

軍艦一隻の値段は数万両、松江藩にとって手の届く価格である。

幕府の実力の低下したこの時期、礼をおざなりにする大名も多かったが、律儀な定安にそれはみじんもなく、国元への指図に先立って、江戸在住の前藩主斉貴公と、宗家である越前侯にその意を伝えることとした。

この頃の斉貴公は病気療養のため江戸に居住していたから、藩主自ら訪問した。

「……なんだ、ようやく軍艦か、予は七年も前からそのことを言い続けてきた。桃題藏に伝言しておいたが届いておらぬか？」

「？　……届いてはおりますが、ようやく条件が整いましたゆえ……」

実のところ、桃から報告を受けた家老連中は「ご隠居さんだと？　うっちゃっておけ（放っておけ）」そう受け流し、定安の耳には入れなかったのだ。


一方、宗家の越前侯には謙三郎を遣わした。

「松江藩が軍艦を！　これは快挙じゃ、親戚筋にとって極めて名誉なこと、いずれ我が藩も求めるが、それまでせいぜい重宝させてもらいますぞ」

相談役ともいえる二人から賛意を得た定安は喜び勇み、家老朝日千助を招き入れ軍艦取得の意図を明かした。

「おお、誠に結構なお話と存じ上げます。して価格の方は？」

「数万両（一万両は約十億円）とも言われておる」

「数万両、うーん、して何隻……」

「二隻は欲しい。一隻では広い国土、しかも同時に起こる異変に対処出来ぬ。機械ゆえ故障もあろう」

「いやはやよき着想！　それがしは大賛成にござります」

「左様か。では、朝日においては、このことを重役に謀《はか》るとともに、藩として如何ほどの出費に対処出来るかを調べ、急ぎ報告せよ」

藩主に任ぜられた当初と異なり、腹が据わり一貫性のある安定した藩運営は信頼を得、その先見性と家臣思いは評判を呼んでいた。

この頃、松江藩の殖産興業は、まさに花盛りであった。

製鉄・蝋燭・木綿製造、朝鮮人参栽培が全開、殊に朝鮮人参は、清国への輸出が功を奏し、その売上高は年間十万両にも手の届く稼ぎ頭で、他藩もうらやむ豊かな財政事情にあった。

「殿の御意向、誠に時宜を得たものと心得、重臣一同賛同致しました。他の支出を抑えても藩を挙げて対処いたそうとの衆議に付き、なにとぞ、心おきなく購入されるべく命じて下され」

次なる課題は、海軍を組織する軍用方の布陣である。指揮官については、その頃巨漢に似ず観相（占い）や易学、兵学を極め、勇剛にして弱きを助ける中根平左衛門なる人物がいた。定安は大橋家老の推薦でこの男と、兵学に長けた鈴木半左衛門の二名を指揮官として起用することとした。

また水兵については、大橋家老がお船屋の徒や力士の中から、また砲術士については大野家老が台場経験者や警備現場で大砲の操縦に従事した者から人選した。

文久二年（一八六二）八月十五日、定安は中根・鈴木の両名に、軍艦購入のため長崎に飛べ、と命を授けた。

殿から直々の命を賜った中根、鈴木は、早速幕府の海軍を訪《おとな》い、勝海舟らから実地に教えを請い、短期間のうちに軍艦について基礎的な知識を詰め込んだ。

陸路二十余日かけて長崎の地を踏んだ両名は、まず驚いた。この頃、沿岸線を有する大藩は風雲急を告げ、競って軍備増強、軍艦購入に奔走していたからだ。二人は来る日も来る日も朝から晩まで買い付けに走り、やがて五十日が過ぎた。色黒、頑丈な体格、外見には勇剛そのものの平左衛門も、さすがに体力を消耗した。殿の期待に応えたい、その一心で、歯を食いしばって頑張った。求めよさらば与えられん、やがてこの二人の願いが叶えられる日が来た。十月二日、米国人コンシュール・チョンジ・ウールス所有の鉄艦船「ゲセール」、木艦船「タウタイ」二隻に遭遇したのだ。平左衛門は、出雲人の情の深さであの手この手と所有者を口説き、遂に十月五日、他藩を抑えて軍艦二隻の購入にこぎつけた。

〝軍艦二隻購入！〟この吉報に接した定安は、まさに躍り上がらんばかりに喜んだ。この頃、黒い煙を吐いて高速で走る船など、異国船の襲来以外目にすることなどなかった。それを、小藩の松江藩が見事に射止めたのだ。海事に目覚めた九州や四国の大藩であればともかく、小藩、出雲の国の藩主がやってのけることはまさに驚異といえた。

一　蒸汽艦船

船名　「ゲセール」　造船所　英国リチアル
製造年　一八六二年　船長　百九十二ヒート（三十間）
同幅　二十七ヒート（四間半）　馬力　八十
大砲　六門（長二門・短四門）　小銃　五十挺

排水量　三百九十二トン

二　蒸汽木艦

船名　「タウタイ」　造船所　米国
製造年　不明　船長　百四十四ヒート（二十五間）
同幅　二十一ヒート（三間半）　馬力　七十
大砲　四門　小銃　三十挺
排水量　百八十二トン

購入価格は、鉄艦は十万ドル、木艦は七万ドル、二隻合わせて日本の貨幣で二万両（二十億円）と、意外に安い買い物であった。

その年の十二月二十五日、中根、鈴木の両名は、長崎で雇用した水夫数名の操縦するゲセール号及びタウタイ号に乗艦して、武州品川沖へ着艦した。

軍艦の江戸入りを確認した定安は、予《かね》てより頭に描いていた構想に基づき、躊躇なく鉄艦を「第一八雲丸」木艦を「第二八雲丸」と命名し、翌二十六日、報告のため胸を躍らせて幕府の門を潜った。

「八雲」の呼称は、日本神話において、素戔嗚《すさのお》が詠《よ》んだとされる日本最古の和歌、

八雲立つ　出雲八重垣妻籠に
八重垣作る　その八重垣を

から用いたもので、「八雲」は出雲国を象徴する呼称であった。

「ほう、八雲丸ですか、出雲国の軍艦に相応しいよき艦名でござる」

　幕府の役人は、相を崩し褒め称え、定安は笑顔で胸を張った。

　明けて文久三年一月九日、定安は功労者中根平左衛門を物頭から番頭に昇格、五十石を加増し軍艦奉行に、鈴木半左衛門にも同様の恩賞を与え同副奉行に任じ、十五日には、品川湾で両艦に搭乗させ検閲を行った。

　この試乗検閲には、義父斉貴公と、宗家越前の慶永侯を招待した。

　小雪のちらつく湾内を、中根は一番八雲丸に、鈴木は二番八雲丸に、それぞれ運転士、機関士、砲術士などを配置し準備完了、二艦は軽やかな内燃機関の音を響かせ、黒煙を吐きながら悠然と巡回した。

　デッキに立つ笑顔の三人。小柄ながら、広い額と通った鼻筋、穏やかな眼差しの定安、剃髪《ていはつ》し、顎に白いものが目立ち肥満にして顔色の優れぬ斉貴、三十半ばにして中肉中背ながら色白、目鼻立ちのきりっと締まった越前侯の面々である。

「なんと、聞くと見るとでは大違い、試乗の栄に浴し、この慶永、感激一杯にござります」

「越前侯、手前は八年も前からこの日を待ち望んでおった。我が目の黒いうちに搭乗することが出来、息子を見直したところにござる」

　久しく見せたことのない父の笑顔である。定安は嬉しかった。

「越前殿、此の度は一方ならぬご指導、ご支援を賜りました。また父上にはもったいないお言葉、恐縮に存じ上げます。今日の日に漕ぎつけることが出来たのは家老衆、それに、長崎にて苦労をしてくれた、中根、鈴木両名の働きによるものでござります」

「いや、いや、藩主殿の執念と専らの噂、左様ですよなあ、御老公」

「まあ、そういうことにしておきましょう。この上は、宝の持ち腐れとならぬよう、せいぜい勉学し、有効に使いなされ」

「有難きお言葉、肝に命じ精進いたします」

何という因縁であろう。あの一件が無ければ、斉貴公こそ八雲丸の所有者、時の人であったのだ。嘉永五年、宗家として斉貴を切り捨て定安を登用するその差配に奔走した人こそ、目の前の越前侯なのだ。あれから十年、今、定安が取得した軍艦にその三人が乗り、何事もなかったかのように笑顔で語らっている。


その日の夕刻、定安は赤坂の上屋敷に、客人二人、江戸詰め家老朝日千助以下重臣十名、此の度の功労者軍艦奉行の中根・副奉行鈴木以下運転士、機関士などを招き、盛大な祝宴を催した。

定安の謝辞、二人の客人の祝辞で始まった宴がやがて最高潮に達すると、定安は感謝を込めて一人一人に酒を注いで回った。

船舶取得から今日までの最大の功労者、中根を前にした定安は顔いっぱいの笑顔で、自ら手を差し出しその固い手を握りしめた。

石のようにごつごつした手だ。潮風で荒れたその節くれ立った指、手の平を返すと痛々しいあかぎれ、心なしか顔色が悪いようである。

「疲れたであろう。ゆっくり休めと言いたいところだが、国入りが待っておる。それが終わったなら、骨休めをするがよい」

「もったいないお言葉にござります。この平左衛門、大任を果たすまでは石にかじりついても……」

定安は、両の手を握り、涙を浮かべながら深々と頭を下げた。

──ドーン、ドーン、ドーン、ドーン
文久三年二月二日朝五ツ（八時）、出雲の国と伯耆の国に跨《また》がる美保湾に突如二隻の黒船が姿を現した。日本海に突き出た島根半島沖から湾内に入った黒船は、耳をつんざくような砲撃音を鳴らし、大きく弧を描いて悠然と西方を目指した。この時湾内には三十隻もの漁船が操業し、浜では地引網漁の真っ只中であった。朝もやの中を、もくもくと黒雲を噴きながら悠然と進む巨大な蒸気船に肝をつぶした漁民は、慌てて櫂を操り、網を放ったまま、東へ西へと蜘蛛の子を散らすように逃れていった。

二隻の黒船は、なんと全長三十余間、幅は五間近くもあり、船首部分には複数の大砲が装備されている。

「うわー、毛唐だ！」

「逃げろ、撃たれるぞ！」

黒船に追われるように、境の岬漁港に逃げ戻った四、五隻の漁船から、転げるように三十人もの漁師が飛び降りた。

「大変だー、大変だー、異国船だ、来たぞ！」

「隠れろ、隠れろ、殺されるぞ！」

波止場で作業をしていた漁師や女、子供らは、魚や貝や蟹、海草を放置したまま先を争って港から離れ、屋敷や木の陰に身を潜めた。周辺はまるで蜂の巣をつついたような大騒ぎである。

――カーン、カーン、カーン、カーン

岬村の丘の上の見張り場から狼煙《のろし》が上がり櫓《やぐら》の半鐘がけたたましく鳴り響いた。駆け付けた役人が櫓の柱に身を隠し、遠眼鏡を覗き込む。

米子には藩の出城が、境と米子には番所があり、この時期、ここ弓浜半島突端の丘の上の見張り場は、台場の建設途上にあった。目下盛り土の最中で、まだ大砲の備えはなかった。

二隻の黒船は、弓浜半島の先端の境と対岸の美保関を仕切っている幅百六十間（約三百メートル）の境灘付近まで来ると、甲板から長い物を海中に刺し込み、進みながら一帯の旋回を始めた。水深を調査しているかのようである。

攻撃せぬと見た村人が、次々と丘の上の見張り場にくり出した。その数はざっと三百人、遠眼鏡の男が首を傾げた。

「……日本の船だぞ、あの旗は。三つ葉葵のように見えるが……」

「どうれ……。うっ、本当だ！　三つ葉葵だ！　一体どこの……」

眼鏡を受け取った脇の男も、船尾の旗を見て驚いている。

「まさか松江藩、そげなことはあるまいに」

村人が見守るのを尻目に、二隻の蒸気船は悠々と中海方面へ向かい、やがて視界から消えた。

番所の役人は我に返り、係留していた馬に跨り、激しく鞭をあてて東の方角を目指した。


半刻後、二隻の蒸気船は中海の西岸、出雲国大井（朝酌）の沖合二町の海中に投錨《とうかい》した。境灘から大井まで二里（八キロ）、大井は汽水湖「中海」の北西にあり、城下にも近く、江戸中期以降千石船が往来していた。

埠頭には、あらかじめ到着を知らされていたのであろう、三つ葉葵の旗を手にした侍や、警備員の法被を纏った役人、それに村人が集まり、笑顔で手を振っている。

艦船から縄梯子で降りた兵士が、迎えの小舟に乗り港を目指した。

「ようこそ、お疲れにござりました。それにしても、噂にたがわぬ巨艦、びっくり仰天です」

「帆は畳んだままだ、櫓《ろ》も櫂《かい》もなしか？　不思議だのう」

「さすがに洋学の殿だ、境の役人共も大騒ぎを致しておりましょう」

「いつもやられてばかりだ、たまにはやり返さぬと！」

二隻の蒸気船こそ松江藩が獲得した軍艦第一八雲丸、第二八雲丸であった。

大井の港は、その日から、一目軍艦を見ようとする近郷近在の人々でごった返した。子供たちは、「あの船の前には縄を付けた鯨がいて引っ張っているのだ」という大人の冗談を、真に受ける者もいた。
藩は二隻の軍艦の投錨地を大井沖とし、ここを泊まり地と定めた。

軍艦の燃料の石炭は、竹矢村をはじめ法吉、松江城周辺、黒田、春日で大量に採掘された。明治十五年秋鹿村の勝部久蔵は、竹矢村で七十五トンを採掘し二百九十八円で売却したと伝わる。

松江藩に海軍が創設されたのは文久三年二月二日である。

○軍艦奉行　中根平左衛門
○軍艦副奉行　鈴木半左衛門　松原木工　太田主米
○運転士　由良源太夫以下十四人
○機関士　増田善蔵、小池廉平、田口源七郎以下九人
○砲術士　小田半助以下六人
○勘定方　山中善六以下四人

松江藩は、軍艦購入が決定すると、かねて大川沿いの御船屋で隠岐との船舶輸送などに従事させていた水兵、砲術士に加えて、本牧警備・安治川口警備などの経験者を主体として適任者を人選し、任務割に応じて訓練をさせた。こうして待ち受けているところへ、二隻の軍艦とともに、長崎で雇用した運転士・機関士が加わったことから、急ごしらえにもかかわらず松江藩海軍はそれ相応の実力をもって運用を開始することが出来た。更に、同年六月には、長崎へ機関士増田善蔵ら四名を、江戸へ軍艦御用懸りの荒川扇平を派遣した如く、暫時関係者を先進地に派遣し、力

をつけさせた。

人は大きな願いが叶った時、仏の迎えを受け入れるもののようである。斉貴は、軍艦購入が実現した翌年の三月十四日、病を拗らせ逝った。また平左衛門は五月十三日、疲労がもとで帰らぬ人となった。

鳥取藩の台場は文久三年から突貫工事で建設が進められ、境の岬村に他を圧倒するような見事な台場が完成したのは翌四年のことである。敷地約五千坪（一万四千五百平米）高さ四間（七メートル）砲台八挺を据える鳥取藩最大の台場であった。

守備隊の組織は、農民十八人一組の十四隊、総勢百四十人で、指揮官の民兵銃取立役は藩士の富山敬蔵である。富山はこの地域を管轄する境御番所長小原定常と連携して警備に当たることとなった。問題は、この頃我が物顔で境灘を通過する松江藩所属八雲丸二隻への対処である。富山が言った。

「小原殿、農兵に船の区別など出来んわ。おかしな船を見つけたら大砲をぶっ放す、それが農兵の役目だがや」

「いや、それは……。まずい、八雲丸は幕府の命を受けて出雲も因幡も分け隔てなく守っておる」

「何を言うちょーだ！　小原殿らしくもない。松江の脅しを忘れなったかや、それに張り番は毎日変わる。どれが松江の船だか毛唐の船だか区別などつきゃーせんわ！」

「それはそうであろうが……」

「なら、この灘を通る時は、前もって知らせるようにさせてごしない」

「……それが、緊急の場合もありましょう」

「前もって連絡せぬのなら、ぶっ放すだけだがや」

米子弁のきつい富山の前に、境御番所長の小原は、なぜか、腰が引けていた。


遡ること二カ月、八雲丸はこの漁村の人々を震え上がらせた。他藩に先駆けて二隻の軍艦を買い付けた松江藩は、何の前触れもなくこれ見よがしに美保湾に進入、空砲を撃ち鳴らし、漁をする漁民の操業を妨げた。

「何だと、松江だ！　松江藩の軍艦だと！」

境御番所長の小原は、その軍艦が松江藩の八雲丸であることを知ると大いに怒り、米子の陣屋に駆け込んだ。

「冗談じゃない、松江の軍艦が漁を妨害した！」

「何の前触れもなしだ！　大損害だ！　厳重に抗議して下され！」

目を三角にして郡代に訴え、松江藩に抗議をさせた。それにもかかわらず、八雲丸の同様の航行は続き、都度漁船や境の住民に脅威を与えた。

たまりかねた小原は、ある日、藩役人を伴って漁船で八雲丸の前方に進み出て軍艦を停船させ、降ろされた縄梯子を伝って艦に乗り込んだ。その折、甲板上で応接した兵士数人が、大声を発し短剣を上下にした。

「な、何をする、我々は、円満に話をしようと……」

兵士は、西洋流の艦上儀礼にのっとり、整列して剣付きの銃で「捧げ筒」をしたものであるが、小原はもとより、下級藩士にこの儀礼が通用する筈もない。全員肝をつぶし、肝心の「航行の際の事前通知」の申し入れもどこかへ吹き飛び、ほうほうの体で退散したのだ。

「台場が出来たなら必ず仕返しをしてやる、目にもの見せてくれる」

小原は、守備隊の農兵はもとより、対岸の「森山台場」にも渡り、警備員や村人に報復を公言した。

ところが、その数カ月後、台場の工事が中断に追い込まれた。

弓浜半島は日野川から流出した土砂の堆積によって出来た平地で、山は皆無である。高さ四間、広さ五千坪もの台場を造るためには、強固な地盤造りのため大量の石と山土が必要であり、当初は半島を外れた淀江周辺から船で運んでいたが、春以降それが不足するところとなった。困りあぐねた小原は、建設の責任者の庄屋を連れて対岸の美保関に渡った。

「誠に厚かましいお願いですが、美保関の石と山土を少しばかり……。工期に間に合わぬと藩からお叱りを受けます。助けて下され」

散々悪態をついた小原であったが、美保関の村人は快く石と山土を船に積んで五日間も運んでくれ、ようやくのこと台場は完成した。

思わぬことで松江に借りを作った小原は、思い悩んだ。

「どげするだ、美保関に無理を頼んで完成させた台場から松江の軍艦に大砲をぶっ放す？　それは……さりとて農兵や漁民には公言した。うーん困った」

農兵を指揮する富山は藩士であり、台場建設で松江藩に世話になった小原とは話が通じない。小原は藩と地域住民との板挟みの中で悩む日が続いた。

そんなある日、たまたま景山《かげやま》龍造《りゅうぞう》が帰郷していることを知った。鳥取藩の儒者である龍造は弓浜半島の医者の家に生を受け、藩首脳と松江藩双方に顔の利く知恵者であった。

小原は、尊敬する龍造を訪ねて悩みを打ち明けた。龍造は話を聞くと、ニヤッと笑って胸を叩き、早速松江藩を訪《おとな》い交渉を重ねた。

「軍艦は国防の役目を有しておるとはいえ、民を恐れさせたり、漁を妨害してはなりませぬ。通行に際しては事前連絡をさせて下され」

「何を申される、我が藩は幕府からのお墨付きのもと、外敵から日本国を守っておる。それに緊急の場合もある。いちいち事前連絡などできませぬ」

「ならば、境灘を通過して出雲の地に向かう不審船の全部を、放置してもよろしいか」

「いや、それは……まずい」

「でしょう。農兵には、松江の船も毛唐の船も見分けがつかぬゆえ、大砲をぶっ放さぬとも限りませぬ。緊急時も含め、通行の連絡をさせて下され」

「うーん、わかりました。早速手を打ちましょう」

かくして、八雲丸の境灘通行の事前連絡の約束が取り交わされた。また、緊急時には艦船の汽笛と旗で合図することともなった。

だが三十二万石の大藩、鳥取藩の受けた数々の屈辱は、隣藩であるがゆえに根が深く、松江藩のこの程度の譲歩で解消される程、底の浅いものではなかった。

万延元年（一八六〇）五月、定安は江戸青山松江藩中屋敷の庭の片隅に小さな庵《いおり》を普請した。津山での役目が終わり江戸住まいする母に、せめても幸せな老後を送ってもらおう、そう考え、調理場付きの庵であった。母は菓子作りが好きで、春夏秋冬、米の粉や小豆、大豆、果物、山野草などを用いて菓子を作り、老人や子供に与え、時として定安の住まいする赤坂の上屋敷にも届けた。

母が江戸に移って四年目の文久三年一月、定安は母を訪ねた。還暦も近くなった母は、この頃耳も遠くなり、よく風邪をひくようになった。

「母上、母上」

庵の入口で大声を出したが返事がない。玄関に二束下駄がある。

やがて母於千雄が友人とおぼしき女性と奥の料理部屋から出てきた。

「母上、定安にござります」

「まあ、これは定安殿、ようこそ。どうぞお上がり下さい。今、丁度餅菓子を作っていたところです」

定安の突然の訪問に喜んだ母は、奥の間に通し、作ったばかりの大福餅で歓待した。

「おお、元気そうで安堵いたしました。菓子作りですか」

「ほほほ、年相応ですよ。済三郎こそ忙しいでしょうに。顔を見せておくれ……。おお、いい顔だこと……」

於千雄は、定安が藩主を襲封した頃から顔を日の光に照らして、健康や仕事の出来を占っていた。四歳の頃から父親代わりとなって厳しい愛をもって一身に育てた我が子が、藩主として成長したことに大いなる喜びを感じていた。

定安の母との久々の語らいは、厳しい現実を忘れさせてくれた。

それから半年後の文久三年六月六日、於千雄は風邪を拗《こじ》らせ、三日間肺炎を患い、あっけなく息絶えた。

戒名は「法乗院妙智日立大姉《ほうじょういんみょうちにちりゅうだいし》」。母親思いの定安は、上野の宗延寺に懇《ねんご》ろに葬った。

定安は予てより、母の生家の世継ぎが絶えることを憂い、信頼を置く家臣の中から、謙三郎を選び雨森家を継がせることを考えていた。

そうしたところ、元治元年の二月の始め、宗家の越前藩主松平慶永から驚くべき話を聞いた。

「あの妹尾謙三郎という男、なかなかの人物ですぞ。過日『五百石取らせるゆえ越前に来ぬか』と申したところ即座に断りました。そこで訳を聞いたところ『立派な殿さまに仕えており義理を果たします』と申しましてな。出羽守殿はよき家来をお持ちじゃ。わっはははは」

「な、なんと、謙三郎が、左様なことを申しましたか……」

定安は大いに驚き、二月十九日、急ぎ謙三郎を呼び雨森家の世継ぎとなることを承諾させ、禄も百石に加増した。

この年の七月、謙三郎は、江戸上野の宗延寺から前年逝去した母の位牌を取り寄せ、妹尾家の菩提寺である松江和多見町の日蓮宗「慈雲寺《じうんじ》」に祀ったのである。

なお、謙三郎は、晩年雲州平田に移り塾を開いたが、その際、姓を雨森《あめのもり》、名を精翁《せいおう》と改めた。

六　本圀寺《ほんこくじ》事件

文久二年（一八六二）四月～文久三年（一八六三）八月　京都

鳥取藩主池田慶徳が十六歳の時、ペリー来航事件が発生した。

慶徳の父で水戸藩主の斉昭は、裂公と称せられる尊攘主義者（朝廷を敬い西欧列強を武力で撃退する思想）で、この薫陶を受けた慶徳も逞しかった。

ペリーに恐れをなした幕府の弱腰を見るや、「今は諸藩に攘夷を実行するだけの力が無いから致し方ないが、参勤交代を緩くして実力を涵養し、異国に対抗する軍事力を備えるべき」と強く主張した。

慶徳のこのような姿勢は、京都所在の鳥取藩伏見藩邸にも及んだ。

伏見藩邸は、参勤交代の藩主宿舎に用いられ、藩邸を管理する御留守居《おるすい》は、朝廷や京都所司代との交渉を行う重要な役職であった。この役には、代々の伏見留守居役宅に生まれ、藩きっての切れ者、河田佐久馬《かわたさくま》三十五歳が就いていた。佐久馬は京都育ちで、鳥取藩士という狭い領域に収まらず長州とも繋がり、幕府が弱体化した今こそ尊皇派の公卿《くぎょう》（国政を担う高官）を動かし討幕を進めるべきだ、との過激な方向を向いていた。

　これに対し国元では、保守派の家老や学者を中心として、慶徳の尊攘化を阻もうとする動きが顕在化してきた。

　幕府も、諸侯が勝手に朝廷と接触し反幕的な行動に走ることを阻止しようと、大名の入京を禁止するなどの対抗措置に及んだ。

　転機となったのは、朝廷、幕府の双方に繋がりをもつ外様大名、薩摩藩主の父で、藩の実権を握る島津久光の入京であった。

　久光は、朝廷と幕府が結束して事に当たる「公武合体」論者で、弱腰となった幕府を改革するため、朝廷と雄藩が結束して将軍を説得すべき、と主張し、文久二年四月、鹿児島から藩兵千人を率いて入京し、朝廷に願い出た。

　朝廷は、久光の主張に理解を示し、天皇の意思を伝える「勅使」として大原重徳《しげとみ》卿を指名し、久光は大原卿の後ろ盾を得て江戸の幕府に乗り込んだ。

　大原卿の援護のもと、久光は幕府に改革要求を突き付け、将軍徳川家茂の上洛（京都に入ること）、五つの大藩で構成される五大老の設置、徳川慶喜の将軍後見職への抜擢、参勤交代の緩和など、幕府の改革に大きな成果を収め京に戻ってきた。

　同じ頃慶徳は、参勤交代を終えて江戸から帰参の途上にあった。久光の勇猛果敢な行動に刺激を受けた在鳥の尚徳館教授堀庄次郎らは、京都まで戻り来た藩主が朝廷を訪《おとな》い、幕府に攘夷を促す絶好の機会到来と、書状で藩主に働きかけを行った。

だが慶徳は動こうとしない。藩主となって十年が過ぎた慶徳は、この頃過激派と保守派のはざまで苦悩する場面にしばしば遭遇し、急速に腰が引けていた。

――予も二十六、これまでひたすら父の教えに従って「外国は打ち据えるべし」と強行な発言に終始してきたが、鳥取と水戸とは事情が違う。尊攘などと突っ張ってばかりいても藩は治まらぬ。さりとて、久光公のような果断な行動もとれぬ。

保守派と改革派の対立のはざまで、自らの立ち位置の難しさを実感するこの頃であった。

そんな五月十七日、慶徳の宿泊する草津の旅館に、鳥取出身で輪王寺宮家に奉職中の今小路大蔵が訪れ、殿の側近である側用人（殿の側で業務を助ける役人）高沢省己、側役二宮杢之助に、慶徳の朝廷訪問と国事周旋のための決起を説いた。だが、慶徳の心情を知る高沢らはこれを受け入れなかった。

この頃、在京の鳥取藩士の中に、河田佐久馬を頭首とした尊攘派（武力で西洋列強を撃退する派）の一派が形成されていた。理論派の佐善脩蔵、他藩との交渉役の武闘家詫間樊六《はんろく》、中野治平、江戸遊学から戻った大西清太、足立八蔵など二十余名である。

佐久馬らは、伏見藩邸に立ち寄った慶徳の行動を注視していた。とどうだろう、慶徳は朝廷へ向かうどころか鳥取へ戻ろうとしている。慌てた佐久馬は尊攘派の幹部宅に駆け込んだ。佐久馬の急報で大原重徳卿はその日のうちに慶徳の宿泊する大坂藩邸に書簡を届けたのだが……。側用人はそれを握りつぶしたのだ。

田村らの言い分はこうだ。「池田家は、越前福井藩、美作津山藩と並んで『元日登城の許された格別の家柄』である。幕府の規則を破って朝廷へ働きかけるなど、出過ぎた真似は許されぬ」と。

皮肉なことに、その時期久光に刺激を受けた長州藩主毛利敬親、土佐藩主山内豊範《やまのうちとよのり》も相次いで入京し、朝廷に陳情、尊皇攘夷の機運を高めたのだ。


葉桜にぼんぼりの灯の美しい、京の伏見藩邸にほど近い佐善脩蔵の館、今宵は佐久馬の指示で緊急に招集された五人が額を集めていた。まず佐久馬が茶碗酒を手に、口火を切った。

「側用人がここまでしゃばるとは、過去に例のないことよ」

「藩主も不甲斐ない、これまでの強硬発言はいったい何だったのだ」

「殿の優柔不断を利用して、自分らの思いのままに、許せぬ！」

中野が目を吊り上げ、吉田が握り拳を振り上げた。

「側用人の奴らのせいで長州や土佐に、良いところを皆持っていかれた」

「佐久馬殿、このまま手をこまねいてか？　奴らをシゴして（やっつけて）やろう！」

巨漢の樊六が大口を開けて、茶碗一杯の酒を飲み干した。

「まあ待て、皆の意見も聞かぬと。我らの目的は尊王討幕、側用人の抹殺が目的ではない」


慶徳が京まで戻りながら朝廷に働きかけることなく帰鳥した京都素通りの一件は、朝廷内の尊攘派はもとより、幕府にも伝わった。〝藩主が恥をさらした〟このことは藩内の保守派と急進派の対立を激化させ、事態収拾は尋常な手法ではいかんともし難くなった。

――困った、予が、藩の歩む方向をはっきりさせていなかったからだ。双方に言い分がある、どちらが悪いとも言えぬ……。仕方ない、ここは喧嘩両成敗といこう！

困りあぐねた慶徳はこの措置として、田村図書など六人の側用人を辞めさせた。そして後任として、遜色のない黒部権之介、早川卓之丞、加藤十次郎らを起用するなど、佐幕派（幕府を補佐する派）の体制維持に意を用いた。

一方、側用人らと対立する尚徳館の堀庄次郎、田村貞彦、正垣薫らの職も解いた。だが、慶徳は、その処置を発表する前に庄二郎を召し、「汝及び貞彦、薫の忠義な働きは予の喜びとするところである」と謝辞を送り、双方に良い顔を向けるなど、曖昧な態度を取り続けた。

〝このままでは藩も藩主も埋もれてしまう、何としても天下の誤解を質さねば〟。ここで巻き返しに出たのが儒官の景山龍造、堀庄次郎、正垣薫、安達清一郎らで、別けても龍造の動きは機敏であった。

弓浜半島出身の龍造は、十六歳の時分から鳥取・大坂・江戸で儒学を学び、三十七歳にして藩の「尚徳館」教授に抜擢された切れ者だ。

早速京都に走ると、諸卿、諸国の志士に周旋（仲立ち）して懸命に藩主の誤解を解いて回った。その努力が実ったのか、公卿二条斉敬《にじょうなりゆき》から慶徳に「時局は非常に緊迫している、貴殿も宮中に参上し皇室に働きかけてはどうか」との封書が届いた。

思案を重ねた慶徳は、ようやく重い腰を上げ、十月八日入京した。

十月十四日、時局、まさに攘夷即行論に傾かんとする岐路の中、慶徳は公武合体派の諸氏から大いに歓迎されて仲間入りを果たした。

二十日、小御所を詣で天皇に拝謁した慶徳は、天盃を頂戴するという栄に浴すると、二つの命を受け江戸へ走った。

江戸城に着した慶徳は、福井藩主の慶永と協議し、藩邸にて実弟慶喜を説き、更に老中と議論し、「将軍自ら京に赴き、攘夷の策略を奏上する」との申書を差し出させることに成功した。

慶徳の周旋は、朝廷と幕府の双方が注目するところとなり、いきおい鳥取藩の立ち位置は微妙となった。

菊と葵《あおい》の露吸う蝶は
　心どうやら分からない

この頃、京の巷でこのような歌が流行《はや》った。「蝶」は池田家の家紋「揚羽蝶」のことを指し、慶徳の曖昧さを揶揄《やゆ》したものであった。

慶徳らから強力な働きかけを受けた幕府は揺れた。武力を仕掛けて外国と戦う「攘夷」には不安があるものの、過激な攘夷論者を説得するすべもなく、さりとて攘夷の実行を拒否すれば討幕派を勢い付けることとなる。

選択肢のなくなった幕府は、やむなく文久三年（一八六三）五月十日を「鎖国談判開始の日」と定めて諸藩に通達した。

ところがこの曖昧な通達を、尊攘派は自に都合よく「攘夷決行の日」と曲解したのである。五月十日、長州藩は下関でアメリカの軍艦を砲撃し、翌六月十四日、鳥取藩は大坂天保山の砲台から、イギリス艦を砲撃した。もっとも鳥取藩の砲弾はイギリス艦には着弾しなかったのであるが……。

幕府の立ち直りと、幕府自らの攘夷を強く望んでいた朝廷は、この奇襲攻撃を称賛したものの単発に終わり、盛り上がりを欠いた。

そこで攘夷派はこれを奇貨として、天皇自ら軍を率いて攘夷する「天皇親征論」を打ち出した。

八月に入ると、尊攘派の勢いはますます増し、突如として孝明天皇自ら攘夷戦争の指揮を執るべく大和へ行幸する、との噂が流れた。

慶徳は慌てた。元来、自らの立場は幕府を支える主要な藩主であるうえに、実弟慶喜が将軍の後見役に就任した今、自他ともに認める「公武合体派」としてその主要な位置を占めていたからだ。

——いかん、このまま進むと取り返しがつかなくなる。

慶徳は側用人を駆使するなどして直ちに手を打った。平素から意を同じくする備前池田公、阿波蜂須賀公、米沢上杉公に働きかけ、十二日連れ立って急遽参内《さんだい》（宮中に参上）した。

小御所に着くと間髪を入れず「我々が幕府に攘夷を督促するゆえ、しばらく親征（天皇自ら戦いの指揮を執る）の議を止めてほしい」と請い、文書も提出したのだ。

だが時すでに遅く、その夜事態はあらぬ方向に飛び火した。慶徳の姿勢を激しく非難する張り紙が、堺町御門外の倉橋治部卿表門と寺町天性寺門柱に張り出されたのだ。

『池田慶徳、此者密かに二条家及び幕吏に通じ、恐れ多くも今般の御盛挙を妨げ奉り、ひたすら幕威の挽回をあい謀り、段々奸計《かんけい》相い働き候条、神人共に許さざる大罪である。速やかに天誅を加う可き処、烈公の神霊に対し、暫時死一等を減じ其の首を預け置くといえ共、逆賊の悪名を千載不朽に伝えるもの也　　亥八月十六日』

張り紙は、慶徳が天皇親征に反対を唱えたことに対する報復で、殺害すべきところ、父水戸公の神霊に免じて首を預ける、という不敬極まりないものであった。

丁度この時親征派の首魁《しゅかい》佐久馬らは、京都留守居役安達清一郎の宅に早朝から詰めかけ、時局を評議していた。

「大事《おおごと》だ！　大事だ！」

「張り紙だ！　張り紙だぞ！」

「烈公の神霊に対し、死一等を減ずるだと！」

息せき切って駆け込んだ若者数人、たった今この目で張り紙を見たと口々に訴え、屋敷は蜂の巣をつついたような騒ぎとなった。

集まった士は勝海舟に学んだ五人、大西清太など儒学者七人、詫間樊六など散兵隊八人、指揮官河田佐久馬とその弟など、合わせて二十余人である。書き写した張り紙を中井範五郎が障子に引っ掛けた。

「なんだと、藩主が二条家や幕府に内通だと?」

「このー、いったい何処のどいつが! 見つけ出して、八つ裂きにしてくれるわ」

「張り紙を見つけたのは勝部玄了だ。今朝、天性寺の門で剝ぎ取ったと。本圀寺の黒部権之介に差し出したらしい」

「何、黒部だと! で、奴はそれをどうした」

「『この頃ありがちなこと』と言い、引き裂いたとか」

「引き裂いた! 発端はあいつらだぜ、権之助に早川卓之丞、あいつらが元を作った」

権之介の名が出た途端、新庄恒蔵や永見和十郎らが口々に側用人の名をあげ連ねたが……。

その一方で、奥田万次郎の表情が暗くなった。権之助はかつて万次郎の恩師であった。そしてもう一人、仲間から外れ、額に皺、口をへの字にした樊六がいた。

「樊六さん、どげしなさった。ぼーっとして」

しばらく前、江戸から戻ってきた吉岡平之進が樊六の肩を叩いた。

「うっ、うん、何でもない、何でもない」

慌てて打ち消した樊六は、笑顔を作り仲間の輪に戻っていった。

「悪の根源は側用人の権之助に卓之丞ら四人だ、血祭りにあげら来い」

昨年の京都素通り事件以後、田村図書らが更迭されたとはいえ元は同じ穴の狢《むじな》なのだ。やり場のない怒りは側用人から優柔不断の藩主批判へ、そして緩み切った幕府へと転換していった。議論は次第に「討幕」の方向へ傾いていき、これに終止符を打ったのは佐久馬であった。

夕七ツ（四時）一同を見廻して声を潜めた。

「『天皇親征の日』も近い、同志とはいえ、側用人をこれ以上のさばらしておく訳にはまいらぬ……。加須屋殿、いかがでござる」

最年長として意見を求められた加須屋右馬允《うめのじょう》は、静かに言い放った。

「御意。藩を混乱に陥れ、藩主を逆賊扱いにさせた側用人の罪は計り知れぬ。黒部ら四人を斬ることに何の躊躇《ためら》いもござらん」

「悪臣を倒して、藩主擁護の理由を家臣に訴え、もって殿の忠誠を天下に知らしめ名誉を回復し奉《たてまつ》ろう。いかがでござる」

佐久馬の意見に異論を唱える者など、誰一人いない。

この時、安達邸には二十五人いた。仲間は、首尾よく目的を果たした暁には全員が腹を切るとの合意があり、誰とはなしに「同志全員が一時に亡くなることは藩としても国家としても損失である」との意見が出て、安達清一郎、伊王野坦、松田道之の三士はこの実行には加えず、事後を託すこととした。

「では後々のことに思いが残らぬよう、成すべきことは成し終え、暇《いとま》を告げる者にはそれとなく告げよ。準備を密かに整え、明日明け六ツ（午前六時）までに三々五々集まられたし」

佐久馬の指示を受け、日付の替る前に三人を残して退散した。

物思いに沈み一人遅れてとぼとぼ屋敷に向かう樊六、その脳裏には、鳥取に残している妻照江と、生まれて間のない一人娘の笑顔があった。

鳥取藩きっての剣豪として勇名を轟かす樊六は、天保五年（一八三四）鳥取藩士詑間益蔵の長男として邑美郡品治村《おうみぐんしなじむら》に生を受けた。物心ついた頃から剣の素養に富み、江戸は九段の練兵館で、長州の桂小五郎らと斎藤弥九郎に神道無念流を学んだ。鳥取に戻って、神刀兌山流《ださんりゅう》を組み合わせて独自の神風流を編み出し、安政五年大小姓《おおこしょう》（年配の小姓）となり、文政三年散兵隊員を命ぜられ京都詰となった。

六尺豊かにして二十三貫（八十五㌔）、筋骨隆々とした体格に似ず色白の美男にして優しく、佐久馬を慕う実直な男であった。

樊六が、剣術仲間で友人の早川久之助の妹照江と夫婦の契りを結んだのは一年三カ月前で、当時照江の父卓之丞は、殿の命を受けて国の内外で周旋の任に当たっていた。

ところが慶徳の京都素通り事件によって、側用人全員が辞めさせられたことから、殿の信任の厚かった卓之丞は、側用人に任ぜられた。それから一年、卓之丞は権之助らと側近の要として殿に付き従い、忠実に任務をこなしていた。

何という運命のいたずらであろうか……。樊六は妻の父の卓之丞に、刃を向けるはめになったのだ。

屋敷に戻り来た樊六は、宙を見つめていたが、意を決したように硯に向かった。
『照江、久しく会わぬが元気か、娘の名前は決まったか。
さて、今日は悲しい知らせである。藩士というものは、例え親子、兄弟であろうと目指す方向が違えば敵同士、刃を向けなければならぬ。何の恨みもない父上に、刀を向ける不幸を許しておくれ。こんな役回りであるゆえ、遠からずあの世に行く。先に天国に行って待っている。
文久三年八月十七日夜八ツ
照江殿
詫間樊六』

三日月が時折雲間から顔を出し、杉の木立の陰で静かに鎮座する地蔵を照らす。連判に加わる二十二人の士は、二刻（四時間）も経たぬ間に安達邸に集まり、今夜の襲撃の準備に入った。

決行は八月十七日夜五ツ半（九時）。実行者は二十二人、権之助の館を襲うのは佐久馬以下七人。早川卓之丞、高沢省己、加藤十次郎三士の合宿所本実院を襲撃するのは、詫間樊六以下十五人だ。

文才のある佐善《さぜん》脩蔵《しゅうぞう》以下三人は「斬奸状《ざんかんじょう》」（悪人を斬り殺すその理由を書いた書状）に取り掛かり、明け方までに立案した。

『黒部権之介、高沢省己、早川卓之丞、加藤十次郎以上四人は、幕府有って天朝あることを知らず、藩主側用人役の権威をほしいままにし、尊皇の志ある者を藩主から遠ざけ政務を歪《ゆが》め、君公の御意見を自分らが勝手に起草し、家老らの修正意見をも抹殺した。かくして八月十三日、藩主をして、天皇の親征の議を停《と》めんとする意見書の提出となった。かような君側の奸《かん》（君主の側にいて悪政をさせる悪い家臣）の存在を放置することは到底許せぬことから、藩中の壮士二十二人が結束して四人を斬殺し、中将公（藩主）の御本意は青天白日であることを世に明らかにするものである。

文久三年 癸《みずのと》亥《い》八月十七日』

京都寺町の本圀寺《ほんこくじ》は、日蓮宗の大本山として、かつて六条堀川の地にあった「西の身延《みのぶ》」と呼ばれた大寺院で、二万五千坪もの広大な境内には、本堂、下寺、庫裏などが立ち並んでいた。

この寺院は、水戸藩の菩提寺であるところから、藩主の仲立ちで本堂全部が鳥取藩の本陣に充てられ、藩士は下寺に分散し滞在していた。

黒部権之助の館は本陣から離れた下寺の一角にあり、更に半町（五十米《メートル》）のところに早川卓之丞ら三人の合宿所、本実院があった。

決行の夜五ツ半（午後九時）となった。刀や槍に身を固め安達邸を後にした二十二人は、互いに顔を見合わせて成功を誓い合い、二手に分かれて声もなく進んだ。

黒部の屋敷に着くと六人は物陰に身を潜め、佐久馬一人が玄関に廻り、応対した権之助に声を掛けた。

「伏見邸の河田です。先頃長州に参りましたゆえ、報告に参じました」

「おお、それはようこそ、どうぞお上がり下され」

佐久馬は奥の一室に通された。部屋は八畳、中央の火鉢に湯気の立った鉄瓶が掛かり、障子を背にした権之助は、火鉢を挟んで佐久馬に対した。この頃、夜昼の別なく刺殺事件の頻発する京都である。敵の多い権之助は、常日頃から避難路を確保するなど、警戒怠りなかった。

佐久馬の弟精之丞以下六人は屋敷の表裏を固め、権之助が障子を蹴破って飛び出るところを刺そう、との作戦であったのだが……。

「同じ攘夷決行でも、長州は我が藩とは桁違い、ははは」

佐久馬は、長州に旅した模様を面白そうに語りつつ機を窺い、容易に斬りつけない。

外で待つ六人、気は急《せ》くもののどうすることも出来ぬ。そのうち樊六らの向かった本実院から、早くも斬り合う刃音が洩れてくる。

――いかん、時が経てば権之助の仲間が駆けつける。

たまりかねた精之丞、仲間に目で合図し、やにわに縁から屋敷に駆け込み、勢いよく襖を開け、正面一間先の黒部に斬りかかった。

「くらえ！」

――カチン
権之介は驚きもせず、護身用の鉄扇を右手に太刀を受け、佐久馬をちらっと見た。瞬間、佐久馬は出されていた湯飲み茶わんを手に、茶を飲むそぶりをした。

佐久馬は敵にあらず、そうみた権之助、素早く刀を抜いて立ち上がり、精之丞を切り伏せようとしたその刹那、「エイッ！」気合もろとも佐久馬の抜打ちの一刀が権之介の脇下をえぐった。

「謀《はか》ったな！」

権之介が佐久馬を睨みつけ、反転、ついたてを蹴飛ばし裏手に逃げようとしたその行く手から、三人が抜き身を引っ提げてなだれ込んだ。挟み撃ちにあった権之助は、腹部、顔面、背といわず斬り裂かれ、遂にとどめを刺された。


遡ること少々、半町離れた宿舎の本実院。目指すは早川卓之丞、高沢省己、加藤十次郎の三士である。

樊六率いる十五人中、五人は遠巻きの見張り役に充て、樊六、助之進、直人らは表玄関から突入した。そこで、ばったりと卓之丞の家来、年若い藤井金蔵と出くわした。

「貴様ら、何者だ」

刺客とみた金蔵が手槍をとるや、助之進の太刀が弧を描いた。

「うわー、早川殿……。高沢あ～あ～あ～」

金蔵は一刀のもとに倒された。

奥の間で読書をしていた卓之丞は、金蔵の叫びに太刀を手に立ち上がろうとしたその瞬間、三人が障子を蹴破って突入し斬りつけた。

一方、省己と十次郎を探していた一派は、風呂場から褌《ふんどし》姿で刀を引っ提げて出てきた省己を見付けた。

不意打ちを食らった省己、かろうじて刀を抜き湯上りの上気した裸を躍らせて懸命に立ち向かったが、しばし切り合ううちに片足に深手を受けて倒れ、これを見た志士は、それっ、とばかりに難敵卓之丞へ。

既に傷を負い流れる鮮血に全身を朱に染めた卓之丞、眼光鋭く孤立無援で戦っている。さすがに剣術の奥義《おうぎ》を極めているだけに、並の者では歯が立たぬ。そこへ長さ三尺五寸もの大刀を引っさげた樊六が現れた。卓之丞は樊六を目にして一瞬驚いたものの、ニヤッと笑った。

「樊六の愚か者め！」

左右から斬りかかる刃を巧みにかわし、死力を尽くす卓之丞だが多勢に無勢、十数個所の傷を負い上体が大きく揺れている。

――父上、仰せの通り樊六は愚か者です。だが、よくよく考えると父上も手前も殿を守ろうとして刀を交えている愚か者、この上は、せめても父上、お苦しみにならぬよう手前の一刀で果てて下され。

「御免！」

樊六の繰り出した長刀の切っ先が、ものの見事に卓之丞の首を斜めに斬り抜けた。

さすがの卓之丞も体を一回転して樊六の足元へ。だが倒れながらも、その眼《まなこ》は樊六に向けられている。膝を落とした樊六は、父の胸に取りすがって泣いた。流れ出た大粒の涙が、卓之丞の血染めの頬に注がれた。

難敵を射止めた樊六らは、残る加藤十次郎を探したが見当たらない。どうやら宿直らしい。そこで、十次郎の居間の壁に張り紙をして、自決を迫ることとした。

急を聞いて駆け戻った十次郎は、血に染まった仲間の死骸と二十二士の張り紙を見た。

「よし、奴らの来るのを待つまでもない。こちらから出かけて返り討ちにしてやろう」

供人一人を引き連れて向かおうとしたその時、殿の側役である河毛文蔵が青い顔をして走り来た。

「殿からの口伝えにござります。『すまぬことだが、一つ格別に深い考えをしてくれぬか』と……」

十次郎は文蔵の目を覗き込み、主君の心の内を推しはかった。

――格別に深い考えをせよとは……。そうか、切腹せよとのことであろう。二百年来養われてきた主家の気持ちであれば仕方ない。よし、わかった。

十次郎は、甥の加藤伊之助の介錯《かいしゃく》で、その日のうちに切腹した。

一方、重傷を負いながらもその場を脱出した高沢省己は、数日後、同じ側用人の黒部権之介、早川卓之丞が殺され、加藤十次郎も自決したことを知った。身の置き所のなくなった省己は、二十四日、甥の杉田虎之丞の介錯により自決した。

七　松江城襲撃の陰謀

文久三年（一八六三）八月〜慶応三年（一八六七）十月　京都・黒坂・米子

ペリー来航から十年、この時期混迷の日本は明日の予測がつかない。

本圀寺《ほんごくじ》事件の翌八月十八日の早朝、朝廷内公武合体派中川宮朝彦親王と薩摩・会津両藩が結束して、八・一八のクーデターを決行した。

尊攘派の中心である長州藩は、孝明天皇の大和行幸を実現し、天皇自ら攘夷戦争の指揮を、と画策していたのであるが、その目論みは一夜にして水泡に帰した。なんと薩摩・会津の両藩はその裏をかいて、朝廷内部の公武合体派の公家と謀り、早朝、千五百余の兵を御所に出動させ、警備中の長州藩士を力ずくで追放したのだ。更に、かねて長州に加担していた朝廷内の三条実美など七人の急進派公卿をも、京都から一掃したのである。

「まさかこのようなことに……。わしらは何で同志を殺した」

動揺する仲間を横目に、外向けには切腹を覚悟しているが如く装った佐久馬だが、裏では助命嘆願に走った。

佐久馬らの理解者である家老和田邦之助をはじめ、尊攘派の公卿に斬奸趣意書を差し出す一方、兵庫で廻船問屋を営み、かねて佐久馬を支援していた豪商北風貞忠への書状に「犬死は出来ぬ、天下国家のために尽くすべく蟄居《ちっきょ》待機中」と伝え、闘志をみなぎらせた。

本圀寺事件の処分が決定したのは九月十一日のことであった。この間に、奥田万次郎は、かつての恩師、黒部権之助を心ならずも討った自責の念に駆られて自害した。また新庄恒蔵は、幕府に捕えられた。慶徳は、残る二十士に対し「処分保留による蟄居（閉門の上、自宅の一室に謹慎させる）」、すなわち良正院に篭《こも》り罰を待つよう命じたのだ。

この不確定な処分の裏には、側近対家老・周旋方の対立という慶徳自身に深くかかわる図式があるのみならず、藩の内外からの助命嘆願と、二十士を許せば幕府と敵対することになる、という慶徳の苦しい胸の内があった。

親の心子知らず、慶徳の苦悩は二十士には届かなかった。

伏見藩邸に幽閉された佐久馬らは、事件のほとぼりが冷めると密かに長州藩士と秘策を練るなど、藩是に背き討幕を画策し続けた。朝廷の御膝元でのかような動きに在京幹部は大いに憤慨し、国元の慶徳に強硬に申し入れた。

「あいつら、何の反省もしておりませぬ。至急国元に戻して、切腹とか蟄居を」

「なんだと、佐久馬のやつ、許しておけん」

報告を受けた慶徳は、事件の翌元治元年八月九日、二十士の身柄を京から連れ戻し、山岳地である伯耆国大山領の黒坂の地へと移送した。大山の南西に位置する黒坂は、三島街道沿いの丘陵地帯で、二十士はこの地に所在する泉龍寺など三つの古刹に分散された。

大山は『出雲国風土記』に火神岳と記されるが如く、古くから信仰の山で、寺伝に大山の開山は養老二年（七一八）と伝わり、この頃から政治的に独立し、慶長十五年（一六一〇）幕府から三千石の寺領が確定されて以降、本坊の西楽院が地域一帯を統括していた。

西楽院には学頭や代官の下に山奉行、大庄屋が置かれて各種の取り締まりを行い、罪人逋脱には目明しや大山侍が従事し、牢屋も確保するなど、領内は鳥取藩の支配の及びにくい、いわば治外法権的な地域にあった。

泉龍寺は、三百五十年前黒坂城主が建立した曹洞宗の古刹で、時の僧侶は金峰密宗《きんぽうみつしゅう》といった。黒坂の集落から南へ二町、小高い丘に所在し、西側に天郷川の清流が流れている。

二十士は泉龍寺のほか、光徳寺、政法寺に分散され、首魁の佐久馬は光徳寺に謹慎させられた。幽囚の身とはいえ、男盛りの活動家揃いゆえ、中野をはじめとした子供好きな士は、近隣の青少年に武術や学問を教え、勤皇思想の普及に努めるなど文武両道に精進した。やがて近隣の青少年が慕うところとなり、泉龍寺の庭で剣術に柔道の稽古に、本堂の片隅で勉学に、歌詠みに打ち込んだ。殊に樊六は子供から親しまれ、大男のわりに手先が器用であったから鳥籠造りに、子供たちを連れてたかはご（小鳥かけ）にと、山へ分け入った。最初はおっかなびっくりであった地域住民も、子供を通して交際が深まり、食事に招くなど親しく溶け込んでいたから、二十士は表向きは模範的な生活ぶりであった。

大山領の北方の伯耆に米子城があり、城主荒尾成裕《なりひろ》のもとに、禄高五百石の家老村河直方《むらかわなおかた》がいた。直方は文政七年生まれの三十九歳、歴代当主は興一右衛門《よいちうえもん》を名乗っていた。

荒尾氏率いる「自分手政治」の実質的な責任者として、農業に精魂傾け、木綿、蝋燭製造で成果を収めるや、弓浜半島に水を引き新田開発、朝鮮人参栽培を成功させるなど、その手腕は万人の認めるところであった。

武士にとっては良い武具を持つことが戦いに勝つ要件であると同様、百姓にとっては、よい肥料を蓄えておくことが必須であった。

この時代、基本的な肥料は野山の草で、牛馬の糞と混ぜて使用したが、立地によってはこれが確保出来ず、共同利用の草地や山林に採取地を求めた。この頃、肥料として有効であったのが汽水湖である中海に生息した海草の藻葉《もば》で、大根島住民と弓浜半島の住民の間で、その収穫をめぐって熾烈な争いが繰り広げられた。

「お前ら、藻葉ごときで喧嘩すーな。仲良う半分分けしろ」

直方は双方の住民の間に立ち、紛争を上手にさばいたから「藻場家老」と親しまれた。

公にはあまり語られぬが、肥料として最も珍重されたのが人間の排泄物であった。出雲、鳥取に限らず、春先になると田舎の百姓が城下に荷車や舟を横付けして、これを競って回収した。格の高い百姓がこれを物にし、収穫期になると米や野菜をお礼として恭しく持参した。縄張り争いで最も熾烈であったのが、芸妓置屋であったらしい。松江城下和多見町の置屋は、日頃から栄養価の高い美味いものが手に入ったから、その排泄物は、肥料効果が抜群であったと伝わる。

話が臭いところにそれたが、米子城の家老村河直方に戻そう。

直方は背丈はやや低く色黒、顔にはあばたと美男ではなかったものの肩幅広く武略に長《た》けた豪胆な人物で、家臣が「戦気狂」とあだ名するほど、熱烈な尊攘主義者であった。

そんな直方であったから、本圀寺事件では二十士の処罰軽減に奔走し、先に発生した禁門の変では、負傷して逃れてきた長州藩士桂小五郎らを保護し船で長州へ送り還すなど、長州とも深く繋がっていた。

七月、長州追討の勅命が下らんとするや、直方は城主の荒尾公を出し抜いて、藩主慶徳に長州藩救済を申し出でた。この直方の直訴は城主の怒りを買うところとなり、以降閉門を命じられ米子城下西町の自邸で謹慎を余儀なくされた。

直方は閉門如きは何のその、謹慎中とはいえ長州を往来する密航船を利用して情報を得るとともに、諸藩の尊攘派と人的交流を重ねた。

その直方にとって、この頃厄介な存在となったのが松江藩である。そもそも、米子から弓浜半島を活動の場としてきた直方にとって、松江藩は手を携えてきた隣国であった。ところが、松江藩が軍艦を取得してから様子が変わった。中海、境灘、美保湾をこれ見よがしに往来し、平気で漁業の妨害をする。更に異国船取り締まりと称して、日本海一円に監視の目を光らせるのだ。海路、長州と繋がり、討幕を目論む直方として、これは放置できない目の上の瘤であった。

そこへ元治元年八月、佐久馬ら二十士の身柄が山を越えた黒坂の地へと移されたのだ。

憎き佐久馬らを完全に封じ込めよう、そう考え山岳地帯にして足場の悪い黒坂の地を選んだ慶徳であったが、却ってこれが裏目に出た。二十士は、外見上は模範的な生活ぶりであったから、藩の監視が緩くなり、それを見て取った佐久馬は、機を失せず直方と繋がるところとなった。


佐久馬が黒坂へ移って五十日経ったある夜の光徳寺である。

直方、佐久馬、それに三十がらみの眼付きの鋭い、背の低い男が加わっていた。佐久馬の若党である旨偽装してこの地に潜入した、肥後の河上彦斎《げんさい》であった。

彦斎は肥後細川藩の下級藩士小森貞助の次男として出生、五尺に満たぬ小男ながら居合の達人であった。能力を見込まれて江戸の肥後藩邸にのぼり学ぶうちに尊攘主義にはまり、過激な尊攘派として頭角を顕した。

元治元年春のこと彦斎在京中、その頃「西洋かぶれ」と揶揄され、西洋の馬の鞍を用いて京の町を闊歩していた、信州松代藩士兵学者佐久間象山を知るところとなった。開国絶対反対の彦斎は、やがて象山をつけ狙うようになり、同年七月十一日、象山の乗馬中を三条木屋町にて襲撃し、落馬させて刺殺した。追われる身となった彦斎は、二十士を頼り京に潜伏中、折から二十士が黒坂に移されることとなったため、身分を偽装して同行したのである。

直方が口火を切った。

「因幡も出雲もそろそろ長州に出兵するところ、今宵は河上殿もおられるゆえ、あの話を進めようではございらぬか」

「大方そのことであろうと想像しておった。あの話、樊六や中野など主だった者と謀った、誠に良き狙いと大いに盛り上がっておる」

佐久馬が笑みをもって答え、直方が膝を乗り出した。

「河上殿には初めて明かすことであるが、是非とも力を貸せてほしい。実は、この黒坂の地に兵を挙げようというのです」

「この山奥で兵を？　いったいないすっと」

「ははは、この山は火神岳といい信仰の山、治外法権です。鳥取の兵とてこの山には簡単に入れません」

「ほう、治外法権、それはよかばい、で何処を攻めると」

「まず隣国の出雲、この頃軍艦をもって勢力を誇示するなど、因幡にとっても長州にとっても厄介な存在だ」

「松江藩？　徳川親藩、大藩では、簡単にはいかんばい」

「長州へ出兵しておるその隙を突く、山越ししても半日、城はいつも隙だらけ、二百人もおれば攻め落とせる」

佐久馬が何事もないように言ってのけ、直方がこれに続けた。

「姦物《かんぶつ》の松江を突破口として、討幕軍をもって京へ攻め上るのだ」

この夜、直方と佐久馬は、大山寺挙兵、松江城襲撃に始まる討幕計画を明かし、彦斎を巻き込んだ。その策謀とはこうだ。

——米子城はもとより、備前など周辺には直方の息のかかった尊攘の兵士が多数存在する。うち二百人を密かに大山寺で挙兵し、まず松江城を打つ。松江は因幡と長州の間に存在し、討幕の邪魔になる。時期は松江が幕府の命によって長州攻めを行っている隙を突く。次に討幕に反対する鳥取藩主慶徳を廃し、支藩の若桜《わかさ》藩（陣屋）藩主池田徳定に首を挿げ代える。その後、公卿を擁して長州以下反幕の士と連携して一大挙兵し、京に攻め入る。河上氏にはこの計画をもって長州に赴き、長州藩など関係筋へ周旋してほしい。

この頃、先に都落ちした七卿のうち五卿が長州三田尻の招賢閣に幽閉されており、直方はそのうちの一人を擁して松江攻めをしようというのだ。

「それはよき策略、それがしも追われる身、冥土の土産にとて尽力いたそう」

計画に同調した彦斎は、直方の密航船で長州に下り、十月五日三田尻の招賢閣に赴き、勤王討幕運動の若手活動家、鷲尾《わしのお》隆聚《たかつむ》侍従に関係する土佐藩士方《ひじかた》久元に申し入れをした。

だが、この時期長州は、中国、四国、九州の二十三藩から包囲され戦いの前哨戦にあったから、土方の反応は鈍かった。

「これから長州は戦うところだ。公卿が賛同するとは思えぬ」

気落ちした彦斎は、続いて長州藩へ計画を持ち掛けた。

「面白い策謀ではあるが時期がなー、目の前の戦いを終えてからだ」

結局この討幕計画は、時期が悪いことで見送らざるを得なかった。

――早いか遅いかだ。いずれこれは実行することになる。機の熟す日のために、長州に潜り準備をいたそう。

彦斎は、その日から長州の客人となり、長州藩の立て直しに尽力する一方、松江城襲撃に向けた準備も怠りなかった。


この年の十一月、鳥取藩主慶徳は第一次長州征伐の命を受けて米子まで出陣した。米子城滞在中、黒坂へ幽閉している二十士の様子を探ったところ、「他藩の浪士が頻繁に出入りしている」との異常を聞知《ぶんち》するに及んだ。

――あいつら又ごそごそと、許せん。鳥取に戻して腹を切らせよう。

翌慶応元年（一八六五）の冬、慶徳は長州征伐の任を終えて鳥取に凱旋、佐久馬など二十士も、暫時鳥取へ引き戻した。

長州藩の見送り、佐久馬ら二十士の帰鳥で、討幕計画を断念したかに見えた直方だが、ここから粘りを発揮した。

二月下旬、土佐藩の英傑中岡慎太郎が太宰府から米子に潜入すると、直方は中岡を伴って黒坂の二十士との間を往復し、大山挙兵の密議を凝らした。これに同調した中岡はその足で長州に赴き、高杉晋作に計画を打ち明けた。この頃晋作は、長州藩に潜り込んだ彦斎らとともに奇兵隊の組織化に奔走しており、中岡の持ちかけた討幕計画を歓迎した。今後、晋作が征長軍を追撃して石見へ進出したなら、これに呼応して大山の二百人が出動、佐久馬ら二十士も加わり松江を廃して京に上る、との一大討幕計画が見えてきたのである。

翌二年五月、第二次長州征伐動員の命が下り、松江、鳥取両藩が出動に向けて慌ただしい動きを始めると、直方の挙兵計画は露骨に進行していった。

まず諸国の志士を大山の地に呼び寄せ、山麓の赤松の寺侍屋敷などに留め、扶持を与えて密かに戦闘訓練を開始したことである。

そうする、秋が近くなった頃、長州から頼りにしていた彦斎が海路米子入りしたのだ。

「おい、お前ら何をしておる。こっちへ来い」

松江城本丸の西方内中原、濠に浮かんだ杉の丸木に汚い身なりの男二人が乗っているのを、見張り中の役人が見つけた。髭ぼうぼうの二人は、丸木を舟の代わりにして向こう岸から戻ったところであった。

「何のために渡った。まさか、城に侵入……」

「うっ、うっ」

「あー、あー」

二人組は、手を激しく左右に振った。口がきけぬ様子である。

「何だ、ものが言えぬのか」

「腰のものは何だ」

「こーはー、あーき、あーき……」

裸の腰に縄を巻き、布袋を提げている。役人が袋の口を開けさせると、柿や椿の実、アケビなどの果物が見えた。

この頃、他国から流れてきた乞食が城下を徘徊しており、貰う物が無くなると、城山の果物にまで手を出していた。

「なんだ、柿泥棒か、困った奴らだ。さっさと立ち去れ」

役人の温情で解放された乞食は、破れた着物を身にまとい、頭をペコペコさせながらその場を立ち去った。


二人組は、乞食に扮した直方と彦斎で、密かに松江城下に潜入、濠を渡り城山に分け入り、石垣を登り城を探索したのであった。

直方が松江攻めの拠点として設定した十神山は安来の北方、中海に張り出した高さ九十メートルの小島である。船や武器、兵士などを隠匿するのにはもってこいの無人島であった。

「黒坂からこの島まで七里、武器は夜陰に紛れて運べば訳はない」

「島の陰に船を係留し、武器や兵士を乗せ一刻（二時間）足らずで松江城の南方に着く。濠を渡り、城山に潜伏し三方から本丸を攻める。夜間は警戒が薄いゆえ、城山に火を放って番人を引き付け、天守の正面から突入する。油をまいて火を付ければあっという間だ」

「それにしても、十神山とは良き名前たい」

「ははは、我らには十人の神が味方しておるぞ」

二人は高笑いした。


倒幕の策略をより確実なものとするためには、京の待ち受け体制が不可欠であった。直方は、尊攘派の有栖川宮の家人藤井少進に働きかけて首尾よく賛同させた。続いて現地の兵隊探しだ。本願寺などの寺侍に目をつけて集めまくり、その数は優に百人を超えるところとなった。

——よし、兵士集めも武器調達も順調に進んだ。あとは晋作ら長州藩士の石見進出を待つばかりだ。


ここでまさかの誤算が生じた。第二次長州征伐は計画通り長州軍有利の展開となり、大村益次郎が征討軍を追って石見に進出したものの、松江の強固な守りに阻まれ、大森の国境でて足止めを食らわせられたのだ。

それでも直方は諦めない。必ずその日が来ると確信し、大山山麓の兵士を鍛え、じっと機を窺っていた。

ところが……。慶応三年（一八六七）十月上旬のある日、米子城の重鎮と村河家の家臣が、青い顔をして直方の屋敷を訪れた。

「大変だ！　直方殿、荒尾の殿（成裕）がお呼びだ。……会所（鳥取藩）出頭に先立つ取り調べだ」

「何のことだ……。会所出頭だと、用件は何だ？」

「打ち明けた話、大山挙兵の件がばれた……。覚悟を決められよ」

「……殿に、殿に迷惑が及ぶ。その前に……。自分で腹を切られよ」

「大山がばれただと……うーん。何でだ……。切腹だ！　冗談を言うな、戻れ戻れ！」

直方は連行しようとした家臣を突き飛ばし、切腹を持ち掛けた一族の重鎮に激しく抵抗した。

ところが数日後の十日、村河の家臣でかねて直方が可愛がっていた山内政泰、日置元八郎らが再び迎えに来た。直方はやむなく羽織袴に威厳を正し、出頭を前に、政泰の酌で最後の盃を口にしていた、そのときだ。

――ズボッ！

「いやーっ！」

障子を突き破って、槍が直方の脇腹深く突き刺さり、元八郎が障子を蹴破って飛び込んだ。

「御免！」

次の瞬間、横倒しになった直方の首を政泰の一刀が切り裂いた。

「うー、な、な、何なんだ……、お前らは……」

忠臣の刃を不信の眼で受け止め、力を振り絞って抵抗した直方であったが如何ともし難く、涙を流しながら繰り出す二人の刃によって首を刎ねられた。

事件は幕府からの通報によってもたらされた。大山領に潜入していた浪人の中に幕府の密偵が潜んでおり、京都新選組によって藤井少進が拘束され拷問にかけられ、村河ら一派が有栖川宮を大山領内に擁して挙兵する計画がばれた。直方の逮捕と京都所司代への引き渡しを指示された藩は、独自の調べで直方の腹心、大山丸山村の御家人西村政四郎を拘束し、潜伏している浪人の摘発を進めた。

直方が出頭前に死亡したという事実を知った荒尾は、藩に〝直方自害〟と報告したものの、その実は、主家に類の及ぶことを恐れた村河一族によって粛清されたのであった。

新しい国づくりのために、執念を燃やしていた直方であるが、その計画は潰え去った。大政奉還の四日前のこと、直方はその日を迎えることなく、四十三歳の最期を遂げたのだ。

その頃慶徳は病が悪化し、藩邸でふさぎ込んでいた。

——馬鹿な奴だ、佐久馬に続いて直方までもが、もはや幕府には顔向けできぬ。

精神的に落ち込んだ慶徳は、床に臥す日々となった。

八　手結浦《たいのうら》の仇討ち

慶応二年（一八六六）八月一日〜三日　出雲国手結

出雲の国の北方、日本海に面して東西に約三十里の島根半島が横たわる。そのほぼ中間に突き出た岬があり、更に南東へ一里入り組んだ入江、そこが八束郡手結浦《たいのうら》と呼ばれる漁村である。

慶応二年、村々は実りを寿《ことほ》ぎ、浦々は恵比寿の大漁を祝う八朔《はっさく》（八月一日）の午後申《さる》の刻（午後四時）、手結浦の港に一艘の三十石船が接岸した。

この船は米や石など積載する船で、人であれば三十人程度の輸送が可能であった。

村人が珍しそうに見ていると、総髪で引き締まった面立ちの若い士が供人一人を連れて下船し、浦役所の年寄井上円次の宅を訪れた。

「突然の訪問で恐縮にござる。拙者は因州の森三津乃助と申す。只今この沖を通過しようとしたが、海が荒れるので止《や》むなく舟繋《ふなつな》がりした。しばらく風待ちをさせて下され」

たまたまこの時、井上宅に松江藩往来方物改《ものあらた》めの岸重蔵が立ち寄っていた。

「鳥取藩の藩士殿、それはようこそ。ご存知の通り只今出雲の国は長州征伐で国を挙げて警戒中であります。ことごとく兵を配しておるゆえ陸も海も交通は困難でありましょう」
「ほう、陸も海も。それは困りましたなあ」
「いやいや、身分の証《あかし》が立てば通行手形を出します。貴殿たちが鳥取藩士であることの証明と、全員の姓名を明かして下され」
「我らは鳥取藩の士二十人と船頭二人である。先に藩の船が玄米を積んで時化《しけ》に遭い長州に漂着したためその始末に行く。風が収まれば直ちに出航する。乗組員の姓名はこの紙に書いておるとおりです」

この「森三津乃助」と名乗る男、その実は、文久三年八月十七日、京都本圀寺で側用人黒部権之介ら四人を殺害した「因幡二十士」の一人、中野治平であった。

治平らは、事件後、首魁《しゅかい》の河田佐久馬を筆頭に京都の藩邸に幽閉され、その後黒坂を経て慶応元年鳥取城下に移され、目下監視中の身であった。

翌二年六月、第二次長州戦争が勃発すると佐久馬らは、機熟せり、と鳥取の幽閉先から脱走した。

長州藩に合流して、討幕の士として行動を起こす狙いで、その際、佐久馬の弟精之丞には京都の有栖川宮に脱走の意図を知らせる命を与えて上京させた。一行は西進して伯耆の橋津港に至り、あらかじめ手配していた小舟に乗り美保関港に到着した。この船は、詫間樊六の剣術の弟子、中原忠次郎の父親が脱走の手助けのため手配したもので、忠次郎は美保関で親と別れ、樊六に同道することとなった。

岸は、二十人の行き先地が、今まさに戦争の真っただ中にある長州と聞き不審を覚え、森（中野）から受け取った乗組員の紙を手に隣町恵曇《えとも》の番所に馬を飛ばした。

恵曇は、水上交通の要衝につき番所が置かれ、樋口義左衛門の指揮下に渡辺小叟、小出甚左衛門、小泉助之進など数人が常駐していた。

急を聞いて駆け付けた樋口らは、一行が鳥取藩の御用状を所持していないことに眉をひそめ、森と名乗る男に詳しい事情を問い質した。

「我らは漂流船受け取りが表面上の役目だが、その実は長州の探索という藩の役目も帯びておる。急を要するのでそろそろ出航したい」

森の説明に不信を抱いた樋口は、急ぎ松江の軍用方へ。古浦台場の警備員や近村の農兵、更に山猟師など二十人を駆り集め、海岸や要路に配置した。

夕やみ迫る頃南風は雨をともなった西風に変わり、浦は怒濤さかまく物凄い荒れとなった。三十石船は激しい波をかぶり船内に留まることなど思いも及ばぬ。やむなく森は渡辺の仲介で庄屋に交渉し、二十二人全員を付近の民家などに分宿させた。

夜になって松江の郡奉行から樋口に「因幡の士二十人、昨夜加賀浦へ入港し粮米《ろうまい》（施し米）を求めている。藩の用務で航海しているというのは疑わしい。一切の要求を拒否し番人を付け厳重警戒せよ」との命令が達せられた。

その夜、寝静まった八ツ（午前二時）、庄屋の屋敷を警戒していた渡辺の前を、森と思《おぼ》しき士が物思いにふけった様子で通り過ぎた。

咄嗟《とっさ》に声を掛けようとした渡辺であったが、その表情からただならぬものを感じ密《ひそ》かに後を追った。引き締まった横顔は苦悶に満ち憂いを秘めている。見張られていることに気付かぬ森は、海のほとりの丘にある神社にたどり着き、小さく拍手を打って手を合わせた。

雨は上がり、空には鎌形の月が、仰向けになって鈍く光っている。

「……森殿では？　真夜中に如何なされた」

「おっ、渡辺様、夜更けに抜け出して相すみませぬ。家族に病人がおるものですから祈願を……。すぐ戻ります」

聞けば、妻の産後の肥立《ひだ》ちが悪く寝たきりとのことであった。

――そうか、似た境遇だなあ。そのような家族を置いて長州行きとは、余程の大事な役目を帯びているのであろう。

渡辺も、病気の妻を松江の実家に残していたのだった。

明けて八月二日、爽やかな初秋の朝を迎えた六ツ刻（午前六時）、早くも森が浦役を訪れ、出帆《しゅっぱん》したい旨を申し出でた。

「松江表から返答がまだ来ぬ、暫く出港を見合わせられたい」

だが、二十士にとっては絶好の航海日和、その上、役人の態度が夜に入ってうって変わり厳しくなったのだ。

巳《み》の刻（午前十時）、一味は、強いて出航せんと乗船を開始した。

「すわ、一大事！」

海岸で警戒中の重蔵が大声を挙げて急を知らせ、槍を小脇にした渡辺を先頭に、おっとり刀の雲州藩士が砂浜へ。中には弾丸を込めた鉄砲を構えて早や引き金を引かんとする猟師もいる。

「待て、待て！　出帆は許さぬぞ！」

両者互いに刀を手に身構え一触即発の情勢、この時、桃井と名乗る大男（樊六）、三尺五寸の大刀を手に松江藩士の前に進み出た。

「拙者らは重大な任務を帯びており、ここに引き留められるは迷惑至極。この上は寸刻も許さず出航したい。見れば刀や鉄砲をお持ちの様子、武力をもって出航を止めるなど大人気《おとなげ》ない。剣を取って争えば、双方に同じ人数の死人が出る。宜しく事情を察して出航を許されよ」

威厳を示しつつ順々に説いた。

樊六の言葉に耳を傾けていた渡辺が、穏やかに応じた。

「我らとて武をもって争うは望むところにあらず。只今松江表に指揮を受けておる、遅くとも未《ひつじ》の刻（午後二時）までには返事を致そう」

渡辺の誠意ある態度に、桃井らもやむなく合意した。

前日、三十石船内の検索を要請し一蹴された重蔵は、午《うま》の刻（正午）杉本岩蔵、永岡平四郎らを伴って再び船内検索に臨んだ。佐久馬ら一行は態度を軟化させ、船内に招き入れた。

重蔵はまず、船の軸《へさき》から調べたが別段変わったところもない。順に調べ最後に艫《とも》の座板を起こして驚いた。包の一つである黄色木綿の風呂敷から、十数振ともみられる大小の刀。えたり！と重蔵、これを解いて調べようとしたところ、長身の士が重蔵を突き飛ばした。

「貴様、何をする！　士分でもない身で拙者らの船を土足にかけ、着替えまでも！　この包、断じて開けることはならぬ」

「何だと！　我らは国法によって探索しておる。承諾出来ぬとなれば兵士を連れてくるまでだ。それでよいのだな」

睨み付け立ち去ろうとした重蔵に、傍《かたわ》らにいた森が口を開いた。

「我らは鳥取藩士、刀を持っておるのは当然のこと。他の所持品も何ら見られて悪いものなどない。どうぞ続けて下され」

その声に重蔵らは立ち返り、包みの中を調べた。

大小の刀のほかに鎖肌子《はだこ》、縮緬《ちりめん》地の頭巾、綿入の胴着、白の鉢巻、揚羽蝶の家紋入り旗印、分裂肌子等戦闘用の装具が雑然と転げ出た。

重蔵はさりげなく下船し、樋口らの待つ浦役所へ。樋口は重蔵の報告を受けて「いよいよ曲者《くせもの》に間違いなし」と眉を吊り上げたところへ松江から早馬によって書付がもたらされた。

「鳥取藩を脱走した士のようである。詳細は判明せぬが、鳥取から追手を差し向けるとの連絡があった、絶対取り逃がすな」

書付は郡奉行の村田幾右衛門からで、これを皮切りに次々と通報がもたらされるところとなった。

だが、未の刻までに回答を与えると約した渡辺らは、思い悩んだ。

「どげすーだ。脱走者だと……とは言うものの、約束は約束だ」

「この際、こちらから松江表の指示を告げ、反応を見るか？」

「そげよのう、我々にとっては、恨みも恩もない相手だ」

合意した渡辺と小泉は、森や桃井の宿所、伊左衛門宅を訪れた。

「誠に気の毒ながら、松江表から『身柄を留め置け』との命令であり、出帆を許すわけにはまいりませぬ」

これを聞いた森は、しばらく嘆息したのち桃井ら幹部と相談を始めた。渡辺は小泉を促し、しばしの猶予を与えるため席を立った。


一刻後、再び訪れた二人に森が居ずまいを正した。

「方針が出た以上仕方がありませぬ。ただ、我ら一行は貴藩に何等の敵意もなく迷惑を掛けるつもりもありませぬ。このことを証明するために拙者ら士分の者五人が人質として当所に残り、諸氏の面目を立てましょう。よって他の者は、目溢《めこぼ》してこのまま出帆させてもらえますまいか」

渡辺を見つめる森、桃井の目には涙の影が宿っていた。

――残れば囚《とら》われの身、それを敢えて買って出るとは……。昨夜の祈りは人としての真実があった。この男の望みを叶《かな》えてやろう。

二人の心を察した渡辺は深く心を打たれ、再考することを約した。

浦役所に戻り来た渡辺は、樋口らに対した。

「我らは鳥取藩に恩もなければ恨みもない。士分五人が残ればどちらの顔も立つというものだ」

五人の残留を強調し、彼ら二十士の望みに任せることを主張した。

その時だ。浦役所に一人の男が荒い息をして駆け込んだ。

「申し上げます。我が家の屋根裏で話を聞いておりました。『たかが漁師、一人殺せば全員で脱出出来る』『わしは松江の神官につてがあるから残る。刀を抜けば、出雲が敵になる』。そんな密談をしておりました。大事なことと思い、駆け付けました」

宿所の主、伊左衛門は漁師ながら機転の利く男であった。席を立つと見せかけて屋根裏にひそみ、桃井らの密談に聞き耳を立てたのだ。

「漁師一人殺してだと！　許せん！　船を押えて、全員、拘束しよう」

樋口の強硬姿勢に、渡辺は首を横にしつつ、じわり異論を唱えた。

「それはまずい。戦争になる、犠牲を少なくして解決する道は一つ。奴らの望みに任せることだ」

しばしの時が過ぎ、樋口も渋々承知した。

二十士の狙いは分からぬものの、立場を変えた時、森、桃井の心中察するに余りあるのだ。再び伊左衛門の屋敷を訪れた渡辺は、柔和な目で森と桃井に対した。

「拙者らの面目を立てるために、五人お留まり下さるとは恐縮の至りである。ほかに何人居るかは知らぬ。いつご出帆下さっても差し支えない」

渡辺の、双方へ配意した温情ある言葉に、森は瞼を熱くした。

佐久馬以下十五人は出帆の準備を急ぎ、日暮前、人質として残る五人と酒杯《さかずき》を交した後、二人の船頭によって船を漕ぎ出した。

自ら居残ったのは深謀遠慮の太田権右衛門、兵学に通じた吉田直人、剣豪をもってなる桃井こと詫間樊六、若いながら外交に長《た》けた森三津乃助こと中野治平、詫間の愛弟子の中原忠次郎十九歳であった。

前日来樊六は樋口に「我々に二心のないことを証明するために、松江城下和多見の神官青戸内記に面談出来るよう取り計らって下さい」と依頼していた。だが、いっこうに藩の仲介は進まない。

焦った樊六は「もし青戸の来村が難しければ、我ら一同丸腰となって松江表へ出かけ、青戸に面会して証明します」と進言した。

ところが、八月二日の夜になって鳥取藩から「逃亡中の二十士を取り押さえるため、長州戦争へ出動中の田村図書《ずしょ》以下百五十人を向かわせる」との連絡が届いた。

翌三日目の朝、松江から戻り来た樋口が、興奮して声を震わせた。

「奴らの本性が分かった。桃井も森も真っ赤な偽り、奴らは三年前京都で側用人など四人を殺害した罪人である。殺害された士の親、兄弟、子が仇討ちにと今向かっておるらしい」

樋口が聞いた話では、四家の遺族が藩庁に追懸出立《おいかけしゅったつ》の願書を提出し、復讐のため鳥取を出発、藩も兵を差し向けているという。

「因幡勢が来るまで断固食い止めるのだ。脱走人が逃亡しようとすれば発砲せよ。内通は絶対に許してはならぬ」

樋口は藩士や農兵、猟師など四十四人を三隊に分け、樊六らの宿舎の東西の口、隣村の片句《かたく》に通ずる岐路などに配置した。

樋口はまたとない陣頭指揮に奮い立っていたが、渡辺や小泉は気が進まなかった。

「なんと森や桃井は実に立派だが、斬り死にするのであろうな。見るに忍びない。密《ひそ》かに教えてやるわけにはゆかぬかのう」

小泉が渡辺に小声で持ち掛けた。

――森は病気の妻と子を残して殺されるのか……。助けられるものなら助けてやりたいが。

「それは手前とて同じ、森らは討ち死にするかもしれぬ。だが仇討ちする側の気持ちも考えぬと……。ここは沈黙を守るよりほかはあるまい」

日が昇り、西の空に傾きかけた未の刻半（午後三時）手結浦西側の小高い丘にある寺院「禅慶《ぜんけい》院《いん》」に仇討ちの一隊が参集した。

白鉢巻の端を後ろに垂らし、紺の筒袖に白襦《しろじゅ》、義経袴《はかま》をつけ、甲掛、脚絆《きゃはん》、揃いの装束に身を固めている。

見ると若い者に交じって白髪の翁もいる。朱鞘、黒鞘と思い思いの大小を差し、槍、薙刀《なぎなた》、鉄砲を担いでいる。この者らは鳥取から二十士を追跡してきた黒部権之助・早川卓之丞・高沢省己・加藤十次郎の遺族で、黒部勝次郎・早川久之助・高沢朔太郎・加藤伊之助たち十八人。早川久之助は樊六の妻の兄で、樊六の剣術仲間であった。

手結浦の人々は昨日来の騒動で不安に慄《おのの》いていた。そこへ戦闘態勢の一隊が駆けつけたから、今にも戦争が始まるのではと怯《おび》え、老人子供を連れ、家財道具を手に山や舟に逃げだした。

仇討ちの指揮者、黒部権之助の弟勝次郎は、鳥取藩田村図書の部隊が到着するのを待っていていては二十士に覚《さと》られ逃げられてしまう、と焦りを感じ、松江側の了解を得て十八人で実行に移す決心を固めた。

一方、樊六や中野は伊左衛門宅で藩の返事を待っていたが、いっこうに確答が得られず、やむなく忠次郎を浦役所に催促にやり、四士は湯上りのつれづれに、いかの刺身を肴として酒杯をかたむけていた。

忠次郎は、またしても頼りない返事にすごすごと引き返す途中、行く手の路地から白鉢巻、白襦に身を固め、抜刀した十数人とばったり出くわした。すわ一大事！　忠次郎は屋敷の庭へ駆け込んだ。

「旦那、大変だ！　鳥取から、鳥取から追手が！」

叫び終わらぬうちに、追いかけた男の槍が背後から躰を射抜いた。

「うわー、だ、だ、旦那、樊六の旦那〜……」

庭木戸の前に倒れ込んだ忠次郎は、追いついた男に滅多切りにされた。なだれを打って庭に駆け込んだ十余人、先頭の黒部が、縁側で酒を飲んでいる樊六ら四人を見つけた。

「詫間樊六だな！　我は黒部権之助の弟黒部勝次郎なり。兄の仇討ちに参った」

黒部勝次郎に続いて、早川久之助も大音声に名乗りを上げた。

「樊六、早川久之助だ。父の仇、神妙にこの槍を受けよ！」

久之助は父の仇と言ったが、妹照江は樊六の妻であり、苦しい立場の仇討ちであった。槍を扱《しご》いて突きかからんとする久之助を横目に、樊六が飲みさしの杯を静かに置いた。

「仇討ちとは殊勝《しゅしょう》の至りじゃ」

傍らの愛刀、宮本包則の鍛えた三尺五寸の大業物《おおわざもの》を引き寄せ、笑みを浮かべて立ち上がった。

――バーン、バーン
その刹那、耳をつんざくような大音響二発、飛び散った一弾は樊六の睾丸を打ち抜いた。

「うっ、仇討ちに飛び道具とは卑怯千万、目にもの見せてくれん！」

叫んで大刀を振り上げようとした樊六だが痛みに耐えかねて、ばったり。樊六危うし、とみて駆け寄った中野治平が午之助の左肩に一刀を浴びせたところ、背後にいた幸田虎之助が、体制の崩れた治平を短槍で力いっぱい突いた。

「うわー」

虎之助の槍は治平のわき腹を貫き、治平は二の足を高く跳ね上げてひっくり返った。

一方の樊六、顔面を真っ赤にして立ち上がり、大刀を振りかざすと、得たりおうと勢い込んで槍を繰り出した久之助、だが庭に散乱していた流木に足を取られ、どうと倒れた。流木はこの屋の主人が、湾に流れ込んだものを引き上げ、乾かしていたものである。

久之助は万事休すだ。ここぞとばかりに振りかぶった樊六の一刀だが鴨居《かもい》を斬り込み、刀を抜いて一歩踏み込んで切りさこうとしたところ、これまた流木に躓《つまづ》き早川の上に倒れかかった。この時側面に廻り込んだ二宮午之助が、大太刀を振って樊六目掛けて切り付け、すかさず傍にいた士が銃の台尻を高く掲げて頭を打ち据えた。

――バーン、バーン、バーン、バーン……

頭が砕ける。

――おー、次第に意識が遠のく……。父上、今行きます……。照江、先に行くよ～。

さすがの剣豪樊六も息絶えた。

久之助は、樊六の身体を押しのけ這い出したが、これまた真っ赤。

「樊六、許せよ」

義弟である樊六の顔がまともに見れぬ久之助であった。

吉田直人は、台所口から外に出ようとしたところで脇腹に銃弾を浴びた。鮮血をものともせず、槍で向かってきた岩越清之進に斬りつけると、倅《せがれ》危うしと駆けつけた親の岩越述人が繰り出した槍は、直人を田楽刺しに。

「えーい、倅の仇！」

槍をひねって横倒しにし一刀を浴びせると、直人も腹を切り裂かれ、目をむいて倒れた。

太田権右衛門は宿所を抜け、薬師堂付近に差し掛かったところで渡辺に行く手を阻まれた。

「この道、通すわけには相成らん」

渡辺が大声で叫んだところ、取手の者どもが一斉に鉄砲を構えた。その途端、渡辺の耳をつんざくような大声だ。

「貴様ら恥を知れ！　鉄砲で撃つ者あらば拙者が斬り捨てるぞ」

味方の心ない態度に激怒した渡辺の剣幕に、取手は鉄砲を引込め、この隙に権右衛門は西の方へ移動した。

本道に差し掛かったところ、目前に臼田八百人、臼田啓之助、早川久之助が立ちはだかった。まず臼田八百人が槍で突きかかると、他の二人は、権右衛門を左右から取り囲んだ。石垣を背にして戦うことしばし、遂に久之助の繰り出した槍は権右衛門の脇腹を貫いた。しかし剛気な権右衛門はその槍をむんずと摑み、左手を手繰りながら右手を上段に振りかぶってじりじりと近づく。

間は一寸、一寸と縮まっていく。権右衛門の一刀がまさに振り下ろされようとしたその瞬間、久之助は気合もろとも槍を捨て、小刀を引き抜くと一太刀深く浴びせた。

「うわー」

顔面から頸部にかけた一刀で、さすがの権右衛門も、どうと仰向けに倒れた。


かくして慶応二年八月三日、西の海に夕日が落ちる頃、鳥取藩尊攘の志士詫間樊六、太田権右衛門、吉田直人、中野治平、中原忠次郎は、国の改革に心を残しつつ手結浦の露と消えた。

五人の亡骸《なきがら》は、禅慶院十一世天産慧倫和尚によって供養され、渡辺らの世話で、海を一望する小高い丘へ埋葬された。

それから数年後、手結浦の仇討ちの話が世間から忘れ去られようとしていた頃のことである。禅慶院の住職が松江の役人から聞いた話として、寄合の席で涙ながらに語った。

「あの時の二十人は、世の中を変えるために京都で活動していた因幡の志士であった。船で逃げた十五人は銀山のある大田で長州藩に合流し『出雲や伯耆へ攻め入ることを止めてほしい』と嘆願したという。維新の戦いにおいても朝廷軍で大きな手柄を立てた勇者であり、松江の恩人でもある。時代を変えるという崇高な任務を帯びていたから、この集落へ残った五人も実に堂々としていた」

時は過ぎること五十余年の大正七年（一九一八）四月、手結地区住民の手によって、海を見下ろす墓地に、見上げるような五輪の供養塔が建てられた。更にその十八年後の昭和十一年、七十年忌の法要が営まれ、禅慶院の裏山に位牌堂記念館が建設され、五人の志士の位牌、遺品、刀剣などが陳列されるところとなった。


一方、二十士幽閉の地である伯耆国黒坂の泉龍寺では、年間を通して訪れる内外の人々に、住職自ら映像を駆使してその人柄や活動を解説している。また、特設展示室には寄せ書き、武道や学問用具、生活用具などを陳列して、偉大な勇士に触れさせている。

歴史は過去の怨念を忘れさせ、新しい時代へと導いてゆく。

文久三年の京都本圀寺《ほんこくじ》事件から下ること百五十年、出雲国手結浦における仇討ち事件から百四十七年目に当たる平成二十五年九月二十一日、黒坂の泉龍寺において、二十士によって粛清された五遺族の子孫と、二十士の遺族が一堂に会し、しめやかに和解法要と因幡藩二十士記念碑の除幕式が挙行された。

泉龍寺二十世住職三島道秀氏の働きかけによるもので、参集した遺族、および県内有志でつくる「偲ぶ会」の会員は、爾来、新しい時代の平和に尽くすことを誓い合い、交流を重ねている。

九　浜田城炎上

元治元年（一八六四）〜慶応三年（一八六七）十月　松江・浜田・西日本一円

〝やられたらやり返す〟。イギリス艦隊は文久三年七月、前年の生麦事件の報復として軍艦七隻をもって鹿児島湾を襲い、薩摩艦隊と交戦して壊滅的な打撃を与えた。薩摩藩はこの敗戦によって、攘夷がとうてい不可能なことを強く認識するところとなった。

一方、長州藩を中心とした尊攘派勢力は、八月十八日の政変で失った勢力を回復すべく密かに機会を窺っていたところ、逆に翌元治元年六月五日夜、旅館「池田屋」やその周辺において、京都守護職・所司代（代官）および近藤勇ら新撰組による襲撃にあい、長州・土佐・肥後藩士など七人が殺害され、二十三人が捕捉された。

これに憤激した長州藩は、翌七月十九日、再度京都に兵をのぼらせ、京都御所付近において迎え撃った幕府側の薩摩・会津・桑名の藩兵と戦ったのだが、またもや惨敗した。

事件は御所付近で起こったため「禁門《きんもん》の変」あるいは「蛤《はまぐり》御門の変」と呼ばれ、実に京都の町の大半を焼き尽くす大惨事となった。僅か一年の間に、三度京都で痛めつけられた長州であったが、あろうことか、この戦いで御所に向けて発砲したのだ。

格好の口実を得た幕府は、その二日後「禁門の変の罪を問う」と長州征伐の勅命を得て、その全権を前尾張藩主の徳川慶勝《よしかつ》に、参謀に薩摩藩の実力者西郷隆盛を指名した。いわゆる第一次長州征伐は、元治元年七月二十四日、西国二十一藩に出兵命令がなされたのだ。

機熟せり、前年五月、長州軍に砲撃され、以来報復の機会を窺っていたイギリスは、同盟国、フランス、アメリカ、オランダにも働きかけて連合艦隊を組織し、八月五日下関に集結、一斉に砲撃して壊滅的な打撃を加え、陸戦隊を上陸させると砲台などを次々と占拠した。

このような連合艦隊の攻撃に追い打ちをかけるように、幕府は長州征伐の討手《とうしゅ》を山陰道に繰り出した。

この先陣を切ったのが松江藩の軍艦であった。第一八雲丸、第二八雲丸は幕軍指揮の下、越前から九州小倉に至る日本海一円において、物資や武器、兵士の輸送などに奔走しその存在をアピールした。

一方松江藩は、十一月十六日、一ノ先士大将大橋筑後、二ノ見士大将神谷兵庫《かみやひょうご》、遊軍士大将三谷権太夫の首脳が、千五百余人の兵と、馬百十頭を率いて出陣し、鳥取藩・越前の丸岡藩もこれに追随した。

松江藩は三隅から古田辺までの配置となり、前年大橋家の八代当主を継いだ責任感旺盛な二十八歳の筑後は、戦《いくさ》の場となるであろう沿岸線に連日のように分け入って攻防を練り、戦いの日を待ちかねていた。

長州征伐の参謀、知将の誉れ高い西郷は、当初は尊攘派を牽引《けんいん》する長州の徹底壊滅をもくろんでいたから、このまま西国二十一藩が一斉攻撃したなら、長州はひとたまりもなかったであろう。ところがここで異変が生じた。西郷は直前に西洋通で知られる勝海舟と会談し、戦略の方向転換を決意したのだ。

勝は、幕府を主導している公武合体派による力の限界を諭した上で、「雄藩連合による新政権実現」を説いた。柔軟な思考の西郷は、勝の奥深い戦略に心を動かされた。長州藩を徹底壊滅するのではなく、その処分を軽くして温存する、このことが将来における新政権実現のために得策と判断したのだ。

西郷は、相次ぐ打撃と四面楚歌となっている長州藩に「降伏条件を飲めば壊滅的攻撃は許してやる」と持ち掛けた。

最早、打つ手のない長州藩は十二月、西郷の示した降伏条件である、藩主の謝罪文、三家老の切腹、三条実美らの追放、山口城の破却を受け入れ、ここに長州は戦わずして敗北となったのである。


年が明けた慶応元年（一八六五）の一月下旬、拍子抜けして松江に凱旋した筑後は、藩主定安の前へ罷《まか》り出でた。

「残念ながら、戦わずして戻ってまいりました」

「ははは、それが一番。血を流すは愚かなこと、戦わずして勝つのが知恵ある者の戦《いくさ》、せいぜい自分で慰労致せ」

殿から労《ねぎら》いの言葉を頂戴したものの、面はゆく一杯飲まねば屋敷の敷居が跨《また》げぬ気分の筑後は、久しぶりに松江の酒を嗜もうと、家臣の橘主水《たちばなもんど》、江木敏之進を伴って、行きつけの料理屋を目指して松江大橋に差し掛かった。

昼間は「カラコロ、カラコロ」と軽やかな下駄の音の行き交う大橋だが、夕暮れともなると人通りも少ない。だが三人は、ものの十歩も歩いたところで足止めを食らった。

「爺、ほんの一時《いっとき》の間だ、娘さんを貸せろや」

「いけぬといっておろうが、さあ、路を開けなされ」

「我らは今石見から戻ったところだ。一寸注がせるだけだ」

「石見がどげした、娘は貴様ら如き下《した》っ端《ぱ》に酒など注がぬ。目が見えぬと思うて馬鹿にすーと承知せぬぞ！」

「なんだと、このあんま！　素直に娘を貸せ、さあ娘来い」

「石見」と聞いて看過出来ぬ筑後ら、音をさせぬように近寄った。どうやら、三人の下級藩士が娘に酌をさせようとして断られ、目の不自由な父親に絡《から》んでいるようだ。

「ええ体しちょーがの、さあ、こっちへ来た」

「や、止めて、離して下され！」

その時、ビシッ、ビシッと音がした。もみ合いが始まったようだ。

「あんま、手加減すれば付け上がって！　娘、さあ来い、来るんだ」

「乱暴はやめて、離して！」

「止めろ！　止めぬか、手を離してやれ」

見かねた主水が、鋼《はがね》のような腕で男の肘を摑んだ。

「痛ててて、き、貴様、邪魔立てするか、食らえ！」

小太り、顔中髭だらけの男は、いきり立って主水に殴りかかった。男の拳を得たりおうと摑んだ主水、素早く身を沈めて背負い投げを掛けると、男は孤を描いて橋の中央に。

――ズッデーン
「こ、こ、この――、痛て、て、て、て」

「何やつ、邪魔立てする気か、なら、貴様らが相手だ！」

別の男が横向きになった主水に殴りかからんとした。その手を筑後がむんずと摑み、逆手に捻《ひね》りあげた。

「あー、痛っ、痛っ！　止めろ、止めろ、放してくれー」

「お主ら、石見からの凱旋か。飲みたい気持ちは分かるが、弱い者いじめはいかん」

「ということはお前さんらも、石見帰りか？」

「そうよ、飲みたければ付いてこい、腹いっぱい飲ませてやる」

「なに？　腹いっぱい飲ませーだと？　お主、何者だ」

「さあさあ、絡《から》むのはやめよ、和多見の酒と刺身が待っておるぞ」

怪訝《けげん》な顔の三人に向き直った敏之進が、にやにやして言った。

「我々も石見からの凱旋じゃ。この方はお偉い方、袖振り合うも多生の縁と言うではないか、さあ、付いて参れ」

三人は身なりからして下級藩士と見受けられた。投げられたり、腕をひねられたりしたものの「腹一杯飲ませる」との言葉で、すっかり機嫌を直し、筑後の後に従い大橋を渡った。

事の一部始終を見ていた藩士風体の初老が、笑い声を上げながら父と娘に近寄った。

「ははは、お加代さんに玄丹殿、怪我はありませぬか」

「？　あら、そのお声は、豊七様、豊七様では？　父上、高見様ですよ」

「おお、豊七殿、かようなところで」

目の不自由な老人は元藩士の錦織半兵衛改め玄丹、娘はお加代といい、家は雑賀町の洞光寺下で、高見豊七家とは隣保であった。

「いかにも高見豊七です。下っ端侍に絡まれて災難でしたなー、だが、運が良かった」

「はい、危ないところを助けていただきました。あのお方は？」

「聞いて驚くなかれ、松江藩筆頭家老大橋筑後殿ですぞ！」

「な、なんと、大橋家老、仕置役家老の大橋筑後殿ですか」

「さよう、手前はご家老の刀研ぎにちょくちょく出入りするゆえ、いずれ話しておきましょう。一度腰など揉《も》んで差し上げなされ。風格のわりに気取ったところのないお人ですぞ」

ひょんなことで筑後に助けられた玄丹とお加代は、豊七の世話で田町の家老屋敷に出入りするようになった。始めのうちは不憫《ふびん》な親子と同情していた筑後であったが、若い頃、相撲で痛めた腰や肩の治療をさせるにつれ、玄丹の針治療と按摩が欠かせぬものとなった。

この頃、対日外交に指導的な役割を果たしていたイギリスの公使パークスは、幕府による国内統治の力が次第に弱まっていることを見抜き、これに代わる政権の実現を期待するようになっていた。

一方、前年、イギリス艦隊の攻撃を受けた薩摩は、ただでは転ばなかった。西郷隆盛、大久保利通などの下級藩士が薩摩を主導し、イギリスと近い関係にあった旧土佐藩士坂本龍馬の仲介で武器の輸入・留学生の派遣・洋式工場の建設など、徐々に改革に舵を切ったのだ。

また、幕府に屈服した長州藩であったが、攘夷の不可能なことを悟った高杉晋作、桂小五郎ら若手の主導によって、元治元年十二月、武士と農民を主体として「奇兵隊」を組織し、下関で挙兵した。

高杉らは、幕府に従おうとする藩の上層部を抑えて主導権を握ると、領内の豪商・豪農や村役人とも組んで恭順の藩論を転換させて軍制改革を行い、急速に軍事力の強化を図っていった。

叩いても叩いてもへこたれぬ長州、その異変に気付いた幕府は、慶応元年九月、第二次長州征伐の令を発し、十一月七日、西国の三十二藩へ出兵を命じた。

だが、国内は二年前とは大きく様変わりしていた。越前の慶永は長州征伐に公然と反対を唱え、薩摩は、幕府に代わる政権の樹立が不可欠であることに気付き、討幕に燃える長州に理解を示し始めたのだ。薩摩は犬猿の仲であった長州に、坂本龍馬の仲介でイギリス貿易商人のグラバーから武器を購入し、これを密かに引き渡した。一方、長州からは米を入手したのだ。

昨日の敵は今日の友、薩長は急速に接近した。坂本龍馬、中岡慎太郎ら元土佐藩士の仲介で、薩摩藩の西郷隆盛と長州藩の木戸孝允《たかよし》が京で相互援助の密約を結び、反幕府で結束することを確約したのだ。

第二次長州征伐の令を発した幕府だが、有力大名が反対するなど足並みが揃わない。焦った幕府は、長州に様々な要求を突き付けたもののことごとく拒否されるに及び、遂に戦闘に突入した。


慶応二年六月、長州と幕府連合軍の武力対決は四カ所で始まった。

まず、幕府の軍艦による大島先制砲撃は、上陸した伊予松山藩兵が住民に乱暴狼藉するなど劣勢の中で長州軍は激しく反撃し、十七日大島を奪還し劣勢を挽回した。この戦いで松江藩の第一八雲丸は幕軍で出陣し、高杉晋作率いる長州の軍艦丙寅丸《へいいんまる》と戦いを演じた。

続く芸州口大竹の戦いでは、広島藩が参戦拒否したものの、被差別民が長州に味方するなど複雑な戦況となった。

次に小倉城を巡る戦いでは、前年一月、密かに交した薩長同盟により出陣を拒否した薩摩藩とこれに追随する藩で、戦況は幕軍に不利な展開となった。とり残された小倉藩が孤軍奮闘し長期戦の様相を呈したものの、長州藩が門司を制圧すると、総督の老中小笠原長行は事態を収拾することなく撤退した。

戦況不利の報に接した石州口では、益田に幕府軍の本陣を置き、浜田、福山、紀州の各軍が待ち受け、松江、鳥取の両藩がこれに後続した。だが、津和野藩はこれに加わらなかった。

津和野藩は隣藩の長州藩と日頃から交流が深く、この戦いに中立の立場をとり、藩主亀井茲監《これみ》は、幕府派遣の軍目付を城下へ迎えることを拒み続けた。強引に城下へ入った目付一行を、藩校「養老館」へ軟禁して「指図は受けぬ」との構えを取っていたところへ、長州軍の使者がやってきた。

「この戦争は幕府が因縁をつけて長州の領地に攻め込んだものだ。貴藩に滞在中の幕府の目付を差し出せ、出さねば兵を差し向ける」

長州軍の指揮官は大村益次郎だ。益次郎は強硬に目付一行の引き渡しを迫り、津和野藩はやむなくこれに応ずる約束を交わした。これをもって長州軍は敢えて津和野城下の行軍を避け、小川村から黒谷村へと進み、高津川を渡って浜田領の横田村に陣を敷いた。


六月十六日、益田入りしようとした長州軍に敢然と立ち向かったのが浜田藩士、強豪の誉れ高い扇原関門の守将岸静江であった。

岸は、八百人の長州軍に、六人の兵卒と少数の農民など二十人で関門を死守すべく対峙した。

本隊から離れ、孤立無援の岸であったが、刀や槍では一歩も譲らない。そうするうちに、長藩は銃撃を開始した。味方の兵士や農民が退散する中、岸は単身関門に立ちふさがり、雨あられと発射される銃撃を躰に受けながらも立ち続け、遂に直立し、目玉をむいたまま壮絶な死を遂げた。敵、味方共にその勇猛を褒め称えたのである。

関門を抜いた長州軍は益田市街に入り、益田川をはさんで川向うの萬福寺・勝達寺・医光寺を拠点とした浜田藩兵、福山藩兵と睨み合った。昼前から撃ち合いを演じ、やがて長州軍が川を渡って萬福寺に攻め入ったものの、人数に劣るため苦戦を強いられた。そこへ高津村より益田へ進軍した援軍が寺の裏の「秋葉山」を占拠し、包囲する形で攻めたため形勢は一転した。幕府側は軍監三枝《さえぐさ》刑部を始め多数の戦死者を出し、暮六ツ（午後六時）、遂に浜田藩と福山藩は退散を余儀なくされた。

予想外の戦況に幕軍は、応援の松江・鳥取両藩に出陣を命じ、松江藩主定安は総勢四千六百人を従えて平田に宿陣、戦闘部隊を二番八雲丸で輸送し浜田・温泉津に上陸させた。四千六百人とはいっても、一部の精鋭を除けば約三千人は農兵であり、戦闘要員としては期待出来なかった。

浜田城下に入った松江軍は、家老大野舎人《とねり》を大将とする一ノ先隊で城下南方三里の熱田村に駐屯し、二ノ見隊はそこから十里東の江の川河口に陣を敷いた。

第一次長州征伐が不発に終わり不穏な情勢が続く中、責任感旺盛な大野舎人二十八歳は、「次は手前だ」と出陣が決まる前から藩主に願い出た。殿町の家老屋敷に住む大野は「ここにいては軍役に備えることは出来ぬ」と慶応元年の秋、乃木村の演習場脇の山屋敷へ移転した。

移転に当たり自費で二十人の歩兵を雇うとともに、金五百匁を差し出し、鵜目《うめ》硫黄《いおう》二貫二百匁、煙硝十貫目など銃砲訓練の資材を買い入れ、爾来八カ月、山に篭って懸命に戦闘訓練に励んだ。

慶応二年六月下旬、熱田村に陣を構えた舎人は、あらかじめ地理や地形を調べ尽くし、海抜二百メートルの高山を楯とし、西洋新式の大砲による攻撃と、地上部隊による攻撃を連動させる作戦を練り上げた。

松江藩は、安政二年、乃木口に反射炉を築き大砲を製造したものの、西洋の大砲とは性能において大きな開きがあったことから、大野は舶来の新式の六斤《きん》砲（砲弾の重さが六キログラム）、カノン砲（銃身の長い長射砲）各一門、十二ドイム砲（軽量の砲）四門、手臼砲《きゅうほう》（弾丸が放射線軌道を描いて飛ぶ砲）三門を帯同した。

七月十三日四ツ時（午前十時）、長州兵三百余人は、一ノ先隊が待ち受ける内村《ないむら》に進軍してきた。日の出とともに東進し、空家や樹木の陰、田畑に身を隠しつつ松江藩の出方を窺っている。

一方、松江軍は高山を背にし、大砲二門を山上に、二門を山のふもとに据え付けた。地上には鉄砲隊、それに刀や槍の歩兵攻撃隊を配置した。地の利を生かした兵の配置を完了し、篭《こも》って待ち受けること半刻、百姓に姿を変え偵察していた歩兵から「赤い屋根瓦の空家に多人数潜伏せり」との情報が入った。

「砲撃準備〜」

舎人の予令により、三つ葉葵の家紋のはためく青旗が振られ、山頂及び山下の大砲隊は砲撃体制に入った。

「撃て！」

——ドドン、ドン、ドン、ドドド、ドン
耳をつんざくような砲撃が開始され、砲弾が民家の屋根や戸袋、玄関などに着弾、瓦や柱を砕き、土煙がもうもうと立ち込めた。

「ギャー、うわーやられた！」

悲鳴のような奇声を発し、長州兵数十人が破壊された屋敷や納屋から飛び出して走り回る。これを地上の銃士四小隊六十人が狙い撃つ。

——バーン、ババババ、バーン
銃撃の次は歩兵三十人の出番だ。刀や槍を手に、砕けた門や戸袋を蹴破って屋敷に飛び込む。

「ギャー、逃げろ、逃げろ」

奇声を発し飛び出した十数人が逃げまどい、別の民家へ駆け込む。逃がすものか、と歩兵が追い詰め斬り付ける。完全に烏合の衆と化した長州兵は、一斉に眼前の小山に駆け込み、逃げ場を失って全員が山頂を目指した。

山頂近くまで駆け上がった長州兵、それを再び四門の大砲が一斉攻撃したからたまらない、集団は周章《しゅうしょう》（うろたえる）して無統制の状態となり、脆《もろ》くも西方を目指して退却したのだ。

　この日大野隊の発射した大砲は十八発、一発の打ち損じもなかった。長州兵の死者三十人、負傷者七十人に対し、松江藩の損害は僅かに砲手手伝い一人の負傷をみたのみであった。

　松江藩大野隊長の待ち受け攻撃に合い、手痛い打撃をこうむった長州軍は、以来軽装とし、散兵戦に転換した。七月十六日雲雀山《ひばりやま》に陣を置く福山軍に最新のミニエール銃で銃撃戦に臨み、集団戦闘方式の福山軍を難なく制すると、一挙に劣勢を挽回し、周布《すふ》の紀州軍に攻撃をかけた。

　待ち受けるは幕府軍の総指揮役に任じた紀州軍安藤総督代理であった。だが戦闘意欲に欠ける寄せ集め部隊はいかんともし難く、長州軍の前になすすべもなく、一度の戦闘で敗退するところとなった。

　ふがいない紀州兵に立腹した浜田民は、城下を歩いて撤退することを許さず、やむなく紀州兵は鎧や兜を脱ぎ捨て、空腹のまま山道を分け入り、かろうじて大森銀山領の郷田へ逃れた。

　指揮官撤退――。衝撃を受けた幕府は、次なる総指揮役を鳥取藩主池田慶徳に指名した。

　そもそも慶徳は、藩論が二分される中、二十士切腹の先延ばしによる幕府への顔立てもあってやむなく参戦したものであった。この頃、京都藩邸にて情勢分析を行っていた家老の荒尾駿河《するが》は「長州の後には薩摩と英国が睨みを利かせており尋常な戦いではない」との意見書を慶徳に送った。そこへ総指揮官を指名された慶徳であったから、受ける気などとうてい湧かない。病気を口実にこれを辞退し、軍旗と兵を残したまま帰鳥した。

　安藤の指揮放棄、慶徳の辞退の中で、幕府は次なる総指揮役を松江藩の定安に命じた。

――何ゆえだ？　何ゆえに大藩の鳥取が辞退したのだ……。ウーン、仕方ない、ここは親藩として踏ん張る以外にない。

平田に宿陣していた定安は、悲痛な覚悟を固めるほかなかった。

浜田藩主の松平武聡《たけあきら》二十五歳は、その頃重い病に侵され、寝たきりで、評議の座へも家臣に背負われて出席するありさまで、戦いの指揮を執ることなど思いも及ばない。水戸の出で、徳川慶喜及び鳥取藩主慶徳の弟であったから責任感は旺盛であったものの藩の統制はとれず、ここにきて上層部の指揮は混乱していた。

十七日には松江・鳥取の藩兵も浜田へ退き、この時点においては、福山、浜田を含めた四藩で浜田城を枕に決戦を挑む、との方針であった。ところが……。

浜田藩は、藩主の病と形勢不利から、十五日以降、家老河鰭監物《かわばたけんもつ》以下数名により、水面下で停戦の交渉を進めていた。絶体絶命の中で停戦を持ち掛けた浜田藩に対して、長州軍の示した条件は厳しいものであった。

一　浜田城下に出陣中の諸藩の兵を、二十日までに立ち退《の》かせよ。

一　その実行の状況を、文書で逐一報告せよ。

長州軍の条件をのむか、それとも諸藩と共に城を枕に決戦すべきか、この回答の期限は十八日午前四ツ半（十一時）であった。

前日の十七日、家老尾関長門は用人生田精ら数名とともに藩主代理として夫人を出席させて協議するに、夫人は藩主の意を受けて討ち死に覚悟で籠城を主張した。だが尾関らは、二歳の世子のこともあればひとまず安全なところへ身を移すべし、と主張し、夫人もやむなくこの意見を受け入れた。

尾関らはその夜夫人と世子を舟で脱出させ、翌十八日の未明、家臣にも知らせぬまま藩主をも脱出させた。

武聡は、漁夫に早変わりした生田精らに守られて海路避難の途上、偶然にも遭遇した松江藩の第二八雲丸に救助されて杵築《きづき》を経て、松江に難を避けた。


十八日午前、浜田藩は和戦両様の構えで応援の諸藩首脳と議論した。その最中のことである。〝城主が夜陰に紛れて船で逃避した〟このことを知った鳥取と福山の指揮官は、さすがに怒りを露わにし、松江藩大野隊のみ残し、勝手に兵を引き払った。

城主を失い、支援の二隊に撤退された重役の面々の戦意は俄《にわ》かに鈍り、当初の「城を枕に徹底決戦」は萎《しぼ》み、一挙に和戦を求める方向に傾いていった。

「事ここに至っては無謀な戦いで血を流すことは無意味だ。我々は藩主に仕えているのであって、城に仕えているのではない。金目なものを平等に分配し、藩主の後を追い再興の道を探ることと致そう」

「城には重要な秘密の書類もある。侍屋敷もそうだ。城と屋敷を焼き払ってこの地を去ろう」

評議の結果は、当初の思惑とは全く正反対の方向に決せられた。

左様な成り行きなどつゆ知らず、現地に陣を張り戦いに備えていた大野隊長のもとへ、十八日正午、浜田藩の参謀二人が馬で走り来た。

「鳥取も福山も去った。我が藩も恥を忍んで城を焼き払い、退去して後図《こうと》を図ることとした。よって貴藩も速やかに兵を撤してほしい」

「何ですと！　吾輩は他国人であるにもかかわらず、なお貴藩のために死守しようとしておる。何ゆえに城を枕に最後まで戦わぬ。天下の物笑いになるぞ、石見武士の意気地はどこにある！」

「…………」

二人の参謀の口からは、何の答も返ってこなかった。

かつて大野は耳にしたことがあった。浜田藩は江戸二百五十年の間に六回も支配者が代わり、藩主や重臣の気持ちの中に、浜田の地や領民と切っても切れぬ絆というものが存在しない、と。

「……そうか、自ら城を捨てこの地を去ろうとしておるのなら、他藩の者が残る理由はない。恥を忍んで東帰しよう」

大野は天守を仰ぎつつ、陣の撤収に取り掛かるほかはなかった。その日の午後、浜田城が赤い炎に包まれ、城下に立ち上る黒煙を横目にしつつ、大野は空しく浜田の地を後にしたのだ。

浜田城炎上、この予期せぬ結末は定安を仰天させた。

この時期、幕府の天領である大森代官所に兵はなく、石見銀山にも政務官のみが少数の下僚と執務していた。進軍した長州兵は、何ら手数を掛けることなく代官所を占拠した。

「最早、国境まで迫り来た長州藩を防ぐのは松江藩のみでは困難だ」

翌十九日、定安は幕府に援兵の願い書を送った。

この頃石見から凱旋した兵士の中に、危機迫る風評が渦巻いていた。出雲国境を挟んで対峙している長州の軍勢が、勢いに乗って大社に打って出、鰐淵寺を拠点として、湖北より松江城を攻落すると。それが、数日を経ずして現実味を帯びてきた。当然のこと定安は、長州勢による攻めとそれへの備えのため藩の頭脳を結集していった。

だが幕府への援軍要請は、なしのつぶてであった。

――とうとう追い詰められたか、こうなれば松江藩のみで対決だ。

悲壮な覚悟を固めた定安は、七月二十四日を期して、石見との国境、口田儀、小田、山口、小屋原の最前線に強固な布陣を敷いた。


その最中の二十四日の夜半、安濃郡鳥井村で百姓一揆が勃発した。一揆は、浜田城落城により、大森銀山領の代官が逃走したことを奇貨《きか》として米価の釣り上げを画策した地主に抗議したもので、数千人が大田一円から邑智郡粕淵、浜原、川本方面まで押し寄せ、連日のように激しい打ち壊しに走った。

松江藩はこの一揆の鎮静化を図りつつ、長州軍の進撃に備え、更に、自ら領地と領民と城を捨てて逃れた浜田藩士や家族の受け入れにも対処するという、まさに「絶体絶命」の窮地に追い込まれた。

八雲丸で救助した浜田藩主武聡・寿子《ひさこ》夫人・世子の身を松江城三の丸に移し、医師による手当など、ねんごろな保護をした。

武聡の父は徳川斉昭で、鳥取藩主池田慶徳とは兄弟となるため、この頃、鳥取藩も周旋に乗り出した。松江で体調の回復を図った武聡と妻子は、その数日後、義兄のいる鳥取藩へしばし身を移した。

浜田から松江入りした家臣は、士四百六十七人、足軽三百六十三人、中間四十一人、女中三人、合計八百七十四人で、家族を含めると三千人にも上った。松江藩は三谷家老家を本陣として、城下の圓成寺・洞光寺・徳泉寺・善光寺・極楽寺・別願院・禅覚寺の各寺に分宿させ食事を提供するなど、手厚い支援の手を差し伸べた。年の瀬、武聡が幕府に愁訴する折、定安はそれに加筆して「六万石の浜田藩に相応しい替地と処遇を」と願い出たが、色よい返事は得られなかった。

翌年三月二十二日、一行は松江を発ち、大橋家老による国境吉佐までの見送りに感謝しつつ、出雲街道を分け入り、飛び地の美作国鶴田《たづた》へと逃れていったのである。

松江藩はこの戦いに、農民を歩兵として参加させた。農兵は十五歳以上六十歳までで人口の規模によって徴発し、出兵にあたっては脇差を帯びることを許すとともに、調練も行った。

出雲郡出身の農兵勘太郎十七歳は、八月四日の夕方、国境の三瓶山西側にある仙ノ山を藩兵と巡回中、隊列を離れて谷川に水を飲みに行った。そこで警戒中の長州兵にばったり遭遇し、有無を言わさず拉致《らち》された。この頃長州藩は、江津に本陣を置いて石見地方一円を統治しており、勘太郎が連行されたのは出先の陣であった。

「頼んます、い、命ばかりはご勘弁を、こん通りです」

「なんだ、腰抜けめが、これが出雲の兵隊か？」

「おらは駆り出された百姓です。家には病気のお母と弟や妹が五人、それに牛もおーます。逆《さか》らわんけに命だけは勘弁してごしない」

「なんだ百姓か、刀を差しておるゆえ士と見誤った。ならば勘弁してやる。今夜は遅いからここに泊まれ」

勘太郎は握り飯と漬物を与えられ、その晩は小屋の土間に敷かれた藁の上で眠った。翌朝勘太郎は、三人の兵士に拉致現場近くまで送り届けられ、別れ際に竹の皮に包んだ小袋を手渡された。

「小僧、これは大事な書き付けだ。お前を助けてやる代わりに陣に戻ったなら、すぐ指揮官に渡せ、よいか」

「分かーました、間違いのう渡します、だんだん、だんだん」

勘太郎は陣に戻ると、言い付かった書き付けを責任者の藩兵小豆澤に手渡した。

「なんだと、長州軍の小屋で寝ただと、馬鹿者が！　てっきり殺されたと思っておった……。何、書付を預かったと？　見せろ」

小豆澤は竹の皮の袋の紐を解いて驚いた。中には、立派な和紙の封書があり、その表に「松江軍指揮官殿」と達筆で認められていた。

書き付けは速やかに一ノ先隊大野隊長のもとへ届けられ、これを目にした大野の表情が変わった。

――貴藩の出陣は、果たして進討の意思に出ておるのか。はたまた自国の警備に留まるのか。

大野は、即座にこれに返簡した。

――我が軍が国境に在陣するのはもとより自国を警備しようとするためであり、進討の意思は毛頭ない。けだし貴藩に対していささかも私怨を結ぶ理由はないのである。なれど貴藩の出ようによっては我が方でもこれに応ずる覚悟がある。

かくして両軍の間に、次第に和議の曙光が見えてきた。

これより先七月二十日、長州征伐の最高指揮官徳川家茂が大坂城で没した。また、次期将軍の徳川慶喜もすぐに将軍とはならず、慶応二年八月二十七日、幕府は将軍の喪を理由として休戦を令した。

だが、松江藩の立場はなお微妙で、定安は気を抜くことは出来なかった。長州が自ら討幕の軍を起こす場合はもとより、京で討幕の戦いが始まるとなれば長軍は必ず出雲の地を通過し山陰道か出雲街道を、または海路を東進するのである。

松江藩は親藩として、また自らの国を守るために、何としても国境の守りを堅持しなければならなかった。

十　王政復古

慶応三年（一八六七）十二月～慶応四年（一八六八）一月　京都―松江

　雪のちらつく京都御所、先程まで平常であった東南の角、寺町丸太町にはいつの間にか大砲が据えられ、兵士が睨みを利かせている。

　その時建物の陰から筒袖、兵児帯《へこおび》に刀、懐手をした大胆不敵の面構えの大男が姿を現し、右手で合図を送った。

「それ！」

　建物の陰に潜んでいた数百人の兵士が一斉に東西南北に散り、たちまち御所の周囲の九門を取り囲んだ。

「動くな、武器を捨てろ、歯向かう者は容赦せぬぞ！」

「我らは討幕の志士だ、抵抗する奴には銃弾を浴びせる！」

「な、な、何事でござる！」

「問答無用！　速やかに立ち退《の》け。只今から御所の護りは我らが致す」

完全武装、銃を手にした薩摩・尾張・越前・安芸の藩兵の前に、会津・桑名の兵は青ざめ、無抵抗で御所の外に。徳川幕府の終焉を象徴する「王政復古のクーデター」が始まったのだ。
指揮官は西郷隆盛、時に慶応三年十二月九日、早朝のことであった。

第二次長州征伐が不発に終わり、長州の圧倒的優勢で幕引きとなった前年十二月五日、新たに将軍職を継いだ慶喜は、早急に解決すべき兵庫開港問題に頭を悩ませていた。

この年の九月、英・仏・蘭は軍艦を率いて兵庫沖に侵入、米国も加わって安政五か国条約の履行と兵庫港の早期開港を迫った。困り果てた慶喜は慶応三年五月、越前松平慶永、薩摩島津久光、土佐山内容堂・伊予宇和島伊達宗城を招集し、いわゆる「四侯会議」に提案した。

席上、慶永らが、長州征伐で追われる立場となった長州藩父子の処分軽減を優先したい、と主張したのに対し、慶喜は「長州藩から謝罪がない」と固執したことから会議は決裂、かねて慶喜と犬猿の仲にあった久光は幕府を見限って京都を離れ、他の三侯も不信を抱きつつ去っていった。

帰薩した久光は、同盟相手の長州の回復が思うに任せないものの、高まる諸外国の圧力の中、今の幕府にこれ以上期待しても道は開けぬとの考えに行き着き、公卿の岩倉具視と意を通じ、討幕の密勅を引き出すべく画策を始めた。

一方、土佐藩の容堂は「四侯会議」の決裂を忠臣後藤象二郎に伝え、象二郎は知恵者坂本龍馬と密談した。二人は、緊迫する薩長を中心とする討幕派の動向をかわし、我が国を植民地にと付け狙う欧米列強に隙を与えぬためにも、危機打開の道は朝廷、幕府、諸侯が協力して事に当たる公議政体以外にない、との結論に達した。象二郎はこの意見を容堂に報告、容堂は大政奉還建白書をもって慶喜に「一旦政治の権限を朝廷に戻しては如何」と建言した。

この頃、幕府体制の行き詰まりを自覚するとともに、高まる討幕気運に苦慮していた慶喜は、思案の後、容堂の建言を取り入れることとした。

――大政奉還したとて、どうせ幕府以外に頼るものはない。しばし公儀政体に乗っかり討幕派の目先をそらしつつ、主導権を握ろう。

慶喜はかような読みのもと、十月十四日、政治の権限を幕府から朝廷に返還する「大政奉還」を奏上し、朝廷はこれを受け入れた。

ところが、まさに偶然の一致であった。同じその日、岩倉具視から薩摩藩と長州藩に討幕の密勅が渡されたのだ。この密勅には天皇による日付や裁可の記入がないなど、偽造の疑いの濃いものであったのだが――。

密勅を受けた薩長であったが、慶喜がそれを見透かしたかのように「大政奉還」に出たことから、何等の権限を持たぬ幕府を叩く口実を失い、その実行は一旦延期せざるを得なくなった。

慶喜の読みの如く、朝廷には内政、外交についてなすすべはなかった。やむなく朝廷は「国是決定のための諸侯会議招集まで」との条件付きながら、政務の処理を引き続き慶喜に委ねた。さらに、当面の急務を協議するためと称して、全国十万石以上の雄藩に上京を命じた。しかし雄藩の足並みは揃わず、上京を辞退する大名が相次ぎ、慶喜の将軍職問題は何ら審議されぬまま時は過ぎた。十一月中に上京した有力大名は薩摩・尾張・越前の三藩のみで、大政奉還の仕掛人である容堂が上京したのは、十二月八日であった。

この時期、朝廷の実権は、摂政の二条斉敬《にじょうなりゆき》（慶喜の従兄弟）・賀陽宮朝彦《くにのみやあさひこ》親王ら親幕派の上級公家が握っていた。討幕派の頭脳、岩倉卿は蟄居の身、明治天皇は満十五歳と若年、三条実美ら親長州の急進派公家は、文久三年八月十八日の政変で京から追放されたままであった。

大政奉還がなされたとはいえ、このような体制下での公武合体政府は慶喜の思い通りになることは明らかで、討幕をもくろむ知恵者の西郷隆盛・大久保利通らにとっては、なんとしても朝廷内の実権を握ること、それが先決であった。

何事によらず勝利の秘訣は、優位に立った時嵩《かさ》にかかって攻め、一気に敵をせん滅するところにある。大政奉還から五十四日、百戦錬磨の西郷や大久保は岩倉に持ち掛け、次なる勝負手に出た。すなわち「王政復古」の宣言、更には慶喜追い落としの策謀である。

その第一弾は、朝廷の実権を握ることだ。

すなわち、長州藩主父子の朝敵赦免・官位復旧、蟄居を命ぜられあるいは京都を追放された岩倉具視、三条実美ら七卿、その他廷臣の罪の赦免である。

十二月八日、参朝した摂政二条斉敬以下の諸卿および薩摩・土佐・尾張・越前・安芸並びに在京の有力諸侯によりこの懸案事項は審議され、会議は徹夜となり、紛糾の末にもことごとく赦免が決定した。この決定により、朝廷の実権は慶喜から、西郷・大久保ら討幕派に移った。

二条斉敬、賀陽宮朝彦親王ら親幕派の上級公家が、徹夜の審議で疲れ果てて宮中を退出したのと入れ違いに、たった今罪を許されたばかりの岩倉具視が公卿中御門経之《なかみかどつねゆき》を伴い、威儀を正して王政復古の命令案の筒を捧げて参内した。

中山忠能《ただやす》と共に天皇に謁し、かねて内定していた王政復古の儀式を執り行う旨の奏上をなし、会場を小御所に移したのだ。

その第二弾は、京都御所の占拠である。

あらかじめ御所の一角に集結させていた薩摩・尾張・越前・安芸の藩兵は、西郷の合図で、公《く》家門《げもん》、蛤《はまぐり》御門《ごもん》など九門を封鎖し、警備する会津・桑名の藩兵を力ずくで追い出し、京都御所を占拠した。

その第三弾は、王政復古の大号令を発することだ。

九日午後二時、北山おろしが吹き荒れ小雪がちらつくなか、招集された薩摩藩主島津忠義が参内し、泊まり込みの尾張・越前・安芸の藩主に合流した。残るは土佐藩主の容堂のみである。だが容堂は予定の時刻になっても姿を現さない。昨日上京し、先着した象二郎から「今日、討幕派によるクーデターが実行される」との計画を聞かされ、憤懣やるかたない気分であった。

容堂は慶喜をして大政奉還させた時〝これで朝廷も幕府も諸藩も満足のいく平和的な時局解決の道が出来た〟と密かに喜んだ。ところが、これを逆手に利用しようとする一味によって、慶喜を抹殺して討幕派が実権を握り、そのもとで新政府をつくる、それを今日の会議で決しようというのだ。まったく頭の片隅にさえ描いていなかった筋書きなのだ。幼い天皇を前面に立てて、あらぬ方向へ天下を導こうとしている。己までもがその片棒を担がされる……。容堂は憤り、一晩中参内すべきか否か迷いあぐねた。

だが、既に長州の大軍は京都の入口まで来ている。ここで参内を怠り、背を向けたならば逆に土佐は朝敵にされてしまいかねない。

――う～ん、困った……。よし、かくなる上は参内して、あくどいやつらの面《つら》の皮を剝いでやる。

ようやく心の整理を付けた容堂は、午後七ツ（四時）小御所に入った。

容堂の参内を待ちかねていた一同は、直ちに明治天皇をたてて王政復古の大号令の儀式へと進んだ。「姫君かと見まごうばかり」と廷臣たちにいわれていた十五歳半の華奢な明治天皇だが、実に堂々としていた。

学問所で一同と引見（対面）し、まず、国家のために尽力せよとの勅語のもと、大号令を下した。

○徳川慶喜が申し出でた将軍職辞職の勅許（承認）
○京都守護職・京都所司代の廃止
○幕府の廃止
○摂政・関白の廃止

続いて、朝廷による政治体制として三職を任命する議に入った。

新体制は天皇のもと総裁に有栖川宮熾仁親王《ありすがわのみやたるひと》、議定に皇族、公卿と松平慶永や山内容堂らの諸侯十名、参与には公家から岩倉具視、雄藩の代表として薩摩藩の西郷隆盛、大久保利通、土佐藩から後藤象二郎、長州藩から木戸孝允らの布陣である。西郷らの目論見通り、親幕派の二条や賀陽宮などをことごとく廃し、討幕派が主導権を握ったのである。

いよいよここから、西郷ら新政府樹立を目論む革命派による慶喜追い落としのドラマが始まるのだ。

一刻後の六ツ（午後六時）、一同は小御所に参集し評議に入った。

最上段には天皇が、第二段東側に有栖川宮・仁和寺宮《にんなじのみや》・山階宮《やましなのみや》・中山以下公卿が、向かい合って徳川慶勝・松平慶永・浅野長勲《ながこと》・山内容堂・島津忠義、三段目には尾張・越前・安芸・土佐・薩摩の藩士各数名が席を占め、薩摩藩士の中には、岩倉と共にこの評議を画策した大久保利通が目を光らせている。当然のことながらこの席には将軍職を奉還した慶喜・親幕派の二条・賀陽宮などの姿はない。

議定中山忠能が、開会の言葉を述べ評議は開始され、容堂ははやる気持ちを抑えつつ、真っ先に発言した。

「何ゆえこの席に内府（慶喜）はおられぬ。大政を奉還され、新しい政治の道を拓かれた内府を蚊帳の外におくとは言語道断、今日あるはひとえに徳川の功績、早速この席にお呼びすべきであろう」

「功績ですと？　内府は困りあぐねて政権を投げ出された。まずは内府により朝廷へ忠誠の証をたてて戴かねば……。このことが先だ。意見を聞くのはその後であろう」

待っていたかのように、参与の大原重徳が目を吊り上げた。

「何を言われる！　ここ一連のことは頗る陰険極まりない、多数の兵士により内外を固め、しかも、大功ある者をのけ者にして！」

「だから言っておる、朝廷へ忠誠の証をたてることが先だと」

「忠誠の証だと！　つまるところ慶喜公の官位を剝奪し、領地を取り上げようとの魂胆であろうが。幼い天子を擁してやることか……」

――しまった！

一瞬言葉を飲み込んだ容堂であったが、遅かった。

「お慎み下され！『幼い天子を擁して』だと、失礼にもほどがある。この挙はことごとく天子様の裁きから出ておる」

大原が大声を発して容堂を攻撃し、場は騒然とした。

「こ、これは、失言……。失礼の段、何とぞお許し下され」

「失言もはなはだしい。……土佐殿は遅刻の上に放言とは……」

越前の慶永は公議政体派であったから、容堂をかばって場を繕った。

「御本人が謝っておられる、お許し下され……。されど土佐殿の言われておることは正論である。手前も内府の出席を求めます」

会議は二派に分かれ堂々巡りとなり、議定が容堂の主張する「慶喜を出席させ意見を徴すべし」の賛同者を募ったところ、賛否相半ば。既に時間は十二時近くにもなり、ここで休憩に入った。

この時薩摩藩士岩下佐次右衛門は、会議が公議政体派の主張に傾きかけたことを案じて、密かに西郷を呼び、意見を求めた。

筒袖・兵児帯に刀、参内にもかかわらず見繕いせぬ西郷が、大きな目をむいた。

「何ば言うとる！　短刀一本あれば片付くばい。岩倉公にも利通にも言っとけ」

そう言うと、大きな体をゆすりながら平然と出ていった。

――短刀一本あれば片付く、どういう意味だ……？　天皇の御前にもかかわらず一瞬にして成否が決するとは……そうか、西郷は血を流してでも押し切ろうと、要はその腹構えがあるかないか、このことを言っているのだな。

納得した佐次右衛門は、岩倉と利通を陰に呼び寄せた。それを聞いた岩倉はにわかに目を光らせ、別室に駆け込んだ。

血気盛んな岩倉が目を据え、胸元を膨らませている。これを目にした佐次右衛門は、急ぎ象二郎を片隅に誘い岩倉の不退転の姿勢を告げると、象二郎は大いに驚き容堂に走った。

「天皇の御前で血を見ることに……今日は譲って他日挽回を」

容堂もその意味するところを察した。

休憩を挟んでの議論は一転した。容堂は争いを避け、岩倉も言葉を和らげて下手《したて》に出た。かくて朝議は思惑通り進行し、この日のうちに慶喜に辞官・納地を命ずることを決した。

西郷らは、慶喜の狙いである〝徳川幕府の名だけ捨てて実権を温存し、そのもとに諸藩連立政府を樹てよう〟その腹の底まで読んでいた。ここで妥協したなら、君主と諸侯が土地で民を縛る封建制度の廃止も、日本民族の結集も、欧米の半植民地的地位からの独立もあり得ない、そう確信していたから「短刀一本あれば片付く」と不退転の決意で臨んだのだ。新政府から慶喜を外してこそ、日本の夜明けは訪れるのであった。

西郷の次なる一手は武力による討幕にあった。このままでは蛇の生殺し、間髪を入れずねじ伏せねば。そのためには、相手から戦闘を仕掛けさせることだ。

西郷は、信頼する薩摩藩士益満休之助ら数名に秘策を授けて江戸へ向かわせた。江戸入りした益満らは、浪人や無頼漢を集めて市中の治安を攪乱させて火を放ち、江戸城を襲うなど狼藉の限りを尽くした。困りあぐねた幕軍は「裏で薩軍が操《あやつ》っている」と即断、これを鎮めるため庄内藩に薩摩藩邸を襲撃させた。幕軍は薩摩藩邸二棟を焼き多数を惨殺、逃げる薩摩兵三十余人を追い詰めた。ところが薩軍は、待機させていた汽船で大坂に逃れ、戦いは西郷の思惑通り大坂へと飛び火した。

この際一気に薩摩を討とう。大坂城中では、主流から外され憤懣やるかたない慶喜、そして慶喜を盛り立てて巻き返しを図ろうとする旗本、会津、桑名の藩士らがいきり立っていた。

「十二月九日以来の事態は薩摩の奸臣《かんしん》の陰謀による。朝廷は奸臣を我らに渡せ、渡さねばやむを得ぬ、我らで誅戮《ちゆうりく》を加える」

慶喜らは「討薩の表」なる書状を認《したた》め、新政府の陣地、京都御所に送り付けたのだ。これすなわち新政府に対する宣戦布告、まさに西郷の思う壺、旧幕府から、戦端を開いたという既成事実を作らせたのである。

慶応四年一月三日、慶喜は会津・桑名の藩兵一万五千人を率いて入京しようとし、阻止せんとした朝廷軍四千五百人と戦闘に入った。

在京の鳥取藩家老荒尾駿河らは、幕軍による朝廷への宣戦布告を知ると、慶徳不在の中、四日夜緊急の評議をもった。藩主慶徳は慶喜の義兄という事情もあり評議は堂々巡りしたが、急進派の駿河が「我らの頂点は天皇であり将軍ではない。迷うことなく、手勢を持って戦おう」との正論で圧倒した。この一声により、朝廷軍として参戦することを決した鳥取藩は、五日の淀・千両松の戦いから、「揚羽蝶《あげはちょう》」の軍旗を掲げて勇躍参戦したのだ。

一方の松江藩は、三日、偶然にも目前で戦いが始まろうとしている現場に遭遇した。幕府から、正月を期して京都朔平御門《さくへいごもん》の警備に就くようにとの下命があり、藩は先発隊として、家老平賀縫殿《ぬい》、隊長斎藤久米率いる隊員五十人を送り出し、その隊列が鳥羽街道に差し掛かった丁度その時のことである。

これより遡《さかのぼ》ること十二月九日、藩主定安は、軍事外事掛高橋伴蔵が京から持ち帰った沙汰書により、王政復古の大号令が発せられたことを知った。

――まさか……。ということは幕府は政権を投げ出した？　追い詰められていたとはいえ、戦うことなく政権を朝廷に引き渡すとは、そんな柔な慶喜公ではあるまい……。いずれ次の一手があろう。

だがその一手が出ぬとなると、藩としての態度を決めぬわけにはいかない。定安は、宗家徳川への「孝敬」と朝廷への「忠勤」という板挟みに苦しみながらも二十六日、朝廷に「勤王に転換」の報告をした上で、京都朔平御門の警備隊を送り出したのだ。

その隊列が鳥羽街道小枝橋に差し掛かった時のこと、まさに目前で幕府軍と薩摩軍の戦いが始まろうとしていた。

律儀な斎藤は、引き連れていた警備の兵をもって幕府軍を助けようと進言し、幕軍はこれを喜んで受け入れようとした。この時、隊の監察を所管していた坂本丈平は大いに驚き、斎藤の前に立ちはだかった。

「待て、参戦すれば朝敵となる、参戦は許されぬ！」

「何を言う、目前で幕軍が戦おうとしておるのを傍観せよと、松江は親藩ぞ、拙者にやり過ごすことなどできぬ！」

「ならぬ！　京都守衛の兵を戦争に充てることは藩主の命に背くばかりか朝命にも違背する。藩の存亡にかかわる、断じて許さぬ！」

「なれば幹部の意思を確認する、しばし待て」

斎藤は軍務係、頭役など数名を集めて議し、再び坂本と激論に及んだ。

「他の幹部も同じ意見だ。殿とてその方を喜ばれよう」

「ならぬと言ったらならぬ！　藩の存亡にかかわる一大事だ」

松江藩にとってまさに一髪千鈞《いっぱつせんきん》の危機であった。ところが、偶然にもそこへ、在京の使役添勤松本仙六が朝廷の命を伝えるために到着した。

「何を迷っておる、斎藤隊の任務は京都御所の警備であろうが！」

松本は目を吊り上げて斎藤を一喝し、上京を促した。

斎藤はようやく我に返り、路を宇治に取り急ぎ京を目指した。だが、入京が遅れたことから朔平御門の警備は既に薩摩藩が就いており、松江藩はより困難な山崎関門を警備することとなった。


年明け三日に開戦された鳥羽伏見の戦いは五日、朝廷軍の圧倒的な勝利となった。

この戦いで幕府軍は朝廷軍の三倍の兵を擁していたものの、戦闘意欲と指揮能力において大きな差があった。朝廷軍の砲撃や銃撃を中心とした近代的装備と統制ある指揮に対し、幕府軍は装備こそ引けを取らなかったものの、指揮官の選定を誤った。戦いのイロハも知らぬ階級上位者をもって充てていたから開戦直後はまだしも、戦いが市街戦となると、混乱し無統制の有様となった。

幕軍にとってなによりも大打撃であったのは、戦いの最中淀藩、津藩が寝返ったことであった。

五日の昼、追われた幕軍兵士が淀城へ入城しようとしたところ、門番が手の平を返したように門を閉ざし入場を拒否した。逆に朝廷軍が淀城にせまると、藩兵は謹んでこれを城中に迎え入れた。更に、五日まで幕軍の命令で山崎を守っていた津藩兵が、六日朝になると対岸から橋本の幕軍に砲撃を開始した。まさかの寝返りであった。

「うーん、何ということだ。このままでは深みにはまるばかりだ」

慶喜は戦い慣れした敵の戦略戦術の凄さに舌を巻き、「江戸に帰って再起だ」と老中の板倉と図り、自軍を欺《あざむ》いて江戸に逃れたのだ。


勝利を収めた政府軍は、江戸へ逃れた慶喜を「朝敵」と位置づけて征討の軍を起こし、各地で旧幕府側の勢力を打ち破り、江戸に攻め入った。

江戸城明け渡しの交渉は、強硬論、寛典論の飛び交う中、三月十三日、新政府側を代表する西郷と、旧幕府側を代表する勝海舟の間で、江戸薩摩藩邸において行われた。

当初は、十五日を期して江戸城総攻撃を標榜していた西郷であったが、勝が、アヘン戦争で香港をイギリスの植民地とされた清国の例などを挙げ「内戦の拡大が国の独立を危うくする」旨を説き、平和のうちに江戸城を明け渡すことを申し出でると、柔軟な思考の西郷は方針を転換し、無益な戦いを避ける方向で合意に達した。

既に戦意を失っていた慶喜は恭順の意を示し、四月十一日政府軍は戦うことなく江戸城を接収した。


一方、鳥取滞在の慶徳は、藩の活躍とは裏腹に、朝敵となった慶喜の異母兄という血筋から、極めて困難な立場に立たされていた。

一月七日、鳥羽伏見の初戦を突破した政府は、小御所に在京の各藩を招集し、「勤王か佐幕かその方向を明確にし、明日辰の刻（午前八時）までに報告せよ」と迫った。当然のことながら在京の駿河らは勤王を表明するとともに、藩主の意思を確認することなく十一日、政府に慶徳の「待罪書」を提出し、その事後報告のために、側用人宮崎鉄馬を帰国させた。

鳥取藩は大揺れに揺れた。

「殿、荒尾家老らは、殿のご意向も聞かず、勝手に『待罪書』を……」

「ウッ、ウッ……。情けなや、このような身の上に生まれたばかりに」

「いかに骨肉の仲とはいえ政府は、『ここは割り切って』と言うに決まっております。備前の殿も同じお立場なれば……。気を強くお持ち下され」

岡山藩主池田茂政《もちまさ》も慶喜の弟であり、共に苦しんでいた。

案の定、政府から二十三日、「退隠に及ばず」との指令が達した。

だが、この指令とは別に、駿河などと親交の深い有栖川宮は「この際退隠してはどうか、その方が藩のためになる」と慶徳に書状を送った。

腹心から見放された上に病魔に侵され投げやりとなった慶徳は、有栖川宮の意見を受け入れ、退隠もやむなしとその道を模索するところとなった。

「予は体調もすぐれぬゆえ、この際潔《いさぎよ》く身を引こう。落飾退隠《らくしょくたいいん》（剃髪《ていはつ》し職を辞す）しよう」

一月二十七日退隠申請書を認《したた》めた慶徳は、隠居さながら別邸に篭り、上京はおろか食も細くなり床に臥す日々となった。

十一　山陰道鎮撫使

慶応四年（一八六八）一月五日～一月二十九日　松江・作用・鳥取

　定安は、親藩であるがゆえに王政復古の宣言がにわかに信じ難く、慶喜公のどんでん返しに期待しつつ焦りの心で日を過ごした。だが何の動きもない。やむなく恭順の意思表示は年明けとし、出発日を七日と定めた。ところが、年初から体調を崩し、七日の出発日を延期せざるを得なくなった。そこへ八日、京から驚くべき飛脚便が飛び込んだ。

「政府軍大勝、幕府軍大敗」一月三日開戦した鳥羽伏見の戦いの速報であった。開戦したこともわからぬ遠隔の地で、まさに目を疑う書状である。

――なんと、昨日出発すべきところ延期したが、まさか今日、幕軍の大敗に接するとは。何故なんだ。どちらが仕掛けた戦争だ。この戦《いくさ》は幕軍の大敗というが、戦いは始まったばかりではないか。

　その翌日、在京の家臣からも急便が届いた。松江藩が、監察坂本の踏ん張りによってかろうじて参戦を免れたこと、その一方で、鳥取藩は政府軍で参戦して手柄を立てているとの知らせであった。

　定安は、自室に執政の筑後と相談役の謙三郎を呼んだ。まず二人に書状を見せ、おもむろに口を開いた。

「まさかの敗戦だ。徳川親藩として衝撃を受けておる。徳川も巻き返しを狙っておろうが、一旦劣勢となると……。で、二人を呼んだのはほかでもない。今後の我が藩の立ち振舞《ふるまい》だ」

「と申しますと……。勤王一途以外の目論見でも？」

「それはない、ただ、今の時世は、左様に単純なものではない」

「……それがしは、藩論の統一こそ大事と、坂本と斎藤が割れたように、家臣は様子が分からず動揺致しておりましょう。様子見も必要ではありますが、政府への意思表示はきちんとすべきであります」

　謙三郎が学者の立場から主張し、筑後が出雲人らしく続けた。

「政府は出雲が寝返るのではと、疑っておりましょう。京の警備をきっちりとこなすことです。戦争はこれから如何様に進展するかわかりませぬが、我々はこの出雲の地を守るべきと存じ上げます」

「……予も左様に思う、如何なる事態になろうと、とどのつまりはこの地と民を守ることだ。神の国、この出雲国を戦場と化してはならぬ」

　三者による評議の結論は、勤王一途は揺るがぬものの、当面は事態を見守りつつ京の警備をきちんとこなそう、最後は、この出雲の地や民を守ろう、そこで意見の一致を見た。

定安は、その日安芸、津山、因幡へ重役を派遣し、近隣雄藩の対応や意見を見定める手立てを講じた。また、鳥羽伏見の戦いを踏まえ、動揺している家臣の意識を統一するため、十二日の午後、重役会議を招集した。

はせ参じたのは十五人、参政佐藤彦次郎がまず口火を切った。

「幕府は起死回生を狙って墓穴を掘りましたか。それにしても坂本の働きは見事であった。監察として口出ししなかったなら松江藩は今頃、死人で溢れかえっておろう」

「そげそげ、坂本は大殊勲だ。早いとこ禄を上げてやってごしない」

皆が口々に坂本を褒め称えた。月代《さかやき》をきれいに剃り、神経質そうな小田が貧乏ゆすりをしながらつぶやいた。

「現下の紛乱は予想し難い。幕軍が諦めたという証拠はどこにもない。殿の上京も今しばらく様子を見てからでも遅くないではなかろうか」

小田の意見に首を傾《かし》げていた儒学者谷左織が、手を左右に振った。

「いえ、違います。京で幕軍が大敗を喫した今、傍観すべきではありません。既に殿の意向も勤王で固まっています。殿は速かに上京して勤王を宣すべきであります」

「そげかや？　幕府は鳥羽伏見では負けたとはいえ、兵力においては十万以上が健在だ。もうちょんぼ様子を見定めることが肝要では」

出雲訛《なま》りのきつい寺社奉行高井兵大夫の意見に、用人役富谷門蔵が負けじと眉を吊り上げた。

「何言っちょーや、この機に及んで！　そーは賛成しかねる。時期を察せざるというほかはない」

黙って聞いていた筑後が首を縦に振った。

「手前も速かに上京して勤王を宣すべきと存ずる。それと、此の度は出雲街道ではなく、山陰道を用いてはいかがであろう。鳥取あたりで新たな動きが入るやもしれぬ……」

「えー、それはご勘弁を、すべての計画が振出しに戻りますゆえ」

結局、この日は議論百出して決議に至らなかった。

この評議を過ぎること四日、遂に京から来るべきものが来た。「徳川追討の勅書が下がった」との急便だ。徳川が朝敵になった以上、しばし様子見を主張していた慎重派も、遅まきながら迷いから脱した。

松江藩は一月十六日、新政府容認の結論の下「勤王一途」を決し、再度新政府に報告した。

その頃、近隣三藩に派遣していた家老らから次のような情報がもたらされた。

安芸　目下、兵を京都に出兵させて朝廷の命で警備に就いている。貴藩も速やかに天朝へ出兵し、勤王を表すことが得策である。

鳥取　我が藩は将軍慶喜の実兄である慶徳を藩主に戴いているが、将軍の措置不条理につきこの関係を断ち、勤王の国論を決した。

先の鳥羽伏見の戦いに新政府軍として参戦したことから、この時期朝廷から様々な支援の要請を受けている。

津山　我が藩は勤王に決し、藩主を上京させている。貴藩も同じ立場なれば病を押しても上京すべき。朝廷は、各地に兵を派遣して平定に努めている。津山藩は朝命により姫路、高松に援軍を出した。貴藩も、自ら声を挙げて兵を出動させてはどうか。

定安は隣藩の対応が一歩も二歩も先んじていることに驚いた。そして京への出発に先立ち十九日の午前、世子瑶彩麿《ようさいまろ》および家老を集めた。瑶彩麿は前藩主斉貴の長男で十三歳、定安は養子として迎えていた。

「いよいよ本日出発致す。目下、国内は戦いの真っ只中、日々何が起こるか予断を許さぬ。一意朝命を重んじ、国を挙げて王事に尽くせ。万事頼んだぞ!」

病の身体を奮い立たせるように大声を発して立ち上がった定安は、その日の午後松江を発し、ひたすら出雲街道を東進した。

勝山に差し掛かるあたりから小雪が舞ったものの、二十一日に津山、二十三日には中間地点となる播州《ばんしゅう》作用驛の本陣へ到着した。

松江藩主の宿場ともなっているこの本陣は、かつて地理研究家伊能忠敬が滞在したことで知られ、定安も参勤の宿として愛用していた。

その夜、夕食を終え寛《くつろ》いでいた定安のもとへ、同伴した謙三郎が慌てて走り来た。

「殿、驚きです。『山陰道鎮撫使』なるものが山陰道を西進しておると。隊列を見たという者からたった今聞きました。たいそう大掛かりな集団のようです」

「山陰道鎮撫使だと、どういうことだ」

殿の参勤交代に付き従うことの多い謙三郎は、かねて親しくしていた津山藩の儒学者河野和之介と、夕餉の席でばったり出くわした。

今月の上旬、津山藩に京の留守居役から「山陰道鎮撫使の隊列が出発した。隊列は日本海沿岸を西進して各藩を平定し、鳥取、松江を経由して三月には津山に到着する」というのだ。

津山藩では、事の重大性に鑑《かんが》み、見極める偵察役として河野を派遣した。入京した河野は、信頼出来る筋からその狙いや行程を聞いたあと、急ぎ鎮撫使の隊列を追ったという。


鳥羽伏見の戦いの最中の一月五日、新政府軍は勝敗の行方の読めぬ中、予《かね》て打ち合わせていた秘策の実現に乗り出した。

朝廷の勅使（使者）として、公卿の西園寺公望《さいおんじきんもち》を総督に任命し、山陰道を鎮撫させようというのだ。鎮撫使には二つの狙いがあるという。

一つは、山陰道筋三十二藩の大名を新政府軍の傘下に収めること。重点対象は丹波の亀山藩と馬路の陣屋、次に丹後の宮津だ。宮津は鳥羽伏見の戦争に幕府軍で参戦しており、まさに朝敵だ。次に鳥取、松江の大藩だ。殊に松江藩は徳川親藩、今後の戦況如何でいつ寝返るか判らぬ警戒対象という。

二つめは、天皇の身柄を安全に移すための路線の確保だ。

四日の段階で勝敗の予想は全くつかず、もし政府軍が敗れた場合でも天皇の身柄を確保しておれば優位は続く。その避難路が山陰道である。天皇は十五歳と幼いものの政府軍の玉、象徴である。東海道、東山道《とうさんどう》、北陸道の鎮撫に先駆けて、山陰道を優先させる理由はそこにあると。

総督は、公家の出の西園寺公望十八歳である。公望は頭脳明晰にして勇猛果敢、鋭敏な判断力と執行力を有しているとの評判である。以下は河野自身が目にした隊列の様子である。

鎮撫使の主戦力は三百四十人、薩長を主体とした精鋭部隊だ。朝廷軍は、隊列の通過に際し、近郷の村々に「幕府の時代は終わった、勤王のために立ち上がれ、官軍に加われ、会津・桑名などの賊軍を誅罰《ちゅうばつ》する。勤王の志ある輩《やから》（同志）は各自武具を携えて官軍にはせ参じよ。官軍に加わった村々には年貢半納のお沙汰があるぞ」等々と檄《げき》を飛ばしていた。

高く掲げた錦の御旗を先頭に刀、槍、鉄砲を担ぐ兵士の隊列は壮観で、総督は馬に跨《また》がり、列の後方から睨みをきかせていた。

列が近づくと大名や豪農が次々と出迎えて伺候《しこう》（挨拶）し、貢物をする。街道筋の各藩から兵隊がどんどん繰り出し、十八日の時点では、七百人もの大集団に膨れ上がっていた。

――うーん、鎮撫使か、我が藩は狙われておる上に後れを取っておる。山陰道を鳥取周《まわ》りで歩いておれば総督に伺候出来たであろうが……。今からでも遅くはないぞ。智頭街道で山越えし鳥取に向かえば間に合うやもしれぬ……。いや、それより本家本元の朝廷へ挨拶することでよいか。総督といってもたかが十八の若者だ。

定安の心は揺れに揺れた。

「謙三郎、特命だ！　明日の朝松江へ引き返せ！　家臣に今の話を聞かせるのだ。予も一筆認《したた》めよう」

近年になく曇っている殿の横顔を見た謙三郎は、この夜床に就いたものの一睡も出来ず、夜明けを待たずして帰国の途に就いた。


一方松江藩では、家老の乙部勘解由《おとべかげゆ》が鳥取に向かった。

乙部の任務は、津山藩が進言した、姫路や高松に援軍として出動する用意があることの周旋依頼であった。ところが対応した側用人羽原傳蔵は、意外なことを口にした。

「周旋依頼のことは、必要があるかないか調べて後刻回答する。そのことより、我が藩は朝廷から様々な用を仰せつかっておる。今、京を出発した山陰道鎮撫使が此方《こちら》を目指しているが、その際は松江藩にも、いろいろ注文することになる。このことをご承知置き願いたい」

何という言い草であろう。乙部は、真意を計りかね帰藩についた。

それから二日後の二十四日、鳥取藩者頭《ものがしら》秘書掛白井晁介と大小姓《おおごしょう》役石野豊太郎が松江藩を訪れた。

三谷と共に留守を預かっていた筑後は、鳥取藩士の訪問を喜び、三谷、大野を加えた三家老をもって書院に迎えた。

白井はぶっきらぼうに捲《まく》し立てた。

「過日斡旋依頼のあった山陽四国討伐の件は、姫路・高松二藩が既に降伏し出兵の必要がなくなった。それと、松江藩の国論が勤王にあることは承知しておるが、山陰道鎮撫使の総督が来られた折は確固たる答えをして戴きたい。只今藩主御出張とのことなれば、とりあえず世子の意思を書面に認《したた》めてほしい」

──山陰道鎮撫使？　何のことだ。いったい鳥取藩は何の権限をもってかような指図を……。腹の立つ奴だ！

筑後は意味が分からなかった。頭の中が熱くなるのを覚え、目を三角にし、白井を睨み付けた。だが、殿が出発前に〝争ってはならぬ、少々のことは譲れ〟と諭された手前、じっと我慢して怒ることをせず、やむなく瑶彩麿を召して、鳥取藩の指導による一書を書かせた。

『かねがね父出羽守より申し聞かされており、王命奉戴し喜んでおります。勤王のことは末代まで申し合わせて参りますのでよろしくご承知置き下さいませ。

二月朔日《さくじつ》　　松平瑶彩麿

池田因幡守殿』

更に求めに応じ、執政三家老も連署の添え書き一通を差し出した。

筑後は、鳥取藩の使者二人を門まで送った後、ともに応接した三谷と大野に声を掛けた。

「鳥取藩のやつらの無礼はさておき、山陰道鎮撫使とやら、初めて聞く言葉であるが、一体どのような組織でござろう？」

「実は手前も存ぜぬ、大野家老は物知りにつき存じておられよう」

「それがしも分からぬ。ちんぶ、珍部……ははは、まさか、このことでは？」

大野が笑いながら己の下半身を指さし、三谷は苦笑し、筑後は舌打ちをした。そこへ儒学者の桃題蔵が通りかかった。

「桃先生は物知りにつきお伺いしますが、山陰道鎮撫使とはどのような役目をする使いでありましょう？」

「物知りといわれると知らぬとは申せませぬなー。『鎮撫使』というのは奈良時代、聖武天皇の頃に各地の凶徒の逮捕や国司・軍司の巡察のため置かれた臨時の職です。それがいかがいたしました？」

「新政府がそれを作ったようで、山陰道を下って来るとか」

「それは……朝敵となっている藩や、親藩などを狙ったものでありましょう、しっかり対応せぬと大変なことになりますぞ」

「ええ？　脅かさんで下さいよ」

「ということは、早いこと対策を立てぬといけませぬなあ」

留守を任された筑後は、そろそろ京入りするであろう定安に、鳥取藩の使いが世子に求めた国論のこと、山陰道鎮撫使なる得体のしれぬ組織のことなどについて認《したた》め、急便に託した。

出雲街道作用驛から急遽松江に戻された謙三郎は、二十七日夕刻三の丸に戻り来た。着くなり三谷家老に願い出て、重役会議を招集させた。

参集した面々は、出発して丸八日というのに突如として一人で戻り来た謙三郎の顔を訝《いぶか》しげに眺めた。

謙三郎は、やおら風呂敷から殿の書付を取り出し、両手で高く掲げて声を張った。

「手前が作用驛から急遽戻された理由は、殿から賜ったこの短い手紙の中に認められております。『この節の形勢、如何様に変動するか図り難い。諸事鎮静持重を旨として、容易に点謀《てんぼう》（悪だくみ）に陥り申す事の無きよう心得るべきこと』以上が殿の仰せです。今少しその訳を説明いたします」

謙三郎は、津山藩儒学者河野和之介から齎《もたら》された山陰道鎮撫使に関する、最新の情報を一気に捲《まく》し立てた。

執政を始め十人の重役は咳払い一つせず耳をそば立てた。今、松江藩の遭遇している只ならぬ立ち位置が、おぼろげながら理解出来たようである。

「殿からの指示は、執政を囲んで冷静に判断し敵の罠に陥らぬようにせよ。今何をなすべきか敏速に判断し、機を逸することなく動け、というものです」

三谷や筑後を始めとした重役は、表情を引き締めた。

「そうか……先日の不審な動きと重ね合わすと、鍵は鳥取藩にあるようだ。仙石殿、急いで鳥取に走ってくれ。日中、城内では時間も限られ話せぬこともあろう。酒でも飲ませて良い関係を作れ」

三谷家老の指示で翌二十八日、参政仙石城之助は渡部勘之助を従えて松江を発し、二月二日に鳥取に赴いた。

仙石は鳥取藩使番《つかいばん》梶村孫兵衛に面会して「ゆっくり話がしたいので仕事が引けたら旅亭に来て下され」と誘った。

日暮れ時になって、梶村が上司である大坪周蔵を伴って旅亭に仙石を訪ねた。隣室には酒肴の用意をさせており、仙石と渡部は丁重に挨拶をし、二人を酒席に招き入れた。

城内では表情を崩さなかった二人であるが、盃を重ねるにつれて打ち解け笑顔が出るようになった。頃合いを見て仙石が切り出した。

「因幡殿には鎮撫使の支援をされると聞くが、如何様な繋がりによるものですか」

「我が藩は鳥羽伏見の戦において政府軍で参戦いたしました。五日に山陰道鎮撫使が京を出立したと知り、早速執政（家老）が東へ走り、西園寺総督に伺候《しこう》致しました」

「なるほど、で、貴藩は鎮撫使の手伝いをされると聞きましたが、如何様な手伝いをされるのですかな……」

答えにくい問であったとみえ梶村が口籠り、大坪が引き取った。

「何分、五、六百人の隊列と聞きます。宿舎や食事の世話、酒注ぎの女集めから土産の世話まで大仕事です。ははは」

「なるほど、我が藩はそのような事情が分からず出遅れております。それで、伺候とやらは、如何様な手続きを取ればよろしいか」

仙石の問いに大坪が羽織を脱ぎ、太鼓腹をゆすりながら答えた。

「重役を一人選んで伯州路を東進させ勅使の陣所を訪ねられればよろしかろう。手前の方へ頼まれれば周旋いたしますよ」

「それは有難い。持ち込む書類とか、挨拶の仕方とか、手土産などもありましょう。で、今、本隊は何処まで来ておるのですかな」

「宮津あたりでしょうか、そのあたりの細かいことについて十分調べておきます。今度来られた時、側用人の羽原傳蔵から説明させます」

この夜は、二人にしっかり酒を注いで接待し、松江の酒と羊羹を手土産とし、次回を約した。

二日後、すなわち四日午後のことである。気が早く、居ても立っても居られぬ執政の乙部が使番役志立伴蔵を伴って鳥取に来た。

「どげかいな、伺候のことはどこまで進んでおる」

「万全です。使番梶村孫兵衛殿が、側用人から説明させると約束しました。今日は遅いゆえ、明日でも一緒に尋ねましょう」

乙部は上機嫌となり、この夜は鳥取の銘酒と旬の松葉蟹でしこたま飲み、貝殻節を歌いながら四人肩を組み千鳥足で旅亭に戻り来た。

翌五日、午前、乙部を先頭に肩で風を切り鳥取城に臨んだ。

仙石は使番梶村に乙部を紹介し、側用人の羽原傳蔵に面会させてほしいと頼んだ。先日の酒の席では笑顔を振りまいていた梶村の様子がおかしい。にこりともせず妙によそよそしいのだ。

しかも半時（一時間）待っても、側用人も梶村も出てこない。仙石が、しびれを切らせて使番大坪周蔵に案内を請うた。

「側用人の羽原様は、鎮撫使の到着が近いので対応出来ぬと仰っております。申し訳ありませんが、お引き取り下さい」

何という言い草であろう、手のひらを返したような大坪の対応に、仙石は真っ赤になって怒り、食い下がった。

「大坪殿、何という失礼な！『今度は側用人の羽原様から説明させます』と言われたから、執政にまでお越しを戴いておる。とにかく、羽原殿をここへ呼んで下され、戻りませぬぞ！」

「それは無理です。羽原様は鎮撫使一行を出迎えに現地へ出ておいでです。」

「現地ですと、松江の執政がおいでになっているのですぞ！　執政が！」

「なんと言われようと、駄目なものは駄目です。今頃、一行は国境を越えられたことでしょう。今晩この城へ到着されます」

「な、なんと！　今晩到着？　鎮撫使一行が、ですか？」

「左様です。手前も忙しいゆえ、これにて失礼いたします」

乙部ら三人は愕然とした。今晩、山陰道鎮撫使一行がこの因幡城入りする、到着するというのだ。左様に緊迫した情勢とは露知らず、昨夜は大酒を飲み、今朝は朝寝をした。羽原ら家臣が対応せぬ事情がようやく呑み込めた。

乙部は、因幡藩の対応いかんでは、自ら伺候しようとさえ思っていたのであるが、緊迫した情勢の中でそのようなことも言い出せず、大慌てで城を後にし、わき目もふらず松江を目指した。

松江藩は、完全に蚊帳の外に置かれていたのである。

一方の定安は、作用驛を出発して兵庫、大坂周りで京都を目指していたところ、高砂において「兵庫あたりで外国人の殺傷事件が発生しており、通行が困難である」との風聞に接した。そこでやむなく丹波道に道を変え、篠山《ささやま》、園部を経て二十九日、京都に到着したのだ。

十二　謝罪の四箇条

慶応四年（一八六八）一月十八日〜二月十三日　松江―宮津―鳥取

――ドーン、ドーン、ドーン、ドーン

慶応四年一月十八日暮れ六ツ（午後六時）、一隻の軍艦が空砲を撃ち鳴らしながら、丹後の宮津港に入港した。

時はまさに鳥羽伏見の戦いが政府軍の大勝利で決着した間無しで、幕軍として参戦した宮津藩は、大敗を喫し這う這うの体で逃げ帰った直後であった。そこへ軍艦の放つ号砲である。

「大変だ！　政府軍が攻めて来たぞ、逃げろ、逃げろ」

前触れもなく侵入した軍艦を政府軍の軍艦と思い込んだ宮津藩士は、大いに慌てた。

その頃宮津藩主は、山陰道を鎮撫使なる部隊が宮津に迫っているとの情報を入手したことから、閉門し対策に頭を痛めていた。

埠頭や台場には急遽招集された兵士が繰り出し、数百の提灯が左右に揺れ動く。それを横目に侵入した軍艦は悠然と錨《いかり》を下ろし、提灯の兵士に告げた。

「松江藩です。松江藩の第二八雲丸です。台風でとても進めません。しばらくの間避難させて下さい」

前日の十七日、松江の大井沖を出航した八雲丸は、京都に駐在し山崎関門の警備に任じている藩兵の兵糧米《ひょうろうまい》を積んで越前港を目指した。ところが台風に行く手を阻まれ、やむなく宮津港に入港したのだ。

「なんだと、松江藩だ？　なら、先ほどの号砲は？」

「港を使わせてもらうための挨拶にござります」

軍艦が他国の港を使用する際は、敬意を表する意味で空砲を発射するのが西洋の儀礼とされていた。ペリー来航以来我が国においてもこの慣習が徐々に定着しつつあった。

「何？　挨拶だと、人騒がせな！」

小舟に乗船し、提灯を手に接近してきた奉行は、軍艦が松江藩籍で避難入港と分かると、胸を撫でおろし苦笑しつつ乗船してきた。

「今、山陰道鎮撫使の先発隊がこの地に来ておる。二十一日には本隊が到着予定である。命により積荷と乗員の氏名を知らせよ」

八雲丸の運転士渡部為右衛門は、兵士とはいえ海を活動の場としているため、山陰道鎮撫使との言葉を聞くのは初めてであった。だが、世話になる相手であり、要求されるまま筆を走らせた。
○所属・船名　松江藩海軍「第二八雲丸」
○乗員　松江藩海軍兵士　二十二名　作業員　二十五名

○積荷　兵糧白米　四百俵
　　　味噌・梅干四斗樽
○銃器　大砲　　　四門
　　　小銃　　　三十挺

翌十九日、再び奉行がやって来て指示した。

「宮津藩主は只今閉門中であるが、鎮撫使本隊が二十一日到着予定につきとても心配しておられる。揉め事とならぬ間に早々出港されたい」

この場に至っても渡部を始めとした乗員は鎮撫使の何たるかを知らなかったが、風雨が収まったところで敦賀《つるが》に向けて出港した。


敦賀港で無事積荷を降ろした八雲丸は、二十六日出航して帰途に就いた。ところが不運は続くもので、今度はボイラーが故障を起こし、やむなく二十七日、再び宮津港に入港した。

――ドーン、ドーン、ドーン、ドーン
礼儀正しい松江藩兵は、この時も礼砲を発射し入港した。

宮津藩士は大いに驚くとともに、怒って来艦した。

「先日あれほど言ったではないか。鎮撫使本隊は昨日但馬《たじま》へ出航したものの煩《うるさ》い長州藩士が十数名残っておる。見つかると何が起こるかわからぬ。大急ぎで出港せよ」

追い立てられた八雲丸であったが、船が直らねば出航は出来ぬ。全力で修理にかかったものの、直ったのは二十九日の昼前であった。

ようやく出航出来ると安堵し錨を上げようとしたそこへ武装した宮津藩士と、錦の御旗を掲げた兵士数人がやってきた。

「軍艦を動かすことは相ならぬ！　鎮撫使への不審のかどで調べる。この船は以後拘禁する！　船将はじめ士官は鎮撫使本営に連行する」

まさに寝耳に水であった。藩士は総督府守衛所の召喚状を突き付けると、第二八雲丸の甲板に踏み入り、三つ葉葵の家紋の入った艦旗を外し宮津藩旗を掲揚すると、士官室を封鎖し、書類はもとより積み荷や銃砲までも押収した。

「何をする！　いったい我々が何をした」

「問答無用、我々は鎮撫使総督の命を履行するのみ。船将と幹部は我々に従え」

運転手渡部為右衛門、機関士勝田繁太、勘定役山中善六、吉岡惣之助の四人はその夜宮津を発し、幾山も越えた但馬国村岡に連行された。

二月二日、鎮撫使が駐屯する但馬守衛所に引き立てられた四人は、左右に兵を従え、赤ら顔のいかつい男の待つ尋問室に通された。

「それがしは総督参謀の小笠原美濃介だ。松江藩は何を考えておる。鎮撫使滞在の宮津に二度にわたって軍艦を入港させた。宮津にけしかけて、鎮撫使に戦いを挑もうとか？」

この問いに、運転士の渡部が首を傾げた。

「恐れながら、鎮撫使とは何をする隊にござりますか」

「なに、とぼけるな！　松江藩は海軍に教育しておらぬのか」

勘定役の山中が慌てて渡部を制した。

「いや、承知いたしておりますが、台風を避けるための避難入港にござります。何か良からぬことでも……」

「二度もか？　では、なぜ空砲を撃った、宮津藩にけしかけて鎮撫使を攻撃しようとしたのであろう」

山陰道鎮撫の序盤戦の焦点は、丹波・丹後・但馬の三地域にあった。別けても佐幕派の亀山・篠山・田辺・宮津の諸藩を警戒していた。小笠原は、抵抗を示す亀山藩を包囲して威嚇し、手を焼きながらも降伏させた。丁度そこへ朗報が届いた。「鳥羽伏見の戦いは、完璧に我が軍が勝利した」と。手薄となっていたところへ応援の薩長両藩士が到着したため小笠原は元気百倍、錦の御旗の威力で街道筋の佐幕派を次々と平定し、意気揚々と宮津へ進行してきた。軍艦八雲丸の入港は、まさにその最中の出来事であったのだ。

運転士の渡部が、笑い顔で小笠原に答えた。

「お言葉を返すようですが、大将殿は軍艦の礼儀を知っておられませぬなあ。西洋に限らず、今では日本でも港を使わせてもらう時は空砲を撃つ、これが仕来《しきた》りになってござります。礼儀でありまする」

「な、なんだと！　貴様、人を何と心得ておる。教育が行き届いておらぬとみて、手加減してやれば付け上がって、こ奴らを牢屋に放り込んでおけ！」

大声で怒鳴った小笠原だが、連行される渡辺と目が合うと、
「馬鹿めらが、飛んで火にいる夏の虫とは、貴様らのことよ」
ニタッと笑い、捨て台詞を吐いた。

二月五日、因幡城で門前払いをくらわされた乙部家老以下三人が、重い足を引きずって国境を越えた丁度その頃、鳥取藩の使者葛金右衛門が松江城三の丸の門を潜った。

葛金は、二人の兵士を従えてピンと背筋をそらし、応接した筑後に丁重に挨拶をし書簡を差し出した。

「山陰道鎮撫使総督掛から預かってまいりました。お検《あらた》め下さい」

差出人は山陰道鎮撫使総督掛、鳥取藩神戸《かんべ》源内《げんない》・山部隼太・門脇少造・沖探三の四者連名によるものであった。

一　鳥取藩は山陰道鎮撫使総督から鎮撫の支援を仰せつかっており、総督は近く鳥取入りされる。

二　総督から、松江藩について究明すべく指示された嫌疑二点について要約する。

一つ　鎮撫使が一月五日京を出立してよりこの間、大小いずれの藩も総督府を伺候し勤王を誓約しておるが、大藩の貴藩に限って伺候しておらぬ。これは如何なる事情によるものか。

二つ　鎮撫使が宮津に滞在中、貴藩の軍艦が二度にわたって空砲を撃ちながら入港した。

新政府への挑戦ではないか。
三　我が藩は、総督の命により貴藩の嫌疑について取り調べる。付いては、重役二人を鳥取藩へ罷り出でさせられたい。

筑後の顔面がみるみる紅潮し、書簡を持つ手が震えた。

——やっと謎が解けた。これまでの鳥取藩の一連の不審な行動は、総督掛に任ぜられたことによる取り調べの一環であったのか。隣藩ゆえ頼り切っていたのが間違いであった。……この役は執政として避けられまい。

「承りました。只今藩主出張中なれど、近日中に適任者を差し向けます」

筑後は、憤懣やるかたない表情で、葛金右衛門を門まで送った。


留守を預かる若手執政として、自ら鳥取行きを買って出た筑後は、八日、用人役富谷門蔵、勝田恭輔を伴い、鳥取の地に立った。

これから厳しい戦いになるであろう、因幡城の聳《そび》える久松山を仰ぎ、筑後は一人呟《つぶや》いた。

「おお、この山頂だ。吉川経家《きっかわつねいえ》の城があったのは」

かつて存在したとされる因幡城の「山上の丸」は、経家が羽柴秀吉と戦い、籠城して最期を遂げたのち、元禄五年（一六九二）落雷により焼失したと伝わる。

筑後は、大橋家六代当主貞興《さだおき》の次男で、幼少の名を金次郎といった。父から〝石見国人吉川経家が城兵を守るため武士道を貫き切腹した“という話をよく聞かされた。

経家は天文十六年（一五四七）、毛利氏の家臣で石見吉川氏当主吉川経安の嫡男として生を受けた。成人に達し、石見国「福光城」の城主に任ぜられた天正九年（一五八一）、羽柴秀吉率いる中国討伐軍が因幡国へ進出してきた。

鳥取城主山名豊国が仲間から追放され、家臣による支援要請を受けた吉川元春（毛利元就の次男）は、一門で文武両道に優れた経家に鳥取城を守備するよう命じた。

福光城を後にし、三月十八日因幡城に入城した経家は、間を置かず四千人の兵を率いて防衛線の構築に取り掛かる一方、籠城の準備を進めた。

六月、秀吉率いる二万の兵が因幡に侵攻し、七月、城を包囲した。戦い上手の秀吉はむやみに攻撃せず、包囲網を固め兵糧攻めに出た。

経家は、陸路・海路を用い兵糧搬入作戦を試みたが、秀吉に阻まれて搬入の道は閉ざされ、兵糧は残すところ一月余となった。二カ月目には城内の家畜も草木も食い尽くし、三カ月目には餓死者が続出、飢死するよりましと、子は親を、弟は兄を食するという地獄絵図さながらのありさまとなった。

それでも四カ月の籠城に耐えたものの十月、もはやこれまでと覚悟を決め、城兵の助命を条件として、秀吉に切腹を申し出でた。

秀吉は経家の奮戦を称え「自害するのは城主を追放した家老だけでよい、経家は石見国へ帰還させる」との意思を伝えたが、経家は頑として首を縦に振らなかった。

十月二十五日寅の刻（午前四時）城内の真教寺で、検使役堀尾吉晴を迎え、介錯人静間源兵衛に「信長公にご覧いただく首であるから能《よ》く打て」と命じ、泰然自若、壮絶な最期を遂げた。

経家は自害に先立ち、福光に残した子供に、かなで遺書を認《したた》めた。

『とっとりのこと、よるひるにひゃくにちこらえたがくいものがつきはてた。そこでわれひとりがごようにたち、みんなをたすけきっかわいちもんのなをあげる。こどもたちよ、そのしあわせなものがたりをきいてほしい』

すなわち経家は、自分一人が腹を切ることで何千人もの家臣の命を助ける、これは吉川家一門の名誉でもある。後に続く子供達はその一部始終を知っておくように、と教えたのだ。

父貞興は少年金次郎に繰り返しこの話を聞かせ、金次郎は子供ながらに経家の生きざまに強く心を打たれた。父が没して二十余年、今、筑後は久松山を仰いでいる。


筑後は、城下の旅亭に滞在し、腹を据えて相手の出方を窺うこととした。そうする、本営から「十一日出頭せよ」との召喚状が届いた。

因幡城前の学問所「尚徳館」を閉館して設置されたと思しき本営の玄関には、檜板に熟達した文字で「山陰道鎮撫使本営」の大看板が掲げられていた。

十一日朝、筑後以下三人が本営に出頭すると、家老鵜飼主水《うかいもんど》が応接して二階の一角、「尋問室」と書かれた看板のある室に案内した。

室には総督府用掛を名乗る神戸源内・山部隼太・門脇少造・沖探三が上席にて待ち受けてお

り、筑後の着座を待って、尋問を開始した。

詰問は、一座の責任者である神戸を中心として行われた。

「先に伝えたように、鳥取藩は総督から松江藩の取り調べをせよとの命を受け、総督府用掛に神戸以下四人が任ぜられておる。このゆえを以て、善隣の交誼《こうぎ》を捨てて質問致す」

「承知いたしました」

「まず、藩主定安公は上京に際し、同じ山陰道を通過しながら鎮撫使総督を避ける経路を取り、挨拶をしておらぬ、この理由は何か」

「お待ち下され。只今『同じ山陰道』と申されましたが、藩主殿は山陰道を通ってはおりません。出雲街道を用いております。病で出発が遅れたため、慣れた参勤道を急がれました」

「何、出雲街道を？　なら、始めから、伺候《しこう》のことなど念頭になかったということか？」

「殿が出発された十九日の時点では、鎮撫使が山陰道から向かっておるというような話は入っておりませぬ」

「本当か？　なら、なんで丹波道を通り入京したのだ。出雲街道を使ったのであれば兵庫、大坂が経路ではないか？」

「藩主は出雲街道を作用驛から兵庫、大坂を経て入京しようとしたのでありますが、兵庫付近にて外国人殺傷事件が生じており通行し難いとの風聞があり、丹波道に変更したものにござります」

「小藩であっても遠近にかかわりなく御伺いあるに、大藩にその儀なしとは如何、勅使への不遜はすなわち朝廷への蔑如《べつじょ》とみなされる」

──なんという言い草、我が藩は何度も鳥取藩へ使いを出し、そのあたりのことを問うたではないか。

「繰り返し申し上げます。出発時、殿は鎮撫使のことはご存じありません。松江藩は、何度も貴藩に使いを出しておりますが、そのあたりの指導が得られず……」

「なんだと！　我が藩のせいだと、詭弁《きべん》を弄《ろう》するな！　それぐらいのことは、高禄を食む者が気を利かすべきではないか」

「………」

「なら別の案件にする。貴藩の軍艦八雲丸は、鎮撫使が宮津に滞在中の一月十八日と二十七日の二度、宮津港に空砲を撃ち鳴らしながら入港した。宮津藩を巻き込んで戦いをしようとの魂胆ではなかったのか」

──我が藩はその時点で山崎関門の警備に要員を差し出しておる。宮津藩を巻き込んで戦いだ、冗談を言うな！

「一度目は台風による避難入港、二度目はボイラー修理のためであります。宮津藩を巻き込んでの戦いなど、とんでもございませぬ」

「宮津藩は鳥羽伏見に幕軍で参戦しておる。そこへ空砲を撃って入港すれば疑われても仕方あるまい。なら、嫌がらせか」

「空砲を撃つのは港を利用する軍艦の礼儀です。それに、我が藩はその時点で山崎関門の警備に多くの要員を差し出しております。矛盾するではありませぬか」

筑後は今更のように〝坂本が幕軍で参戦しようとした兵士を阻止した〟あの場面に思いを巡らせ、胸をなでおろすのであった。

「いかように弁解しようと、鎮撫使総督への礼を失したとの疑いを拭《ぬぐ》い去ることは出来ぬ。朝廷を軽視したことにほかならぬ」

このような応酬が延々として繰り返された。

始めの頃は厳しい追及をしていた鳥取藩も、時間をかけ、順序立てて丁寧に弁明する筑後に次第に攻撃の手が鈍くなってきた。疑いは単なる誤解、憶測にすぎぬことが徐々に理解出来たようである。

一座を取り仕切っていた神戸が、笑みを浮かべて声を潜《ひそ》めた。

「大橋殿、とどのつまり今回の件について承服するのか、せぬのか」

「それがしの意見は申し述べた通りです。承服するもせぬも、貴殿らの受け止めかた次第にござります」

神戸以下四人が額に皺を寄せて顔を見合わせ、尋問は終了した。

翌十二日午前、筑後、富谷は再び本営に呼び出された。

家老池田、および神戸以下四名が列席して昨日に引き続いた取り調べである。神戸が口を開いた。

「昨日の弁明など逐一鎮撫使に報告した。だが松江藩の不審な行動はいかように弁明しても拭《ぬぐ》い去ることは出来ぬ、疑惑として残ると。その上で、藩としてこの罪をどのように謝罪しようとしておるのか、鎮撫使本営はこのことを問うてきた」

——やはりそう出たか。つまるところ因縁をつけて我が藩を追い込み、応分の利に預かろう、その魂胆《こんたん》に相違ない。

「……この件について未だ藩主は存じあげておりませぬ。よって、藩主及び国元に報告し、協議の上しかるべく謝罪の道を立てようと存じ上げます。しばらく時間の猶予を戴きたく存じます」

「ならばそのことを書き物にして、提出せよ」

筑後は要求されるまま、これに応じた。


泰然自若した筑後は、その日の夕方、かつて天守が存在した久松山に登り来た。藩兵の命を救うために我が命を擲《なげう》った吉川経家も拝んでいたであろう、同じ夕日に向かって深い礼をした。今まさに夕日の沈まんとしている伯耆富士、その向こうは我が愛する出雲の地だ。


明けて十三日、筑後と富谷は三度目の召喚に応じ本営に出頭した。

——ン？　今日は少々様子が違うぞ。

家老鵜飼により、正面に列席の薩摩藩士折田要蔵、河南藤右衛門、長州藩士小笠原美濃介が紹介された。その左右に神戸以下四名が列席している。はじめて鎮撫使の幹部が顔を見せたのだ。まるで吟味方が裁断を下すような物々しい雰囲気である。

やがて、筑後に達書が手渡され、折田が重々しく申し渡した。

「松江藩から、昨日書付を以て謝罪がなされたが、増々不審の廉《かど》がある。よって謝罪の四箇条をもって問うこととした。謹んで受け取り、退いてご覧いただきたい。嘆願の申し立てについてはこれを受けない。なお、今後、官軍の先鋒を国境へ配置することについても承知願いたい」

折田とともに退席する小笠原が、筑後に不敵な笑みを浮かべた。

――敵は始めからここへ結論を持っていく魂胆《こんたん》であったのだ。謝罪の四箇条を示すゆえそれに従え、弁明は許さぬだと！　一体、如何なる四箇条であろう？

筑後は引き下がって達書を開いた。

「な、何だと！」

そこに記されている文言は、まさに驚き、卒倒するような凄《すさ》まじいものであった。

演　達　書

此の度、勅使の下向に際し、糺《ただ》すべき儀がある。罪に伏そうとするならば、左の書き付けた項目の中より、いずれかの謝罪の道を選ぶべし。
一、雲州の半分を朝廷へ返上すること
一、藩の重役が死を以って謝罪すること
一、藩主の稚子を人質として差し出すこと
一、勅使を国境に迎え受け、ここで合戦を行い、勝敗を決した上で謝罪すること

二月　　　　　　　　官軍執事

松平出羽守御家中

――これは一体何だ、勝手に決めつけておいて謝罪せよとは！　謝罪ならば、謝罪に相応した内容であるべきではないか！　これは、まさに道理を外れた邪悪《じゃあく》というべきものだ。

筑後は瞬きもせず、演達書を握りしめ宙を見つめて茫然《ぼうぜん》とした。

十三　筑後の決断

慶応元年（一八六五）春〜慶応四年（一八六八）二月十五日　松江

長州征伐から凱旋したある日、筑後はひょんなことから松江大橋の上で酒酔いに絡まれていた玄丹とお加代を助けることとなり、その縁で親子は家老屋敷に出入りするようになった。

筑後が青年時代に励んだ相撲は、腰・肩・肘などに後遺症を伴い、そこへ針医者の出現であったから大いに喜んだ。

激務の若手執政にとって、玄丹の針治療は欠かせぬものとなっていった。そんなある日、昼酒を飲んだ筑後は、玄丹の治療を受けながらうとうととしていた――。

〽ハー関の五本松　一本切りゃ四本　ドッコイショ
　あとは切られぬ　夫婦松《みょうとまつ》
　ショコ　アショコ　アショコホイノー松ホイ

哀調を帯びた美しい歌声に、筑後はいつしか夢の中へ……。

――美保関街道。松江藩主「美保神社」へ毎月の参拝の帰り道。村人が殿を見送って五本松に差し掛かった時、突如殿の駕籠が止まった。駕籠から降りた殿は、随行していた美保神社の宮司を睨み、言い放った。

殿「この松の木が邪魔だ、行列の槍がつかえる、切れ、切ってしまえ！」
神官「えっ、それは……。殿、この松の大木は沖から戻ってくる漁師の目標にござります。何卒その儀はご容赦を……」
殿「槍がつかえるといっておろう、なんだと！　切れぬというのか、たわけ！　よかろう、なら予も考える。どうじゃ、美保神社への参拝、これからは二月《ふたつき》に一度と致そう」
神官「そ、それは……。困ります。なにとぞお許しを」
殿「なら、この松を切れ、どうじゃ、切るのか、切らぬのか！」
神官「は、はい、き、切ります、切らせまする……。アアアア」

筑後は、ここで夢から覚めた。むっくり起き上がると、じっと悲しそうな眼をお加代に向けた。

「お加代さん、今の歌は？」

「美保関の民謡、『関の五本松』にござります」

「……何ぞ意味があるのであろうが、詩の意味をご存知かな」

「はい、何でも、その昔、松江の殿様が月一回の美保神社へのお参りの折、松の枝に槍がつかえるとの理由で、一本を無理やり切らせられたというのです。人々は四本になった松がこれ以上切られることのないようにと、夫婦松と呼び歌い継いでいる、左様に伺っております」

「おお、やはりそうか……」

——あー何という横暴、殿の我儘を、家老として押し止めることが出来なかったとは……。悲しいことだ、手前も心せぬと。

「お加代さん、今の歌、もういっぺん歌って下さらぬか」

「御家老様、悲しそうなお顔でした。そんなに悲しい夢を見られた歌ならば、お耳に入れぬ方がよろしいのではございませぬか？」

「いや、家老として心せねば、手前の心構えを堅固にするためじゃ」

じっと筑後の目を見ていたお加代は、立ち上がった。今を盛りと紫の花を咲かせる庭の木蓮から目を転じ、美保関に連なる枕木山を仰ぎながら、静かに、ゆっくりと歌いはじめた。

〽ハー関の五本松　一本切りゃ四本　ドッコイショ……

目を閉じて聞きいった筑後は、歌が終わると、お加代の横顔をじっと見つめた。

「玄丹殿、お加代さん、今夜は遅くなりました、雑賀町まで帰るのは骨が折れましょう。拙宅で夕食《ゆうげ》を取られ、よかったらお泊まり下されし」

筑後の肩を揉んでいた玄丹の手が止まった。

「そのような、手前は元下級藩士、それはなりませぬ、相なりませぬ」

「いや、身分に関係ござらん。玄丹殿は私の医者、それにお加代さんは……私の心の支え」

「……心の支え、私如き何のとりえもない女に……」

「なにを謙遜される。学問は言うに及ばず、茶道に華道、親孝行、それに天下一の美しい歌声、真似の出来る女子《おなご》はめったにおらぬ」

「さような……。恐れ多いお言葉、お加代、生まれて初めてにございます」

「……実は、このような場で申し上げるのも如何かと存ずるが、玄丹殿、お加代さんに手前の……。世話をさせてはもらえませぬか」

「世話？　世話と申されましたが、どういう意味にござります。女中にござりますか」

「いや、奉公人ではござらぬ、手前のそばでいろいろと話し相手や身の回りのことなど……」

「女中ではないが、身の回りの世話、と申されますと？　御家老には正室が居られましたなあ。となると、要は側女《そばめ》、側女にござるか……」

「……決して不自由はさせませぬ」

筑後は本気であった。お加代には、正室にはない世俗的な明るさがあり、何気ない振る舞いの中にちらちらのぞく色気、玄丹が酒飲みであったから酒を注ぐこともいとわず、その合間に面白い世間話や美しい歌声が。よく気の利くそんな成熟したお加代に、いつしか魅せられていたのだ。

「お断りいたす！」

「うっ……」

「加代は二十一、今はこのおいぼれの世話を致しておりますが、これから嫁ぐ身、例えご家老とはいえ側女、これでは縁は逃げましょう」

「……左様か、お加代さん、お加代さんのお気持ちは……」

頬を染めたお加代は、父の顔と筑後の顔を交互に見つめた。

「私は……。誰のところへも嫁には参りませぬ」

「……このおいぼれが居るゆえあのように申しておるのでありましょう。それがしは永くはありません……。お加代、そろそろお暇《いとま》いたそう」

——うーん、断られたか、手前の考えが甘かったようだ。仕方ない。これも家老としての思い上がりのなせるわざであったろうか。

「玄丹殿、それにお加代さん、今日はどうやら日が悪かったようです。この話はなかったことに致しましょう……。それと、治療の方はこれからも変わらずお願い致しますよ」

「その儀は、玄丹からもお願い致します」

「御家老様、私のような者にお気をとめていただきましたこと、嬉しく存じます」

親子は、筑後に見送られて屋敷を後にした。暗くなった道を提灯を提《さ》げて父の手を引きとぼとぼ歩むお加代がいとおしく、筑後は明かりが見えなくなるまで、その後姿を目で追った。

その一件があった後も、玄丹親子は筑後の治療に訪れた。が、半年も過ぎた頃から、ぷっつりと姿を見せなくなった。

それからどれくらい経ったであろうか。ある夜、筑後は北堀の料理屋の宴席に招かれ、座を務めていたところへ酌婦が数人繰り出した。宴もたけなわとなった頃、一人の酌婦が涼やかな声で歌い出した。

〽ハー関の五本松　一本切りゃ四本　ドッコイショ……

──おお、あの声は？　お加代、お加代さんでは……。装いや顔の繕《つくろ》いが違うゆえ気付かなかったが。

筑後は、酒を注ぎに目の前に侍《はべ》ったお加代に小さく声を掛けた。

「お加代さん、お加代さんですな」

「……まあ、ご家老様、ご無沙汰いたしております。その節はひとかたならぬお世話にあいなりました」

お加代は派手な酌婦の着物に丸髷《まるまげ》を結い化粧も濃く、言葉遣いも芸者言葉が身につきかけていたものの、筑後の前では以前と変わらぬ素人女の身のこなしであった。一年半も顔を合わせていない間に、一段と華やかさの増したお加代、筑後は懐かしさとともに、失いかけていたお加代への思いが、ふつふつと蘇ってくるのであった。

「積もる話もあるゆえ、座が引けたなら離れへ……。待っております」

「……承知致しました」

料理屋には離れがあった。松江藩に出張する他藩の役人、この地を訪れる商人や旅人の宿として重宝されていた。

筑後が離れの一間《ひとま》で待つこと半刻、うとうとしていたところ襖があいた。派手な小袖を隠すように、落ち着いた色合いの羽織を纏《まと》ったお加代だ。畳に両手をつき、深い礼をする。筑後が手を左右に振った。

「おお、待っておったぞ。一年半も顔を見ておらぬが、一段と艶《あで》やかになったのう」

「いいえ……実は、父が八カ月前に亡くなりました。ご家老様へお伝えをと思いながらも、つい……」

玄丹は家老屋敷に姿を見せなくなった一昨年の暮れ、風邪を拗《こじ》らせて寝たきりとなり、昨年の春先に息を引き取ったという。身内のいないお加代は、一人で葬式を出し仏を送ったというのだ。

「それは失礼を致した。手前は玄丹殿に一方ならぬお世話になりました。近いうちに仏様を拝ませて下され」

「えっ、我が家へ……。は、はい、雑賀町の屋敷でお世話になっております。父も喜びますゆえ、狭いところですがどうぞお越しを」

筑後は、久々にお加代の酌で酒を飲み、お加代にも注いだ。

「で、今は、どうしておいでかな」

「はい、かねて親しくしていただいている料亭の女将《おかみ》さんから声がかかると、このように宴席に出させていただいております」

「それは不憫《ふびん》な……。手前もこのような役目、屋敷にも多くの人が出入り致す。役に立つこともあろう……。如何ですかな、あの時は断られたが、もう一度考えてはいただけませぬか」

「えっ！　それは、お断りした話です。私のような女子が……」

「お加代さん、今すぐにとは言わぬ。今一度考えてみて下され。お父上も、許して下さると……」

お加代の表情が崩れた。筑後は、お加代の手を両手で包み込み、優しく抱き寄せた。遠くで、火の用心の拍子木の音が聞こえる。夜のとばりが音もなく降りていった。

やがて、お加代は筑後の招きで大橋家へ出入りするようになり、家老の仕事の下手間や、身の回りの世話をするようになった。


慶応三年秋以降、突如として我が国を大混乱に陥《おとし》いれた政治機構の変革は、二百三十年にわたる平穏な松江の町をも飲みこんだ。

例年、藩士はもとより、百姓も町人も慌ただしい世情を忘れて酒に歌や踊りに浮かれる年始であったが、今年はその慣習が断たれた。これとは真逆に、夜遅くまで煌々《こうこう》と明かりが灯っているのが出雲国の政治の中心、松江城三の丸である。

一月以降、毎晩のように門の左右に松明《たいまつ》が燃え、門番が警戒を強めるその奥の院では、重苦しい雰囲気の中で、重臣による評議が延々と繰り広げられていた。

慶応四年二月十五日、この日はまさにその頂点に達した。

午後七ツ（四時）、鳥取藩から戻り来た筑後を迎えるため書院に参集した重役、その十人を前に筑後が沈痛な声を絞り出した。

「実は、大変な難問を突き付けられました。まずはこれをご覧下され」

筑後が、正面の床の脇に演達書を掲げた。

十人の目が、一斉に四行に吸い寄せられた。

一、雲州の半分を朝廷へ返上すること
一、藩の重役が死を以って謝罪すること
一、藩主の稚子を人質として差し出すこと
一、勅使を国境に迎え受け、ここで合戦を行い、勝敗を決した上で謝罪すること

その瞬間、座は、水を打ったように静まり返った。誰一人、声を発する者はいない。

この夜の評定に出席したのは大橋筑後を筆頭に乙部九郎兵衛・三谷権太夫・神谷兵庫・柳多図書・有澤能登・大野舎人・高木佐五左衛門・黒川又左衛門・乙部勘解由・今村修礼の十一人である。京都在勤の平賀縫殿と、出張中の朝日千助を除く家老の面々であった。

筑後が沈黙を破るように、乾いた声を発した。

「ここに至る経緯についてはご承知おきの通りでありますが、松江藩が鎮撫使から、不審な行動として疑惑を以て受け止められておるのは二つ、『藩主が鎮撫使に伺候することなく、敢えて別の道をとって入京した』『軍艦第二八雲丸が、鎮撫使一行の滞在している宮津港に二度にわたって入港し、威嚇した』この二点にござります」

因幡城での尋問の様子を、筑後は日々特使をもって京都の藩主と、松江藩の執政に伝達していた。また、儒学者の謙三郎は、殿の特命を受けて藩と京都の間を行き来していた。一方、筑後と共に尋問席に座らされた用人役富谷は、その頃因幡から京を目指していた。

「手前は、いずれの指摘もこじつけで我が藩に悪意はない、と強く否定しました。しかし敵は、それを判断するのは鎮撫使総督である、との一点張り、その上でこの四箇条の中から一つを選び、

速やかに報告せよ、嘆願の申し立てについてはこれを受けぬ、と」

「なんと、因縁を付けようと待ち構えておるところへ、此方《こちら》から餌を与えたようなものではないか」

三谷が呟くと、尻馬に乗って一斉に、因幡憎しの悪口雑言が飛び交った。

「鳥取藩は『隣藩のよしみ、助け合おう』などと平素は言い寄るくせに、助けるどころか尋問に回るとは、何の権利を以って！」

「我が藩の軍艦購入を妬《ねた》んだのでは？　藩の実情を知っておるだけにそれを利用して攻めるとは、卑怯《ひきょう》千万、許せん！」

「手結浦でも我が藩は助けたではないか、恩を仇で返す気か！」

「まあまあ、皆の衆、鳥取藩にも事情が……立場がある。薩長が裏で目を光らせておる。嘆願の申し立てについては受けぬとの念の入れよう、ここで如何ほど叫んでも四箇条は消えん、一体どげすーかだ。四箇条に、優先順位を付けてはいかがでござる」

五十の坂を越え、老練の域に入った乙部勘解由が口元を緩め、場を和ませるように言った。

「何を言う！　それがしは腹が煮えくり返っておる。四箇条が何だ。こうなりゃ銃を取って立ち向かうだけだ、戦うだけだ！」

直情家で、戦闘上手の大野舎人が立ち上がって拳を振った。

「そげだ、敵は数百人、我が藩は数千人、浜田では長州に勝った」

「出雲は神の国、ここまで馬鹿にされておめおめと謝罪など出来るか！」

普段は楽観的な神谷兵庫が目を尖らせ、いきり立った若手数人が立ち上がった。その時だった。けたたましく廊下を走る足音、議場の扉が乱暴に開いた。

「た、大変にございます。因幡との国境の陰田村に敵陣が、数百の松明《たいまつ》が！」

「な、何だと、鎮撫使が、攻めてきただと！」

「はい、只今国境警備隊からの急報にございます！」

一同が慌てふためき、狼狽する中、筑後が手を左右に振った。

「待て待て、申し上げておらぬが、鎮撫使本営は国境の陰田村に部隊を配置すると、このことは手前が聞き、承知いたしておる」

「な、何だと、聞いておったのか、そのことを早や……」

とんだ飛び入りであった。大野が再び目尻を吊り上げ拳を握った。

「国境に部隊を配置して威嚇だ！　東の地では戦いが始まったばかり。どっちへ転ぶかわからん。松江が立ち上がれば、幕府は東西に敵を構えることになる。どげだ、受けて立とうではないか」

「御意！　至急、京の二百五十人を帰藩させよう。大砲で待ち受けて木っ端微塵だ！」

若手の知恵者、柳多図書が大声を張った。これに対し老練の高木。

「待て待て、殿は京に御座《おわ》す。藩論は勤王一途に決し京に部隊も派遣しておる。大野家老も柳多公も、冷静になりなされ」

年の功で高木が大野を制し、有澤、乙部九郎兵衛も同調した。だが、大野も柳多も憤懣《ふんまん》やるかたない面持ちだ。

「……今から考えると、大橋家老が、山陰道を東へ進み鳥取あたりで様子を窺おう、と提案された。これに殿がいい顔をされなかったが、あそこが躓《つまづ》きの入口であったかな」

九郎兵衛が呟くと、神谷が手を振り上げた。

「そげんことを言やあ、八雲丸の空砲を撃った奴が一番悪い」

「そげだ、宮津に入らんでも、沖で風の収まるのを待てば良かった」

「お主ら、済んだことのあら探しは止めよ。一番辛い思いをされたのは大橋家老だ。大橋殿、貴殿はいかにお思いかな」

長老で理性派の有澤が場を鎮め、筑後に振ってきた。

「率直に申します。そもそも松江藩はこの命令に従うべきなのか？　謝罪の四箇条とは、悪辣《あくらつ》な行為に対する報いという理屈、ならば我が藩はいったい何をしたと……。とどのつまりは朝廷を侮辱したということでありましょう、ところが四箇条、そのどれをとっても厳し過ぎる。……悪だくみ、としか思えぬ。この理不尽極まりない要求に、我が藩は従わねばならぬのか」

筑後の顔は青ざめ、見えぬ敵をにらみ据えているかのようである。これを受けて、最年少の柳多が声を震わせた。

「敵の陰謀です。まさに理不尽、到底受け入れることは出来ませぬ」

柳多が座卓を叩き、数人の強行派も頷いている。

「ちょっと待て、手前は厠《かわや》(便所)じゃ、厠じゃぞ！　若い衆は正義感だけで事が収まると？　世の中、そげん甘いものではござらん」

最年長の有澤が席を立った。頭に血の上っていた若手は水を差され、一様にしかめ面をした。

三谷が、九郎兵衛と神谷を部屋の隅に呼び寄せ何事か相談を始め、厠から戻った有澤もこの輪に入った。

評議が再開され、三谷が二重顎《あご》に手を置き、ゆったりと諭した。

「大橋家老や柳多家老の弁はもっともである。四箇条というものの根拠が〝疑惑〟という、恣意に基づくものであるゆえ、手前も腸《はらわた》が煮えくり返るようだ。だが、根拠がないゆえ松江藩は無視します、で通る話か。無視するということは、即、戦うことを意味する。この地を火の海にしてもよいのか。今、京都では殿や平賀が懸命に周旋中であろう。現地として急ぐことは、四箇条に優先順位を付けて吟味する、そのことではないか。異論のある者は手を挙げよ」

周囲を見渡しても手を挙げる者はいない。

大きく頷いた有澤が手を打った。

「どうやらこれで方向が付きそうですなー、では、この演達書により進めましょう。まず、絶対に駄目なものから挙げて下され」

神谷が「おー」と声を出して手を挙げた。

「先程は頭にきたゆえ、銃を取って戦おうと申したが、これは撤回致す。それと、一番目の『雲州の半分を朝廷へ返上』この項目も殿ご不在の席で口にすべきことではあるまい」

神谷の意見につられて、五十を過ぎた高木が言った。

「ならば世子の瑶彩麿様を人質に、ということも論外だ」

有澤が、羽織を脱ぎ、腹を突き出して立ち上がった。

「どうやら、三つの項目が落ちた。残るは『重役が死を以って謝罪する』これに絞られたようだ。問題はいかに人選すべきかであるか、誰ぞ意見のある者はおらぬか」

先程まで、あれほど熱気の籠っていた書院は再び静まり返った。

松平家二百三十年の間に、家老が切腹した事例が二件ある。

一件は七代藩主治郷が、弟駒次郎に松江藩の領地、神戸郡六万石を分地しようとした折、これを許せば藩が駄目になると憂えた江戸詰家老柳多四郎兵衛が、断固阻止するために切腹したとするもの。今一件は、九代藩主松平斉貴《なりたけ》の異常な言動と酒乱を諫めるため、江戸詰の家老塩見増右衛門が切腹した、つい十五年前のことである。

「意見が出ぬようであるな、いかがであろう。『重役』といっても色々あるが……。大橋家老は因幡で鎮撫使と対峙されておるが、どう思う」

鎮撫使や鳥取藩と直接対峙したのは筑後一人である。筑後の主張する〝申し入れを無視する〟との選択肢が消えた今、重役の切腹という最悪の道しか残されていない。

家老の中で、最も禄の高いのは大橋家で四千七百七十石、次いで乙部家四千二百五十石、神谷家三千九百石、朝日家三千八百石、三谷家三千六百七十石である。

「重役と言えば、やはり家老、家老並以下は含まぬとすべきでありましょう。人選は……。人選は、なかなか難しい」

筑後は搾《しぼ》り出すように言った。

「藩の命運が掛かった一大事じゃ、本来なら京で働いておる朝日殿や平賀殿の意見も聞くべきであろうが、この場におらぬ者は対象外だ。どうだろう、誰ぞ名乗りを上げる者はおらぬか、我と思わんものは」

有澤が十人を見渡した。息詰まるような沈黙がしばし続いた。

「名乗りを上げる者が居らぬとなれば……。くじ引きか？」

「ははは、はははは」

緊張が緩み笑い声が出た。この笑いを遮《さえぎ》るように高木が呟いた。

「それがしは有澤家老と五つ違いの五十五、永く生きてきたゆえ命が惜しいとは思わぬ。だが、このおいぼれの首では鎮撫使殿も不足であろう。くじ引きなどと申さず、この出雲国を救おうという気骨のある者はおらぬか。おらぬとなれば……」

――最も高い禄を食んでおるのは手前だが……腹を切るには万人が納得する理由がいる。子々孫々に至るまで語り継がれるような、そう、経家のような……。

筑後の脳裏に、経家の切腹の場面が浮かんだ。

――経家の死には、その命と引き換えに何千人が救われるという道理があった。がこの切腹には、理由が存在せぬ。されど誰ぞ犠牲にならずばこの国、出雲は守られぬ……。そう、出雲、出雲、古代から続いている神の国だ、それを守るのだ！　これ以上の高邁《こうまい》なる使命がどこにあろうか。これが手前の運命、神が与えたもうた宿命だ。喜んで一命を捧げよう。……ただ心残りは死んだ後の藩の行く末、愛する妻や子、それに……。何を、この場に至ってまだ迷うのか、決断せよ、筑後！

目を閉じ、脂汗を流す筑後の背を、父貞興《さだおき》が押したような気がした。

「……大橋筑後、手前が腹を切りましょう！」

「な、なんと！　大橋家老が腹を切るだと！」

「左様、この筑後、出雲国のために、腹を切らせてもらいます！」

一瞬静寂が走り、次の瞬間「おーっ」という異様などよめきが三の丸を包んだ。顔をくしゃくしゃにし、肩で息をし涙を流す者、ため息をもらし手を打ち鳴らす者、やがてそれは筑後への称賛と感謝、激励の声へと変わっていった。

「大橋家老、よくぞ決断して下さりました。さすがに松江藩を代表する若手の執政、殿もその勇気を称えられましょう」

「大橋殿、藩のことも御家のことも引き受けました、後顧の憂いなく役目を果たされませ」

三谷家老が顔面を紅潮させて筑後に膝行《しっこう》し、両の手で手を握り、そして有澤、乙部、高木、神谷が……。

――これでよい、これでよいのだ。松江藩執政のそれがしに与えられた出雲の国を守るという高邁なる役目、これで父との約束が果たせる。

迷いから醒め、雄々しく決意のほどを明言した筑後の心は晴れ晴れと澄み渡り、切れ長の涼やかな目元には、笑みさえ浮かんでいた。

十四　マッチと消火

慶応四年（一八六八）二月十三日〜十八日　京都・安来

二月十三日夕刻、急便の駕籠を仕立てて出張先の鳥取を出発した用人役富谷門蔵は、昼夜兼行で、一路京へ京へと急いだ。

在京の藩主に尋問書と答弁要旨について報告しているとはいえ、その結末として、突如として突き付けられた肝を抜くような演達書の中身はまだ伝わっていない。

国難ともいうべき謝罪の四箇条、この難題を一刻も早く殿の耳に入れねば……。食う物も食わず、休憩もとらず駕籠が京に着いたのは、朝日のまぶしい十六日の早朝であった。

京都の北部、日蓮宗の本山立本寺《りゅうほんじ》に滞在する定安は、本堂で読経の最中であった。富谷は、二日前に先着した謙三郎を呼び、緊急の案件であることを伝え、二人して客間で待った。

富谷の乱れた髷《まげ》と汗くさい身体、血走った眼と荒い息遣いを前にした定安は、ただ事ではないと感じ取ったようだ。

富谷が差し出す演達書をもどかしそうに開き、読み進める定安の顔色が、みるみる変わった。

「薩摩藩の折田要蔵はこげに申しました。『松江藩が鎮撫使に執った疑惑の行動につき、罪に伏そうとするのなら、四つの中からいずれかを選べ。嘆願しても官軍はこれを受け付けぬ』と」

「なんという無礼な！　言いがかりを付けておいて謝罪せよとは……。くそ！　あいつらめ！」

定安の顔が青白くなり、頭が小刻みに揺れる。謙三郎は腕組みをし、大きな目を吊り上げている。定安が富谷に問うた。

「で、大橋家老はどのように？」

「はい、憤激この上なく断腸の思いであるが、黙殺することも戦うことも出来ず、詰まるところ重役の切腹に行き着くであろう。誰もが拒むとなれば、手前が責任を取らざるを得まい、と」

「何だと！　筑後が……。筑後が腹を切るだと。ならぬ、ならぬぞ！」

定安の顔が赤くなった。定安の懸念は二日前、謙三郎らが持ち込んだ尋問書を目にした時から始まっていた。

鎮撫使が疑惑として捉えるその冒頭に「藩主が伺候することなく別の道をとって入京した」と。責任の半分は定安にあったからだ。

「今日が三日目、丁度今頃、評議がなされておーかと……」

「うーん、領土を差し出す、銃を手に戦う、瑶彩磨様を人質に……。いずれも出来ませせぬなー。となれば残された道は切腹ですか」

読みの深い謙三郎が顎《あご》に手を当ててそう呟いた途端、目を伏せていた定安がきっと顔を上げ、声を荒げた。

「敵のたくらみは見えておる。到底不可能な条件を突き付ければ、頭を下げてくると……。要は物、金、酒色が狙い目だ。かような理不尽に乗ってたまるか！」

めったに見せることのない定安の怒りである。富谷が目を光らせた。

「御意、我が藩には最新式の大砲や軍艦があります、国元でも、血の気の多い連中はいきり立っておりましょう。殿、迎え撃ちましょう！」

「……山崎の兵を引き払って出雲街道を下らせる。敵を揖屋あたりまでおびき寄せて東西南から攻めまくり、海に追い詰め軍艦で挟み撃ちする。鎮撫使の四百や五百は松江の敵ではないぞ！」

絞り出すような定安の声だ。しばし沈黙の後、謙三郎が首を振った。

「？　殿、本気ですか！　宗家や親戚筋の賛同が得られるとは思われませぬ」

「今、四箇条なるものを目にして、腸《はらわた》が煮えくり返っておる。ここまで無理難題を吹っ掛けられて、おめおめと引き下がれるか、銃を取って、松江の強さを見せてやろう！」

「門蔵も同じに！　安心させておいて挟み撃ちにすれば、鎮撫使の四、五百人、目ではありません。これで東の戦況も変わりましょう」

定安の顔も門蔵の顔も赤くなった。これに対し、謙三郎の顔は青くなった。身体をガタガタ震わせ、目尻りを吊り上げた。

「ま、待たれよ！　冷静になって下され。今お二人は『木を見て森を見ず』に陥っております。我が国が今どのようなところにあるのか、殿、お考え下され！　殿！　殿！」

謙三郎は額に汗をかき、声を震わせた。定安はいつにない謙三郎の語調と、釣り上げた目尻に出会い、はっと我に返った。顎に手を当て、目を閉じた。

しばしの静寂が続いた。定安はゆっくりと立ち上がり、障子をいっぱいに開けた。冷たい比叡《ひえい》颪《おろし》が、音もなく吹き込んだ。

――そうか、そうであった。……金を失うことは小さい……。

「はっはっは、木を見て森を見ずか。その通り、敵の本心は金だ。金で済むことは小さい。国を危険に晒すことは、大きい」

「金は小さく、戦いを回避することは大きい、ですか……」

「左様、予は、決して戦って負けるとは思わぬ。が、一月前とは事情が違う、松江が己の都合だけで銃を手にすることは許されぬ。だからと言って、家老の首を差し出すわけにもまいらぬ。金で済むのならこれに応じよう」

「ということは、頭を下げて代わりの条件を出させると？　そげですか？　嘆願しても官軍はこれを受け付けぬ、と言っておりますぞ」

門蔵が、力なく呟き、謙三郎は目を伏せた。

眉間に縦皺を寄せ、腕組みをしていた定安が、意外なことを口にした。

「……その折は……。源寿郎《げんじゅろう》だ。源寿郎を出そう」

源寿郎とは、今年六歳になる定安の次男である。義父斉貴の長男を世子と定めた後、文久二年に出生した。その息子を人質に出せば解決するやもしれぬ。定安の顔は、苦悩に歪《ゆが》んでいる。

「源寿郎殿を、ですか、そーは……」

「いや、人質は命を奪われるわけではない。先々打つ手もあろう……。まずはこれで相手の出方を見よう。予は急いで国元へ書付を致す」

定安は、己のひらめきに自らを納得させたかのように、急ぎ机に向かって書状を認《したた》めた。


翌朝、謙三郎が松江に出発すると、居ても立ってもおられなくなった定安は、在京の家老平賀縫殿と富谷を呼び付けた。慌ててはせ参じた平賀に、謝罪の四箇条を見せた。

「……予の失敗で家老を窮地に立たせておる。我の責任ゆえ、源寿郎を人質にと考え、国元に書状を認《したた》めた」

演達書を手にした平賀の手が震えている。

「それはなりません。手前が国元にいたとしても切腹を選びましょう」

富谷が手拭いで顔を拭きながら入室したのを横目に、平賀が続けた。

「いかように考えてもこれは無茶にござります！　尋問書を突き付けたところまでは許容範囲としても……。一体誰の仕業《しわざ》でありましょう」

「それは分からぬ。長州か薩摩の悪だくみであろう」

「我が藩は、山崎の警備に汗を流しておーというに、おかしい……」

一晩休養して疲れの取れた富谷が首を傾げた。腕組みをして半開きの障子の向こうの木立を眺めていた平賀が、突然手を打った。

「殿、この四箇条のこと、朝廷は承知しておるのでありましょうか」

「おう！　予もそこまでは頭が廻らなんだ。まさしくそうじゃ。さすが縫殿、よし、予はこの演達書にある如く処罰を受ける身、早速『謹慎書』を書こう。その上で朝廷へ伺いを立てよう」

平賀が笑みを浮かべて目を輝かせ、富谷は手を打った。

「四箇条を逆手《さかて》にとっての謹慎、それは名案にござります。警備が止まれば困るのは朝廷、手前は伺い書を書きましょう」

出雲国から遠く離れたこの京の地での活動は、僅かな情報を頼りに頭を巡らせて勝負手に出る、賭《か》けに出るより外はなかった。


大至急書類を整えた三人は、太政官代のある二条城の門を潜った。

太政官制度は、天皇を中心とした統一国家を築くため、新政府によって組織された日本国最高の機関で、立法・司法・行政の三権を統括し、その下に議政官、行政官、会計官など七官が置かれていた。

定安は、役人に尋問書と演達書を、続いて謹慎書と伺い書を差し出し、至急の裁定を願い上げると、その足で徳大寺、三條、岩倉等の公卿を訪ねた。

「徳大寺殿、ことは重大です。至急の裁定を願い上げます」

徳大寺実則《さねつね》卿は、西園寺公望の実兄で、三卿の中でも幅を利かせていた。要請を受けた三卿は、鎮撫使の活動現場で重大問題が発生していることに驚き、直ちに太政官との協議に入り、その日の午後、二条城の会議室へ定安を出頭させた。

正面に徳大寺・三條・岩倉の三卿が役人を従えて陣取るその向かいに、三人は座した。三卿の手元には、書類がめくった状態で積まれている。まず、岩倉卿が厳しい表情で口火を切った。

「鎮撫使の四箇条は厳しすぎるとは思うが、疑われても仕方なかろう。何だこの謹慎書は。嫌がらせか？　まあ良い、順に聞こう。なぜ鎮撫使総督に伺候せず入京したのだ」

「嫌がらせなどとんでもありません。手前は、病を押しての旅であり、一日も早く朝廷へご挨拶しようと……」

「病だと、ならなおさらのこと、山陰道を通って迎えた方がよかったではないか？」

「出発する時点では、鎮撫使が向かっているということを存じ上げませんでした。すべてはそれがしの責任であります」

——どうやら岩倉卿は疑ってかかっている。ここは現場で苦労している家臣の方がよかろう。

定安は、額にしわをよせ、門蔵に目くばせして交代した。

「用人役の富谷門蔵です。手前は大橋家老と一緒に、鳥取藩士様から二度取り調べを受けました。初めの頃《こー》は二つの失敗について、やかましゅーに論を詰められました。だーも丁寧におっちらと話すうちに、宮津を抱き込んで戦争をしようだの、大それた企みのないことが分かったやに感じました。ところが明けの日になって、方向が変わーました。二つのことは鎮撫使を馬鹿んしたもんだ、どげな始末をすーだかと。大橋家老が『藩主に報告してから返事をすー』と即答さんだったため、こげなきついことになーました。どだい、まともでは考えられんやな達書です。手前は、悪知恵のある奴が松江藩を困らせて何ぞ落とし前にあずかろう、その魂胆があるやに思う次第です」

岩倉卿がニヤッと笑い、太政官の役人は額に皺《しわ》をよせ、笑いをかみ殺しているようだ。

続いて平賀家老が、立ち上がった。

「只今山崎関門の警備の指揮を執っております家老の平賀縫殿にござります。ご指摘の二つの問題が鎮撫使を軽蔑したことになると言われるのであれば致し方ありませぬが、その謝罪として、領土の半分返上とか家老の首を差し出せ、というのは無茶ではありませぬか。

松江藩はこの命令に、家老の切腹を以て謝罪することとし、目下人選中のようであります。謹慎に服し兵を引き上げるべきか、警備を続行すべきか、早急な裁定をお願い致します」

山崎関門はこの前まで幕軍の陣地であったが、今は梶原台場が造られ、政府軍の拠点となっている。松江藩が兵を引き払い、間隙《かんげき》が生じたならば、旧幕軍が勢力を盛り返すことは必至である。

列席する首脳陣が身を乗り出し、三卿の表情が変わった。

徳大寺卿が上席の役人を集めて意見調整をした後、定安の方へ向き直った。

「御三方の説明はよく分かりました。至急、鎮撫使の出先に急使を立てていきさつを調べます。山崎関門の警備は重要な任務につき、早急に方針を固めて示達致します」

定安らは、三卿の誠意ある対応に感謝しつつ、二条城を後にした。

筑後の決断をもって閉じた家老会議の翌十六日、藩は切腹の場を、鳥取藩との国境門生村《かどおむら》にある「常福寺」と定めた。

高井義八、渡部善一は早速馬を飛ばし昼過ぎに鳥取に到着すると、鳥取藩鎮撫使本営を訪れ、神戸源内に面接した。

「当藩、只今藩主不在なれど、慎重に検討し、演達書にある『藩の重役死を以って謝罪する』を選択致しました。割腹者は執政大橋筑後、場所は国境の常福寺であります。検使役が到着し次第割腹謝罪を致します。明日以降、検使役を派遣して下され」

高井の説明を聞いていた神戸は、一瞬小首を傾げた。

「切腹？　ご家老が……。切腹ですと！」

驚きの声を発し「うーん」と大きく唸《うな》った。


他所から出雲の地を訪れた人は、出雲人のことを〝暗い〟という。

どんよりとした厚い雲、いまにも降り出しそうな出雲の空、そんな空の下で、今ある財を守り、隣人と歩調を合わせ従順に、いつも微笑んでいる、まさに出雲は「泥の文化」そのものだ。山陰道鎮撫使が松江藩に押し付けた四箇条への対応、それはまさしく出雲人の心を如実に物語っている。

「大橋家老が責任をとって切腹されるらしい」。その衝撃的な噂は、たちまち家臣から商人へ、商人から町人へと広まっていった。

死を覚悟した筑後は身辺の整理を滞りなく終え、十七日午前、門生村の常福寺に参じた。

常福寺は米子境の山陰道沿い、中海に近接した臨済宗の古刹である。庭には、畳三十畳が敷きつめられ、中央に裏に返した畳二畳に白布が敷かれている。周囲には白色の幕が張り巡らされ、白の装束に身を包んだ家臣十人ほどが六尺棒を手に立番をしている。

「かような装束を身に纏《まと》うのは初めてじゃ」

髪を高く結い髷を逆さに折り、白地の小袖と浅葱色《あさぎいろ》の裃《かみしも》を左前に纏った筑後が、苦笑しながら切腹場の畳の上に北に向かって座った。

用意された湯漬けで食事をしたあと、酒盃に向かった。

「柳多殿、何杯飲むのでありますか」

「二杯を四口で飲み干すように定められております」

松江藩では近年切腹すべき事象がなく、しきたりにうとい筑後は、博識の柳多に指導を仰いだ。

「おお、美味い。これが飲み納めか。酒には大層世話になったなあ」

感慨深そうに終わりの一口をゆっくりと飲み干した筑後は、両の手で盃を押し戴き、深い礼をした。

——これで父との約束が果たせる。とは言うものの……。

両の眼《まなこ》が涙で光っている。

中海を渡り来た北風が容赦なく吹き付け、庭の松の枝がごうごうと音をたてている。

ここへ鳥取藩の検使が到着したなら機を置かず腹を切ろう。筑後は介錯人や柳多とそのように打ち合わせていた。

だがこの日、夕方まで待ったが検使役は姿を見せなかった。

翌十八日、午前五ツ半（九時）筑後はふたたび常福寺に参じた。

この日の門生村は朝からぼたん雪が降りしきり、身を切るような寒さである。門前には、三谷家老の指揮下で儀式の世話をする三十人、大橋家老の最期を見届けようとする家臣百人が参じていた。

介錯人に指名された剣の達人榊原信三郎が黒い装束に身をただして静かに鎮座し、白布の上には、柄を外し紙に巻かれた短刀が三方《さんぽう》（供物を乗せる木製台）に載せられている。

前日と同様切腹場に入った筑後に、三谷家老が声を掛けた。

「因幡の検使が来るのは午後でありましょう。それまで本堂で待機なされては」

「…………」

仏の境地に入っているのであろう、筑後は目をつむり、肩に積もった雪を払おうともしない。

——パカ、パカ、パカ、パカ
午後八ツ（二時）複数のひづめの音が寺の門の前で止まった。

「鳥取藩殿、ご到着にござります」

門番が大声を発した。

あらかじめ門の外で待機していた三谷は、鳥取藩の使者を出迎え、丁重に挨拶し寺院の庭の儀場に招き入れた。

使者は、神戸源内・門脇重綾・沖探三、いずれも鎮撫使総督府用掛の面々で、門脇は西園寺総督の付き添い御用掛でもあった。

境内に入った三人は、準備万端整った切腹場を目にし、一様に目を伏せた。中央の白布の上に、白無地の小袖と浅葱色の裃を付けた筑後が青白い顔で目を閉じ、静かに鎮座していたからだ。

「三谷御家老、大橋家老殿は何時からここへ？」

「昨日の朝からにござります」

「……実は、重要な話があります。大橋殿をここに呼んでは下さらぬか」

「なに、大橋家老を？」

怪訝《けげん》な顔をした三谷であったが、柳多に耳打ちした。

青白い顔、げっそり痩せてうつろな目をした筑後が、柳多に促されて一歩一歩雪を踏みしめて姿を現した。神戸ら三人は、変わり果てたその姿に目をやったものの、すぐに顔をそむけた。

筑後の前に進み出た神戸が、深く頭を下げ、おもむろに口を開いた。

「大橋家老殿におかれては、この度は藩を救うため崇高な決断をなされたる由、心から敬意を表します」

一国を救済するために自決を覚悟した者への丁重さは当然としても、何ゆえであろうか。切腹の検使役たる者が、落ち着きのない表情で額に汗し、おどおどしている。先日までの高飛車はどこへ行ったのか。不思議そうな顔を向けた筑後に、神戸が頭を下げ、目を伏せて小声で言った。

「実は、大橋家老の決断を藩主に報告したところ、お言葉がありました。『因幡国と出雲国は古《いにしえ》から深い繋がりをもって助け合い今日に至っておる。この度のことは隣国の情からも、大橋殿の人となりからも忍び難い。有能な藩執政を切腹させるわけにはいかぬ。藩主として社稷《しゃしょく》（国家）に替えても助命したい』と」

三谷は己の耳を疑った。聞き間違えではないかと首を傾げた。

「今、何と？　助命、助命ですと！」

大声を発して神戸の前に進み出、神戸の顔を穴が開くほど見つめた。

「左様、殿のお言葉にございます。藩主として社稷に替えてもと」

「うーん、間違いありませぬか？　藩主殿は、確か、慶徳公と」

「左様、慶徳公直々のお言葉にございます」

「だが、藩主殿は……御身が……」

三谷は、慌てて言葉を飲み込んだ。つい数日前、謙三郎が鳥取藩の協力者から「藩主殿は朝廷に退隠申請書を出されておるようだ」との内密の情報を入手し、それを耳打ちされたばかりであった。

――わが身が危ない、このような最中、慶徳公は、松江藩の家老が割腹謝罪する、このことを知って助命を指示したと……。鎮撫使の専権事項に、口出しができるものか？

三谷は訝しがり、三人の顔を代わる代わる見比べた。

「藩主殿のこのお言葉を受け我々は熟慮を重ね、四箇条以外の方途を以て謝罪の意思を表すことはできぬものか、そう考えるに至りました」

「な、何と！　四箇条以外の方途！」

三谷と柳多が大声を上げた。

「……殿のご意向でござる。後々に悔いを残さぬためにも、それ以外の方法で謝罪されますならば……」

「それ以外の？　総督殿はいかに、総督のご意向は？」

三谷の問に、総督御用掛の門脇が困ったような表情をしつつ言葉を濁した。

「……お取込み中ゆえ、まだお伺いしておりませぬが……。総督は藩主のご意向に異を唱えられることはないと存じます」

「うーん……。左様か」

「総督にご報告するためにも、如何でありましょう、世子と家老連署の謝罪勤王の誓書を提出戴けたならば、我々としても周旋致し易く……」

「何、謝罪の誓書ですと……それは……誓書を書くぐらいのことはた易いが、うーん……。先の申し渡しでは、如何なる嘆願も受けぬ、受け付けぬと、そう念押しされたと……。違いますか？」

三谷が大きな目を見開いて問い詰めると、神戸は目をそらしつつ。

「まあ、世の中にはいろいろ事情の変化は付き物にて……。で、如何でありましょう、まずは誓書を提出戴き、その上で、四箇条以外の方途を以て謝罪下さることがよろしいかと」

三谷はしばし首をひねった。

――死して謝罪せよと言うからそれに従おうとすると、殿がこれに待ったをかけたと。第一、慶徳公自身の身が危ない状況下で隣藩の家老の命を救おうと口出しが出来るのか？　総督に報告するために謝罪勤王の誓書を差し出せと、どうもおかしい……。己が火を付けておいて火の手が上がると慌てて己が消す、あのやり口に似ておるが……。いや、まてまて、理屈はどうあれ、執政の命が救われるのだ。ここは素直に引き下がろう。

「いや、分かりました。それは願ってもないことにござります。誓書は早々にお届けいたしましょう」

三谷は一転して笑顔となり、明るく振舞った。矛盾を追究されることを危惧していたのであろう、三人の表情が俄かに和らいだ。

「松江藩が、別の方途を以て謝罪されるということであれば、総督も理解を示されましょう。何れ『切腹に及ばず』と正式に指図をいたしますゆえ、ひとまずここを引き払われますように」

うつろな目、思考力の停止した頭、目前のやり取りをにわかに理解出来ぬ筑後がそこにいた。ただ、神戸が「切腹に及ばず」と笑顔をもって告げ、三谷が深々と頭を下げそれに応えたということ……。

重要な伝達の役目を終え平常心に戻った神戸らは、まだ声を発することの出来ぬ筑後に丁重に礼をし、寺の門を潜った。降っていた雪もやみ、雲間から薄明りが差している。

筑後は、夢を見ているような面持ちでその場に座り込んだ。

一部始終を見聞きしていた柳多が、筑後に寄り添い、涙の目で優しく肩に手を掛けた。

「ウッ、ウッ……。御家老、切腹は取り消されました。ま、間違いありません。総督府用掛の門脇殿もおられましたことですし……。さあ、お立ち下され、松江へ戻りましょう」

柳多に腕を支えられ立ち上がった筑後は、柳多と三谷の顔を交互に見比べていたが、突然己の右の手の平で「パチン」と頬を叩いた。

「わっははは、わっははは……」

大声で笑い出した筑後であったが、やがて三谷と柳多の手を握ると、大粒の涙を流し「わっ」と男泣きに泣いた。


一方京都では――。二条城での陳述の翌二月十七日、太政官は定安を呼び出し「これまで通りにて謹慎に及ばず。山崎関門警備は継続せよ」との指令を達した。

この太政官通達は、鎮撫使本営から松江藩に発せられた演達書の、事実上の取り消しとなるものであった。定安の必死の調停工作は、かくして効を奏したのだ。

過ぎること五十日の五月九日、定安は、決死の赤心（まごころ）をもって国を救おうとした筑後の高邁《こうまい》な精神に応えるため、次男源寿郎を大橋家の養子として遣わすべく、養子縁組をした。

十五　お加代の一矢

慶応四年（一八六八）二月二十四日～三月上旬　米子・松江・京都

「旦《だん》さんら、鎮撫使とか何とか言って偉そうに構えておいでなさるが、人の話もまともに聞けませぬのか？」

「なんだと、この女《あま》、出ろ、出ろ、つまみ出してくれるわ！」

米子の中心地、高さ九十メートルの湊山に築かれた米子城は、山頂に五層の天守と四重の副天守閣をもち、海も山も街も一望できる絶景の名城である。その北側、米子港にほど近い立町の数十軒が軒を連ねる商家の一角に、四囲を道路で区切った、ひときわ異彩を放つ豪邸がある。間口五十間、奥行き七十間、三階建ての「下鹿島屋《しもかしまや》」である。

錦の御旗が風にそよぐ玄関脇には、「山陰道鎮撫使総督殿宿所」の大看板が掲げられている。

孔雀の彫刻に迎えられて玄関を潜ると右側に帳場があり、三人の士が訪問客の応接や土産物の処理に慌ただしく立ち振る舞っている。

玄関番が目を離している隙に、廊下に上がり込んだのであろう、その女は笑顔を振りまき、ためらいもなく「鎮撫使本営」の案内板に向かってすたすたと歩き始めた。

年の頃二十半ば、豊満な躰を紫地に鶴亀の鮮やかな模様の着物に包み、高く結った丸髷《まるまげ》に鼈甲《べっこう》の櫛、濃い化粧の下には、意外と品よく整った地顔がのぞいている。

「これ、そなた何者じゃ、どこへ行く」

「わらわはお加代と申します。鎮撫使のお偉い方に用があってまいりました」

玄関番から声を掛けられた女は、錦織加代であった。

言葉つきから芸者とみてとった玄関番は、西園寺公の宴席に招かれた酌婦と思い込み、目を離そうとした。

その時帳場を受け持っていた別の士が目を留め、立ち上がった。

「待て、お女中、どこへ行く」

「はい、西園寺様のところへ……」

「西園寺様だと？　誰ぞに口を利いて貰っておるのであろうな」

「は、いいえ、口利きがなければ話が出来ぬのでありますか」

「あたりまえじゃ、何を言っておる、さあ、戻れ戻れ」

縁あって大橋家に出入りし、家老から寵愛《ちょうあい》を受ける身となったお加代であったが、側女として手当を受けることには躊躇《ためら》いがあり、口が掛かれば酌婦としても出向く昨今であった。

そんなある夜、客から〝大橋家老が腹を切るらしい〟との噂を聞いた。大いに驚いたお加代は、藩の事情に詳しい隣保の高見豊七を尋ねた。

豊七から事の次第を聞き、驚愕《きょうがく》したお加代であったが、所詮《しょせん》側女の身、いかんともし難く祈るほかはないと悲嘆に暮れていたところ、料理屋の女将から「米子滞在の鎮撫使のところへ酌に行かないか」と声が掛かった。

渡りに船とこの話に飛びついたお加代は、二月二十二日から米子に繰り出し、宴席に出かける日々であった。

鎮撫使の一行が到着する五日も前、先発隊は米子入りし、宿舎の手配、訪問先への挨拶、視察先の下見などの準備に多忙を極めていた。

一行が米子入りする頃には、増え続けていた兵士の数も落ち着き、総勢四百四十人程度で、宿舎も五カ所に収まった。

近郷近在から駆り集められた二百人の酌婦は、一行が米子に滞在する間、兵士の宿舎の宴会場を毎日掛け持ちで回るのであった。

「鎮撫使で一番偉い人は誰？　一杯よけいに注ぐから教えて？」

こんな調子で西園寺総督のことを聞き出し、宿舎までも知るところとなったお加代である。

お加代は、総督に直接酒を注ぐ機会の来ることを待っていたが、格の高い地元の芸者でなければ側に寄ることも出来ぬ、そう聞かされがっかりした。だが、ここで諦めるお加代ではない。総督が米子入りする二十四日、宿舎の周りを巡り巡って首尾よく門番の前を潜り抜けたのだ。

「この芸者、出ろ、さあ立て、出ぬと番所へ突き出すぞ」

「わらわが用のあるのは西園寺様、お主のような下っ端《したっぱ》に用はない」

「なんだとこの！」

――パシッ！

「キャー痛い！　何をする！　西園寺様ー西園寺様ー」

お加代は、尋常な手段で総督に面会出来るなどとは思っていなかったから、敢えて玄関で大騒ぎをし、もめごとを起したのだ。

その時突き当たりの部屋が空き、若草色の羽織を纏《まと》った恰幅《かっぷく》の良い士が大股で歩いてきた。

「おーい、ないしちょっと、女一人相手に大騒ぎとは」

「はい、この女子が総督殿に会わせろと言って、ここを離れぬのでござります」

「総督殿だと、そげんこつが……」

士は鼻から血を出し、廊下に座り込んでいるお加代の顔を見た。

「うっ、おごじょ（乙女）、どこぞで見たような？」

「えっ、そういうお侍さんは」

二人がお互いに顔を覗き込んだ
「この間の、松江のおごじょ……」

「あっ、思い出しました。薩摩の……。確か河南様と」

「わははは、加代とか言ったなあ、さあ鼻血を拭きなされ」

お加代は鼻血を拭き、河南へ丁寧に礼をした。

お加代には見覚えがあった。左の頬に刀傷のあるその士は薩摩藩の先発隊、河南藤右衛門と名乗る巨漢で、米子入りして以来毎晩酒を飲み、見事な節回しで「おはら節」を歌っていた。

「何か大事な話があると？　差し支えなければ手前が聞いて進ぜよう」

「はい。有難うござります。でも総督様に……」

「総督殿は本日米子入りされたばかりで忙しいばってん……。それに口利きのない客には会われんとばい。手前はおごじょの口利きにはなれぬが、口伝えなら出来る。何なりと話したらよか」

——この機会を逃せばはるばる米子入りした意味すらなくなろう。縁のあったこの人に託すとしよう。

お加代は頭を切り替えた。自らの身分を明かした上で、松江藩を引っ張っている筆頭家老大橋筑後の手腕と誠実な人柄を説き、切々と命乞いをしたのである。

「分かり申した。お加代さんの頼みだ。どげんかせんといかんばい。総督殿に話すばい。ところで、おごじょと大橋家老との仲はどぎゃんと？」

「ほほほ、恩人、とだけ申し上げておきましょう」

お加代は頬を赤らめ、白い歯を見せた。

お加代が戻った後、河南は早速総督の部屋へ参じた。

「いやはや気骨のあるおごじょにござりました。総督に大橋家老の命乞いをしよう、その一心で騒いだけにござりました」

河南は、お加代の素性や嘆願に至った経緯、大橋家老の人となりなど、知り得た情報について余すところなく語った。

「左様か、雲州藩は侮《あなど》り易からず、慎重に事を運ばねばならぬぞ」

機知に富み妖艶《ようえん》にして男勝りのお加代は、公望に面談することこそ叶わなかったが、間接的に接触したことで、以後の松江藩への総督の意識を一変させたのである。


一方、一命をとりとめたとはいえ、口約束のみで悶々とした日々を送っていた筑後に、米子の鎮撫使本営から「二十五日出頭せよ」との達しがあった。早速出頭した筑後に「この度の難事に関し、大橋筑後一身の儀は勿論、一国士民に至るまで寛大の処置を下す」との沙汰書が下された。

これによって、雲藩は難を免れたのであるが、この日更に、「翌二十六日巳の刻（午前十時）西園寺総督への伺候を許す」との沙汰があった。藩は急遽五人の家老を人選し、指定の刻に出頭させた。

正面に錦の御旗が掲げられ、左に薩摩軍黒田嘉右衛門、右に長州軍小笠原美濃介が座して待つ中、西園寺総督が姿を現した。

色黒にしてすらりとした体形、穏やかな眼差しながら威厳が漂う。筑後は思わず息をのんだ。

進行役の鳥取藩士、神戸が声を発した。

「松江藩執政大橋筑後殿から謝罪の言葉を賜ります」

筑後は深い礼をした後、ゆっくりと、明瞭に謝罪の陳述をし、これを穏やかな表情で受け止めた総督が、静かに口を開いた。

「この度の難事に関し、家老大橋筑後、死をもって謝罪するとの決心、鳥取藩主より、隣国の情において忍びないとの詫びがあった。よって、別の方途により謝罪を受けることとした。大橋筑後一身の儀は勿論、一国士民に至るまで寛大の処置を下すゆえ、安堵されたい」

総督の言葉を一言も聞き逃すまいと耳を澄ました筑後は、安堵と感謝の表情で総督を見つめ、深い礼をして鎮撫使本営を後にした。

駕籠の向こうに広がる中海には白い水鳥が遊び、出雲郷《あだかえ》の田畑には百姓の夫婦が笑顔で鍬を振るっている。津田街道の松並木を仰ぎ、久々に生きた心地に浸る筑後であった。

――外向けには鳥取藩主殿の助命嘆願が叶ったことになっておるが、その前に殿が朝廷に頼み込んでおられる。まあ、多くの人の腐心と骨折りによって命が助かった、有難いことだ。

その日の夕方、久々に目にする我が家の門の前で、狂喜する家人や使用人、近隣住人などによる出迎えを受けて屋敷に入り、一服の茶を口にしたところで、ようやく心の底から安堵に浸ることが出来た。

一月にも及ぶ緊張から解放され気の緩んだ筑後は、身体の中の血が抜けたような感覚に襲われ、その夜から病の床に就いた。

太政官に訴えて筑後の切腹を回避させた定安は、二十日、出雲一国に「諸事慎み」の触書を発した。

『朝廷に対し、我が藩は恐れ入り奉《たてまつ》っておる。この度の山陰道鎮撫使の下向をお迎えするに際し、藩民一同次のことをわきまえて粗相《そそう》なくお迎えすべく下々まで承知させるように。

……追って沙汰があるまでは刃物などは一切持たず、門は閉め、ひっそりと潜り戸から往来せよ。潜り戸のない家は、門立などきちんと揃え整理せよ。店付きの家などしとみ一枚を降ろし、諸事に慎みあることを示せ。普請や鳴物や音曲などは、一切罷りならぬ』

およそ藩主らしからぬ念入りな文だ。触書きを手にした三谷は首を傾げ、謙三郎を呼んだ。

「殿は随分警戒なされておる。あの読みの深い殿のこと、これには何か訳があるであろう」

「実は……朝廷は鎮撫使滞陣先に係官を派遣して動向を調査し、その過程で、一部幹部の策謀により『謝罪の四箇条』を発出するという越権行為のあったことを掴みました。出先から、西園寺総督を一旦帰京させて詳細を聴取し、処分を巡って紛糾した模様です」

「なるほど、左様ないきさつがあったのか……」

「殿は太政官から、『謹慎に及ばず』の達しを受けられた時から、現地が反動に出ることを警戒しておられます。敵の挑発に乗せられて血の気の多い家臣が跳ね上がればすべては水の泡、その防御策にござります。それと、殿は、金で済むことは小さいと……」

「金は小さいと……。わかった。さすがに殿は読みが深い。よし、殿の御指示を対して我らで民の気持ちを引き締めよう」

その夜謙三郎は、「山陰道鎮撫使下向出雲人心得十箇条」なる家老通牒を認めた。

すなわち、色町における営業の禁止、犬や猫の路上徘徊の禁止、覗き見の禁止、商品などを持ち去られても泥棒呼ばわりしてはならぬ、筋の通らぬことを強要されても論争するな、空けて通せ……まさに微に入り細にわたる謹慎の取り決めで、そのいずれも、家臣はもとより、商人、町人にとって屈辱極まりないものであった。

藩は文久二年、他藩に先駆けて軍艦二隻を手にした。身の丈を越えた高価な買い物はたちまち羨望《せんぼう》の眼差しを浴び、この小藩のどこにその如き財力があるのかと、妬《ねた》まれもしていた。

謙三郎も三谷も、万が一にも重要書類などが持ち去られ、別の視点から追及されることは何としても避けたかった。そこで、城内の書類、帳簿類、特に資産、財産、収入に関する書き物は、洗いざらい二の丸の焼き場に持ち出させ、三日三晩見張り役を付けて焼却させた。

その煙は、雑賀町や川津からも視認出来、人々は「この時期、藩はいったい何を焼くのであろうか」と訝《いぶか》しがったと。

二月二十七日、米子で酌婦の役目を終えたお加代は、夕方松江に戻った。二十八日からいよいよ我が町、松江で鎮撫使の接待なのだ。

お加代は歌でも歌いたいような高揚した気分であった。米子で、身を挺して命乞いをした大橋家老は、その甲斐あってか晴れて無罪放免となり、松江に戻り来たという。

——ああ、早く会いたい。今いかがしておられるであろうか。

松江に戻るなり、お加代は殿町通りを東進し家老屋敷を尋ねた。気の置けない下男に様子を聞くと「病に臥せっておられる」という。

――あのように長い間死と直面しておられたゆえ、病の床に就かれるは仕方ない。そう、私は、筑後様と離れていてもあの人の女。誠心誠意お世話をしよう。兵士が帰った後で、愛《いと》おしい筑後様にゆっくりお逢いするのだ。

鎮撫使が松江入りする数日前、先発隊が来た。隊員らは、一行が行軍する出雲街道沿いの、敵兵が潜むことの出来る山林や空き地、通行中落下の危険のある橋梁などを丹念に調べあげた。

「おい、あの山は砲台に見える。直ちに全山の松林を伐り払え」

松江の東方に聳え、軍事訓練にも用いる四角い形の茶臼山《ちゃうすやま》、その形が気に障った薩摩藩の隊員が怒鳴った。

「こら！　この街道の松の枝は錦旗に触れるぞ！　皆打ち落とせ」

「は、はい、直ちに」

松江藩初代藩主堀尾吉晴の御代に参勤交代の街道として整備し、敢えて東海道と同じ文字を用いた津田海道、その街道筋に一里にも亘って植樹された四百本にも及ぶ見事な松原は、民に木陰と遊び場をもたらしていた。だがその枝は、無残にも打ち払われる運命となった。この時、支藩の広瀬藩では、道路沿いの満開の桃はもとより、蕾《つぼみ》の膨らんでいない桜さえも百数十本を切り倒したのだ。

鎮撫使一行四百四十六人が松江入りしたのは慶応四年（一八六八）二月二十八日夕刻のことである。

留守を預かる三谷家老以下幹部は、藩主の「隠忍自重せよ」の命を受けて急ごしらえで受け入れ態勢を固め、米子に、県境にと出迎え要員を配置し、城下入口の津田村善福寺には世子瑶彩麿に歓待させて、一行に敬意を表した。

三の丸を鎮撫使の本営と定め、玄関に「山陰道鎮撫総督御旅館」の大看板を掲げ、藩の事務所は、濠を挟んだ三谷家老の屋敷に移した。松平家始まって以来二百三十年目にした屈辱であった。

この日の松江は、雨が時折みぞれに変わる悪天候であった。家臣一同、心を一つにしてこの難局を乗り越えようと誓い合い、京橋から三の丸に至る雪の悪路に、裃《かみしも》の正装で土下座して一行を待った。昼が過ぎ、日が暮れようとする頃、やっと組銃士三十七人に護衛された一行が姿を現した。ごう然と胸を張り、薄笑いを浮かべて通り過ぎる薩・長などの集団を、藩士も町人も不安と屈辱と憤りの心で迎えた。

鎮撫使の一行が三の丸に入ったのは夜になってからであった。四百四十六人とは、四十八人本陣、二百四十八人薩長、七十五人柏原藩、十一人平松藩、四十八人郷士、四十人は園部、篠山、田邊、宮津、豊岡、出津、村岡の各藩であった。

各部隊は、人員や装備などを点検した後、西園寺総督はこの建物の特別室に、薩長の大将は末次町の富商瀧川伝右衛門家に、兵士たちは身分に応じて、城下の物持ちや豪家へと分宿した。

翌二十九日、兵士以下に公務は組まれず、格好の休日となった。

城下に繰り出し風光明媚な松江を堪能した兵士らは、締めている店の戸を片っ端から叩いて開店を迫り、店が開くと酒を強要し、商品をもてあそび、壊したり持ち帰ったりした。

宿に戻った兵士らは、宴会場に通された。これまで見たこともない豪華な海の幸、山の幸を満載した膳が待っていた。だが、宴席に着くと、一様に箸を付けようとせず料理を部屋に持ち帰った。不審に思った亭主が様子を窺っていると、兵士らは宿で飼われている犬や猫にこれを与え、美味そうに食うのを見届けた後、恐る恐る口に運んだ。


三月一日、いよいよ査閲の日である。呼び出された家老一同は早朝を期して本営に臨んだ。書院の正面に、鎮撫使の用人に加え、鳥取藩士神戸源内、山部隼人、門脇少造、沖探三が占めるなか、主席家老乙部九郎兵衛は奉迎の言葉を述べた。乙部の陳述を受けた源内は、一旦乙部以下を退席させたのち、再び書院に招き入れた。

座は一変し、正面上段に西園寺総督、その左右に諸太夫濵崎和泉守、用人小谷左京、薩藩隊長河南藤右衛門、因幡藩家老荒尾近江、並びに神門源内以下四人が列席している。

ここからの儀式は、すべて因幡藩家老から指図されたことに従った。まず、世子の名代として三谷権大夫、次いで参政大野舎人が進み出て世子の誓書を濵崎和泉守に差し出し、西園寺総督に恭しく誓いの言葉を述べた。

「私、松平瑶彩麿は、今後、勤王奉仕を無二とすべく、子々孫々天地神明にお誓い申し上げ奉ります」

続いて、乙部家老以下十一人が血判入りの誓書を総督に呈し、三谷家老において総督に誓いの言葉を述べ、これに倣《なら》い広瀬、母里の両藩主も同様の誓書を差し出し誓約した。これで終わりではない。家老及び支藩の藩主は、同様の誓書を池田因幡守、更に家老荒尾近江にも差し出し、誓いの言葉を述べさせられた。

鳥取藩の荒尾近江、神門源内以下総督掛の四人が傲然と胸を張り、さも満足そうな笑みを浮かべているのに対し、三谷家老以下松江藩の幹部は一様に首を垂れている。総督や因幡藩主への誓書は仕方ないとして、何ゆえ家老にまでと、まさに屈辱千万の儀式であった。

午前の血誓式が終わり、午後は河南藤右衛門以下十六人が本丸及び二の丸を見聞した。

この間、三谷や謙三郎が憂慮した財産目録や書類などの検閲や提出を求められることもなく、査閲は無事終了した。

松江での公式行事はすべてが終わり、今宵は松江藩招待により、薩・長・因を始めとした幹部百人を接待する大宴会である。

三の丸の大広間に設《しつら》えられた宴会場には、城下の和多見・美保関・杵築などから招集させられた五十人を超す酌婦が、きらびやかな衣装で座に臨んでいた。が、いずれの酌婦も、折り目正しく酒を注ぐばかりで、宴が始まって一刻（二時間）が過ぎようというのに歌の一つも出さぬ。まるで精進落としのようだ。

「おい、松江の女は口が無いか、歌の一つも歌えんのか？」

「なにを聞いても、もぞもぞ、ずーずー、満足に話も出来ぬと」

「おい、酒だ、酒だ！　この銚子には、穴が開いておるぞ！」

「は、はい、只今」

男らが大声で不平、不満を口にし始めた。饗応役の幹部連中もおろおろしている。若い一人の酌婦が、士に催促されて震える手で酒を注ごうとし、あろうことか羽織に酒を零《こぼ》してしまった。

「こら！　零れたがの、どこを見て注いでおる！」

「す、すーまへん、今、拭きますけん、待っちょってごしなはい」

粗相をした酌婦が急いで立ち上がろうとして、自分の着物の裾を踏んだ。

――ズッテーン！

派手に横転し、その拍子に足元の盆に乗せてあった銚子数本が畳の上にひっくり返り、酒があたり一面に飛び散った。

「こら！　何をする、この役立たずが！」

男は大声を発し、所携していた刀の鞘で畳を激しく叩いた。

「先刻来粗相ばかり、どうしてくれる、この始末！」

男の顔や羽織に酒が飛び散り、叱責された酌婦は懸命に謝り、自分の小袖で飛び散った酒を拭きながら涙をこらえている。側にいた酌婦がとりなそうとするが、容易に場は収まりそうにない。

この宴席に入るまえ、お加代ら五十人の酌婦は一室に集められ、饗応役から厳しい注意を受けた。「何事も言いなりになれ」と。

泣き出した酌婦に男はなおも絡んでゆく。奥の席からこれを見ていたお加代が、心配そうに席を移し男の前へ。

「どうも失礼を致しました。酒の座ゆえお許しを、さあさあ、機嫌を直してお飲み下され」

「何だと、見ろ、この羽織！　汚れたがの！　バカ女め」

「すぐに乾きます。か弱い女を苛《いじ》めるなんて、お武家様に似合いませぬよ」

「なんだと阿呆だからバカといった！　バカ女で悪いか！」

騒いでいる士は言葉つきからして、どうやら長州藩士のようである。

「バカ女と仰《おつしや》いますが、そういうお前様も〝女の腹〟からお生まれなされたのでは……」

「なな、何、女子の腹だと、こ奴、言わせておけば、よし、お前が相手だ。さあ、注げ、飲み直しだ」

「この盃では小さくて酔いますまい、さあこれでどうぞ」

お加代は脇にあった湯飲み茶わんを差し出し、なみなみと酒を注いだ。一座の視線が二人に注がれている。男は一瞬驚いたが、茶碗に顔を近づけ一気に飲み干すと、それをお加代に突き付けた。

「女、お前も飲め、飲んでみろ」

「はい、お流れ頂戴いたします」

お加代は、左手を着物の袖に添え、士が差し出した茶碗を丁重に受け取った。士は、得たりおうとなみなみと酒を注ぐ。それを高く掲げたお加代、ゆっくりと、しかも一息に飲み干した。

「うわー、やるなこの女、見上げたものだ！」

座の方々から感嘆の声が聞かれ拍手が起こった。横にいた士が手を差し出した。

「おれの盃も受けて貰おう」

「その盃は手前に返せ」

「次はおいどんだ」

一座はどよめいた。お加代は片肌脱ぎ、緋縮緬《ひちりめん》の派手な下着の袖を振って、相手かまわぬ嬌態《きょうたい》に転じた。

〝謹慎せよ、いかように筋の通らぬことを強要されても我慢して言いなりになれ。空けて通せ〟

この腰の引けた藩の指導に納得がいかなかった。我慢も限界に達していたのだ。

「ついでに、肴《さかな》も頂戴させていただきましょう」

平然とお加代が士に向かって肴の注文をした。

男は目を丸くしたが、全員の目が注がれており後へ引けぬ。きっとお加代を睨みつけ、やにわに立ち上がると、脇に置いていた刀を引き寄せスルリッと抜いた。

一同が息を飲んだところ、士は前の膳に盛り付けられている大蒲鉾《かまぼこ》を突き刺し、その刃先を、すーとお加代の鼻先へ。

「女、さあ、食え！」

士はきっと両眼を据えている。「食わぬ」といったならば、ただではおかぬ、いかなる仕打ちもしかねぬ構えである。酔った紛《まぎ》れに刀を動かせば、突き出せばどうなる。鎮撫使にとって女の一人や二人は物の数ではない〝女の方から肴を所望した、無礼ゆえに刺した〟で通る話であろう。だが、そこから新たな難題が起こらぬとも限らぬ。鎮撫使も松江藩も立場こそ違えその目的を遂げ、この場は双方が歩み寄る大事な懇親の場である。松江藩にとって耐えに耐え、踏むまいと諫めた虎の尾を踏むことになるのでは……。藩の役人は青ざめ、鎮撫使の重鎮も手に汗握った。

「美味しそうだこと」

畳に両手をつき腹這《はらば》うような格好になったお加代は、鼻先に突き出された大蒲鉾を、ゆっくりと切っ先もろともに口へ含んだ。お加代は咥《くわ》えたまま動かぬ。

武士の目が異様な光を放っている。口を一文字に結び、瞬《まばた》き一つせず静止している。酔った勢い、立腹した勢いで右手を動かしたならば白刃は喉の奥まで達し、たちまち赤い血が流れる。

「……いい度胸だ」

武士はゆっくりと刀を引いた。蒲鉾だけがお加代の口に残った。一座はようやく解放され、肩で息をし、安堵の空気が流れた。

「錦織加代、あっぱれである！」

上座から大声が飛び、一斉に視線が声の主に引き寄せられた。

薩摩藩大将、河南藤右衛門であった。

「うおー！」

一座の上、下を問わず大きな歓声が流れた。拍手が沸き上がった。河南の横には総督の西園寺公望の姿も見え、表情を緩めている。

米子で河南と対面し、筑後の命乞いをしたお加代であったが、河南が薩摩藩の大将であるとは露程も知らなかった。

お加代の立ち廻りを境に、宴席は一変した。五十人の酌婦は本来の出雲女としての愛嬌と情の深さを取り戻し、歌に踊りに接待にと努め、場は大いになごみ、一同、満足のうちに宴の幕を閉じたのだ。

「やれやれ、三日目にしてようやく一矢だ、ああくたびれた」

饗応役の頭をつとめた三谷は、予期せぬお加代という賢い女の出現によって、久々に留飲《りゅういん》を下げるところとなった。

三谷ら上席は出発に先立ち、あらかじめ用意した土産を恭《うやうや》しく献上した。
西園寺総督　儀刀一振り、短銃五挺、馬一匹
薩長の大将　馬上銃各一挺
用人二名及び添役一名　ピストル銃各一挺
以下、末端兵士に至るまで金子、名物などなど……。
「四箇条以外の方法で謝罪せよ」この鎮撫使の作戦は血みどろの戦いを回避したい定安の心に重くのしかかった。過剰なまでに卑屈となった松江藩は、上級者には高級な品物、下級者には金と酒色と、四百四十六人全員にその地位や立場に応じて満足するほどの土産を与えた。

勅使西園寺公望は三の丸御殿にて栄華に酔い、後見役参謀以下は虎の如く誇って無理難題を押し通し、兵士は雨の如くまき散らされる黄金と出雲女の肉体に陶酔したのだ。

定安は一行が出雲の地を離れるや、大橋家老の助命で恩を受けた鳥取藩主慶徳公に執政を遣わし、感謝の意を表した。

一方、その数日後、謙三郎は京の立本寺に定安を訪ねた。鎮撫使一行による松江鎮撫四日間の状況を報告するためであった。

奮闘した執政のこと、雪の上に土下座して迎えた隊列のこと、屈辱に耐えた儀式のこと、ひとり気を吐いたお加代のことなど、黙って聞いていた定安が、大きく頷き笑みを浮かべた。

「辛かったであろうがよく耐えた。戦いを回避し、筑後を救い、隠忍自重してこの査察を乗り切ったことは大きい……。よし、予はここから巻き返すぞ」

出雲国を守り通すことの出来た定安にとって、十万両を超す高額な支出は問題ではなかった。難題を無事切り抜けたことに、言い知れぬ喜びを感じていた。だが、鎮撫使の松江藩にもたらした災禍は、これで終わりとはならなかった。

十六　学びの国　隠岐

元治元年（一八六四）九月～慶応四年（一八六八）二月　隠岐・松江

「ええか、人間は正直が一番だ。嘘をついてはいけぬぞ。死んでも魂《たましい》は生き続ける。神様はすべてお見通しだ」

丸い島後《どうご》の島の真ん中からやや北寄りに、古社隠岐一の宮の水若酢《みずわかす》神社があり、その別館に「膺《よう》懲館《ちょうかん》」と名付けた学び舎があった。昼は児童が、夜は若者が集って熱心に学んでいた。

講師は、京で学んだ識者や医者が務め、どの講師も一番初めに説くことは、人間としての道であった。

「この世は苦しいことや悲しいことだらけ。だが、いかに正直に生き抜くかだ。その場逃れのごまかしなどもってのほか、自分さえ良ければええなどという考えは大間違い。皆が他人を大事にし助け合って生きることだ。そうすれば、やがて自分にも幸せが巡ってくる」

この島に住む人々の共通した考え方であって、人の道を信じてお互いに分かち合い、争わず、仲良く生きることによって自分も守られる。和の精神こそ、過去から現在、未来へと共有する生きるための約束事であった。

隠岐は、島根半島の北東十〜二十里隔たった群島の総称で二島に大別される。出雲国美保関の半島に近い知夫里島《ちぶり》・中ノ島・西ノ島を島前《どうぜん》、そこから更に北東寄りの大島を島後という。

八世紀「律令制《りつりょう》」（中央集権的な統治制度）の施行とともに出雲国、石見国、隠岐国が成立、隠岐は独立していたものの、小国であるがゆえに戦国時代には大名が統治し、寛永十五年（一六三八）松平直政の時世となり、徳川幕府は隠岐国を幕府の直轄領とし松江藩に預けた。ところが三代藩主綱近は、貞享四年（一六八七）、隠岐国を、異国船警備に手がかかるとして幕府に返上、享保五年（一七二〇）五代藩主宣維《のぶずみ》の頃、幕府は再び松江藩に隠岐を預けた。すなわち隠岐は二百年もの間、幕府と松江藩の二重支配を受けるという統治環境にあった。

春から秋にかけ真っ青な海に浮かぶ島は地上の楽園であるが、厳寒期にシベリアから吹き付ける西北風は容赦なく島に噛みつき、逃げ場がなくなる。

享保十三年（一七二八）、全国を襲った飢饉《ききん》による餓死者は百万人、その時の島後の死者は三千人、天明の飢饉（一七八二〜一七八八）時には、宮司の采配により豪農に米を出させ飢人粥《うえじんかゆ》を炊き出したものの、千人に近い犠牲をみた。

本土から隔絶された孤島であり、食っていくことと覇権を狙う外圧から身を守ることのために、自らの国は自ら護るという自主独立と共同体意識の醸成は必然であった。

このような環境にもめげず島の人々は高い誇りを持ち、自主自立の道を模索し続けた。

その理由のひとつは、皇室などの流刑地であったことだ。鎌倉初期、源氏から政権を取り戻そうとして戦った後鳥羽上皇、鎌倉幕府を倒そうと画策した後醍醐天皇もこの島に流された。流罪は、罪人を辺境や島に送る追放刑であり、隠岐の流人は、古くは政治犯が、近世は刑法犯罪人が流された。

天皇の島流しは、中央の政治から遠ざけることが目的で、島の人々は丁寧に迎え入れ、天皇も深く交わったから人々は特別な親しみや慈《いつく》しみをおぼえ、この地は次第に勤王の気風に満ちた風土となっていった。

風土は人をはぐくむ、隠岐の地から世に出て儒学者として大成したのが、後に孝明天皇と明治天皇の侍講（君主の教師役）となった、島後北方中村出身の中沼了三《なかぬまりょうぞう》である。

了三は二十歳の時向学心に燃えて京都に出、鈴木遺音《いおん》に弟子入りして儒学を学び尊皇攘夷の理論的指導者となった。京都で学舎を開く一方、弘化三年（一八四六）学習院の講師に任命された。

幕末の元治元年（一八六四）五月四日、国内外が混とんとするなか、了三は孝明天皇の命を受けて奈良の十津川に文武館を開いた。

天誅組《てんちゅうぐみ》の変などで幕府軍と戦って命を失った十津川郷士の忠魂に報いようと、帝《みかど》の命により学舎を建立したのだ。

京に学び新しい日本を作りたい、江戸後期ともなるとこの気風は薩摩藩士や土佐藩士を筆頭に広まり、隠岐からも了三の甥中沼円太郎、山田村の庄屋中西喜六《きろく》、喜六の親戚で隣保の中西淡斎《たんさい》、それに先頃は加茂村の井上甃介《しゅうすけ》など、向学心あふれる若者がこれに続いた。

松江藩は本土と距離のある隠岐の守りとして、島後の西郷港に陣屋（郡代屋敷）を、島前の別府に代官所を設けて統治していた。

統治といっても、藩士の常駐は十名程度、年貢調達が主たる用務で、島への支援は薄く、島民の生活は各村の庄屋の差配にゆだねられていた。

隠岐に変化が生じたのは江戸中期である。国内の海運業が活発となり、年間二千隻にも及ぶ北前船が島の周辺を往来し、西郷港や別府港を風待ち港として利用した。これら廻船業者は、我が国最先端の情報をもたらすとともに、隠岐の農産物や海産物を積極的に売買したことから、島にも次第に活気がみなぎってきた。


「親父、お袋、わしを京都へ行かせてごせ。勉強したいのじゃ」

三十を過ぎ、妻子のいる中西毅男《はたお》であったが、この頃島の若者が了三を頼って次々と京に上るのを見て我慢出来なくなり、秋の収穫期を前にして切り出した。

「お前、いきなり……。百姓や山仕事、それに多美さんや兼《けん》ちゃんはどげすーつもりだね」

母はこの頃の毅男の様子がおかしいことに気付いており、毅男に甘い戸主の淡斎の機先を制して口を尖《とが》らせた。

「百姓は私がします。行かせてあげて下さい」

嫁いでまだ三年しか経たない妻の多美は、けなげにも夫の遊学を許す決心をしているらしく、母に正対した。

「わしら、貧しい島の百姓は勉強せぬと食っていけぬ。おまけにこの頃異国から狙われておる。了三先生のように勉強して隠岐の国を守り豊かにせねば……。父上、行かせて下され」

毅男は何年も前から心に秘めていたものの、養子の立場と貧しさゆえ切り出せなかった。だが、今年は珍しく豊作であり、まず妻を口説き落としたのだ。

毅男の家は水若酢神社の北方十町（千《メートル》）、山田村の山裾にあった。毅男が生まれた中西家は代々山田村の庄屋を務める家柄で、毅男は五代目喜六の息子で、兄喜一郎が跡を継ぐため、幼少の頃目と鼻の先の親戚、同姓の前田屋へ養子に貰われていった。

三年前隣村の中村から多美を娶《めと》り、長男兼太郎をもうけた。まだ二歳、ようやく片言が喋れる可愛い盛りである。

毅男は、丈五尺八寸（一七六《センチ》）広い肩幅と逞しい筋力を持ち、色黒の偉丈夫にして、四角い顔ととがった顎は何事にも背を向けない強い性格を表していた。

「……お前がそろそろ言い出すのでは、と思っておったが……。ようやくその気になったか。わしも若い時京へ遊学した身、行け、行って学んで来い」

父から意外な言葉が飛び出した。父も若き日、京で了三と共に学び、帰郷してからは村で塾を開くなど活躍していたから、齢五十を過ぎたとはいえ、息子の向学心に戸を立てるようなことはしなかった。

「あんたがまた甘いことを、百姓仕事は多美さんには無理よね、一体どげすー考えかね、それに……」

「ただし、二年だ、二年経ったら必ず戻ってこい。それと、金なら何とかする、山の木が育っておる。あれを売ればしのげるであろう。それに、百姓仕事は静川《しずかわ》（毅男の里）と手間換えする。毅男の兄さんだけん嫌とは言わぬじゃろ」

話はとんとん拍子に運び、稲の脱穀が終わった十一月初旬、毅男は勇んで京に旅立っていった。

日本海沿岸への異国船進出の動きは十八世紀にはじまり、十九世紀になると、隠岐島が標的にされた。

嘉永二年（一八四九）二月、島前西ノ島の三度《みたべ》港に異国船が接岸し、六人が上陸したのをはじめ、この年は五回も接近した。ペリーが来航した嘉永六年二月には、島の東大久村沖にロシアの軍艦が進出するなど危険が差し迫った。

これに憂慮した幕府は、文久元年（一八六一）隠岐に近い鳥取藩に「松江藩を援《たす》けて隠岐の防禦をすべし」との命令を発した。鳥取藩は慢性的な財政難にあり、隠岐の海産物、北前船の利権、また、山陰沖の制御権も魅力であったことから、これを快諾した。

幕府のこの措置は、松江藩を刺激し、大砲の製造に拍車をかける一方、文久二年には定安の英断により軍艦二隻を取得した。翌三年には、島前や島後の重要な拠点に大砲を帯同した兵士を駐屯させ、第二八雲丸との連携を図ることで警戒を強めたのだ。

だが複雑に入り込んだ島後五十三里に及ぶ沿岸線の警戒態勢は、それでは不十分である。そこで藩は文久三年三月、島民を警備に参画させることを決め、「農兵募集令」を発し、島中の年齢十七・八歳から五十歳までの勇壮なものを募った。

島後には農業と漁業以外にこれといった仕事が無く、農閑期になると若者は身を持て余していたから、農家の次男・三男を中心に多くの若者が興味を示し、たちまち応募者の総数は四百八十人にものぼった。

彼らには、村から打裂羽織《ぶっさきばおり》（帯刀に便利な背割りの羽織）・股引《ももひき》・脚絆が支給されたものの、武器はすべて自前で、当初は竹槍、鎌や斧などを持参するというありさまであった。

農兵は、陣屋裏の高台に御番屋と調練場を設け、藩士錦織録蔵《ろくぞう》指揮の下に定期的に鍛え、もし黒船が港に入港、もしくは沖合に停泊したならば各村に半鐘・太鼓で知らせ、唐船番と農兵で防衛する、手配を受けて軍艦八雲丸が急行し捕奪する、これが一朝有事の際における国防の手筈《てはず》であった。

元治元年（一八六四）四月、鳥取藩の儒者景山龍造が西郷に入り、有事に対処するため海岸を測量しつつ犬来《いぬぐ》村の沿岸を巡っていた。そこへ、一艘の大型船が煙をたなびかせて西郷湾に向かった。

「おっ、不審な船が西郷の港に、あれを追え！」

景山は船頭に命令し、異国船と思しき巨艦の後を追わせた。

――カンカンカンカン、ドンドンドンドン
〝非常事態発生〟島後の各村の半鐘や太鼓が鳴り響き、農兵があわただしく西郷の陣屋を目指した。

異国船入港の急報を受けた陣屋は上を下への大騒ぎ、次席の枝本喜左衛門は遠眼鏡を手にして息をのんだ。

「うっ、アメリカの船ではないか……。困ったことにならねば良いが」

国旗は紅白の横縞で、その一角に白い星が並んでいた
数年前対馬に、ロシア船が難破を口実に停泊し、五カ月にわたって居座り続け不法占拠をもくろんだ。この時は幕府の要請によりイギリスの軍艦二隻が出動して圧力をかけ、退却させたのだが……。

折しも陣屋の責任者の郡代は出張中で、留守を任された枝本はいかに采配すべきかが分からずうろうろし、やがて数人の部下を連れて波止場へ降りた。枝本は目前で錨を降ろし、赤毛の船員数名が看板に出て大声を発するのを見上げて、狼狽するばかりであった。港には既に漁師や町人など野次馬が多数集まっている。

「あの指揮官はどげなさるつもりだらか」

野次馬が心配顔で見ていたところ、一隻の帆船が蒸気船の向こうから湾内に入り、巨艦に横付けした。人々が息を呑んで見守る中、藩士の形《なり》をした男は蒸気船の甲板にいた赤毛の水兵と何やら話し、降ろされた縄梯子《ばしご》を上って船の中へ。

「どげした事だらか。何もなければええが」

人々の不安をよそに、半刻（一時間）、その男は無事に現れ、梯子を伝って船に戻り、帆船を埠《ふ》

頭《とう》へ横付けした。

上陸した男はあたりを見渡し、刀を差した枝本を認めて近寄った。

「鳥取藩の景山です。今アメリカ人の艦長と話したところ、島の支配者に面会したいと。飲み水や薪《まき》が欲しいと言っております」

景山は実に堂々としていたが、枝本の顔は青ざめ、足ががくがく震えていた。景山の仲介に異を唱えることも出来ず、水の樽《たる》と薪を用意するよう指示し、景山の後に付いて蒸気船の梯子を上った。

甲板で待ち受けたアメリカ船の艦長は、七尺もある体を折り曲げて笑顔で枝本を迎えた。大声で喋りつつ身振り手振り……やがて枝本と景山を案内して船の中へ消えた。

半刻後、枝本と景山が艦長とともに甲板に姿を現した。枝本は船長にプレゼントされたのであろう、雨傘らしきものを手にしている。上気した顔で赤毛の艦長の差し出す手を恐る恐る握って解放され、ようやく陸に上がった。船着き場で見守っていた陣屋の家臣が心配して枝本の側に寄った。

「ご無事で何より。薪と水は用意いたしました。そのほかに何か？」

「い、いや、何も……」

ペリー来航以来国交の樹立したアメリカであり、水と薪のほかには特別な要求もなかったようであるが、枝本の足は、まだがくがく震えていた。

そばで、一部始終を見守っていた野次馬の一人が、すっとんきょうな声を上げた。

「ありゃ、陣屋のお侍、腰の物がないがの。取られなっただらか？」

「まさか、鳥取の侍は差してござるぞ、忘れなっただないかや」

枝本はその声を聞き真っ青になりうろたえた。あろうことか、黒船を引き上げるにあたり帯刀を置き忘れたのだ。

景山は苦笑しつつ家来に命じて枝本の忘れた刀を取りに行かせた。

その頃陣屋裏の調練場には農兵が竹槍や木剣を携えて集まり、指揮官が到着するのを待っていた。だが、郡代の留守を預かる次席はいっこうに現れない。そこへ港で一部始終を見ていた農兵の一人が戻ってきて、次席の失態を面白可笑《おか》しく語ったからたまらない。鉢巻き姿の農兵は大笑いし、緊張も何も吹き飛んでしまった。

黒船は六時間ばかりで西郷港を去ったが、その間の次席の無能と無策ぶりは目を覆うばかり。逆に、鳥取藩士の堂々とした立ち振る舞いは見事で、島民はあきれ果てるばかりか、悲憤慷慨した。

次席の枝本はほどなく更迭《こうてつ》された。この事件は異国船応接の失敗に加えて、島民に、藩は頼りにならぬ、との意識を強く植え付けた。

もっともこの時期、島後は気候不順と蝗《いなご》の大発生による凶作で農兵どころではなかった。困窮の最中にあっても藩の支援は無く、逆に穀物の作柄が極端に落ち込む中で年貢の重税である。年貢を納めたなら冬を待たずに食料は底をつき、飢餓に苦しむこととなる。

海には魚やサザエや鮑《あわび》は豊富であったものの、それを獲る気力もなえ、行き着くところ米や金の蓄えのある庄屋や神官に陳情をする、要求が受け入れられぬと一揆に及ぶのだ。

一揆鎮圧に当たるべき藩は、穀物の不作をよそに働き盛りの若者を農兵として鍛える、若者は農業に身が入らない、その若者が一揆の主役となり藩にたてつく、藩はこの矛盾した仕組みに気付き、見直しの検討を始めた。

慶応二年（一八六六）、新たな海防策として、島の中で身元が確かで財産家の子弟から三十人を選び、これに扶持を与え鉄砲操縦の技術を習得させ、「新農兵」として組織した。この対策は、外向けには海防の強化にあったが、その実は、米価高騰の折から、農民を農業に励ませ確実に納税させること、一揆に繋がる農民の武芸を禁止させようとの狙いがあった。藩は、慶応三年「武芸差留令」を発した。「農兵募集令」発令から僅かに四年後のことであった。

藩のこの身勝手な方針転換に、若者は戸惑い、大いに腹を立てた。殊に、中沼塾で学び、数年前に帰島した加茂村の庄屋井上甃介《しゅうすけ》はいきり立ち、藩に乗り込んで抗議する、と一人息巻いていた。

丁度そこへ、京における勉学を終えた中西毅男《はたお》三十四歳が帰郷した。

毅男の上京は、師である了三が孝明天皇の命を受けて奈良の十津川に文武館を設置したその翌年であった。十津川の住民は、古くから朝廷の兵士として出兵しており、学舎の設置は若い兵士に夢と希望をもたらすものであった。毅男は学びの館で朝から晩まで薫陶を重ね、了三のおとも で十津川の文武館を訪れ見聞を広めるにつれて、眠っていた才能がにわかにたぎり、了三も驚くほどの激烈なる勤王家に成長していった。

ところが、二年ぶりに踏んだ島後の地は一変していた。あれほど希望に燃えていた若者が、藩のご都合主義による「武芸差留令」で萎《しお》れているではないか。予想外の藩の方針転換に驚いた毅男は、藩の狙いを察知するや、対策に頭を巡らせた。

──武芸差留だと、このような時代に藩が国防をおろそかにするとは何事だ。藩がやらぬというのならわしらがやるだけだ。そうだ十津川に倣《なら》って、隠岐にも文武館を設置しよう。

京で学んだ毅男の頭脳は垢抜けしていた。すぐさまその構想を甃介に持ちかけたのだ。

「松江藩は因循《いんじゅん》（時代遅れ）で信頼するに足りぬ。我ら隠岐の若者で尊皇攘夷を目的とした文武館を設置しようではないか」

「それはええ、さすがは了三先生仕込みだ。早速同志を募ろう」

甃介は三歳年長の毅男の意見に、待っていたとばかりに飛びついた。

毅男らの準備は瞬く間に進み、慶応三年五月、島後の同志七十三名連署による嘆願書を整え、郡代の山郡《やまごおり》宇右衛門《うえもん》に提出するところとなった。

「……今、外夷の脅威は日々に切迫いたしております。本島は本土と隔絶した孤島で、藩による防衛もままならず、ために島内の若者で緊急に際し島を守りたいと考えます。つきましては、藩のお力で、文武の稽古をする文武館の設置と、武備や兵器を整えてはいただけませぬか。願いを叶えていただきましたなら、我々、粉骨砕身、島の守りとして大役を果たす所存にござります」

毅男ら代表者五名が差し出した嘆願書に目を通した山郡は、訝《いぶか》し気《げ》に口をきいた。

「何、文武館の設置だと。百姓に学問や武道はいらぬ、百姓は米を作っておればよい。第一この嘆願書には、庄屋の添え書きも入っておらぬではないか」

山郡はこの嘆願を、いとも簡単に却下した。

「庄屋の添え書きはどうせ口実だ。なら、次の手だ」

翌月、庄屋の添え書きを取り付け、四人の庄屋代表を陣屋に送り込み、再度嘆願に及んだ。

さすがに二度目である。山郡は添え書きのある嘆願をむげに拒否することも出来ず、各村の庄屋を順に呼び出し説諭に入った。

「今、設置する時期ではないし、そもそもその必要はない。二回も同じことを……。これは嘆願ではなく強訴ではないか」

山郡は、嘆願の張本人と思ったのか、八月十八日、加茂と目貫と山田村の庄屋を会所へ呼び出し、この対応を調方の錦織録蔵と渡辺紋七に任せた。甃介は、今度こそ役人と膝を交えて理路整然と要望し理解を得よう、こう決心して場に臨んだ。

「解らぬやつらよのう、武芸は士の仕事じゃ、お前やつは糞肥え担ぎ、牛の尻を叩いておればよい。嘆願書なぞ出す暇がありゃ年貢でも勘定しておれ！」

上座の錦織は、四年前に武芸訓練を指導したことなど忘れたかのように口汚い言葉を浴びせかけ、傲慢《ごうまん》に却下した。

始めの頃は冷静に言葉を選び嘆願していた甃介であったが、錦織の高圧的かつ見下げた物言いに冷静さを失い、次第に激しい議論に及んだ。

「本を正せば三代前の郡代、高橋様からのご指示、この五十三里の島が三十人で守れますか、よって四百八十人を鍛えたのではありませんか、ご都合主義も甚だしい！」

「貴様、百姓のくせに何をほざく、ちょっと訓練したからというて侍にでもなるつもりか」

「何を言われます。国防のために百姓も竹槍、弓、刀を持てとは藩のご指導……。錦織様が我々を、調練場で我々の訓練をされたのではありませんか。お忘れですか！」

「な、何だと、貴様！　都で了三に学問をかじったと思うて……。立て、活を入れてやる！」

武道に長けた錦織は、手首を取って下の間から上の間へと引き立て、立ち上がった甃介を投げ飛ばし、倒れたところを、脇から紋七が馬乗りになって押さえつけ、錦織が所持していた扇子で狂ったように背や肩を殴打した。

「やめろ、やめぬか！　腰抜け侍め、覚えておけ！」

怒った甃介は、翌日庄屋役を返上した。藩はこれを受理して家の門を釘付けにし、謹慎するよう「戸〆の処分」を申し渡した。


「糞ったれー、今に見とれ！」

錦織に投げられてしたたかに腰を打った甃介を裸にして、薬草で治療しつつ毅男は毒突いた。

「山郡や錦織らは感覚が古い、松江に行けば案外道が開けよう」

「松江……？　そげだ、伴蔵さんだ、伴蔵さんを頼ろう」

甃介のいう伴蔵とは、四年前農兵を集めるため庄屋を説得した高橋伴蔵のことで、高橋は好人物で、多くの島民から慕われていた。

毅男らは十二月、安部運平を松江に送り、高橋を仲介役として三度目となる嘆願書を藩に提出した。だがこれも一蹴された。

――松江藩のような、徳川にしがみついておる時代遅れの役人ではらちは明かぬ。京に行って中沼先生を頼ろう。十津川の文武館が陸の文武館なら、隠岐の文武館は海の文武館だ！

思案に思案を重ねた毅男ら同志は、遂に京に上ることを決意した。

年の明けた二月三日、毅男・甃介・忌部正弘・横地官三郎《よこじかんざぶろう》・長谷川貫一郎・大西仙助ら十二人は密かに福浦港から脱島した。西周りで下関に立ち寄り長州の動向を探り、萩、安芸を経由して京を目指したものの風向きが悪く、出発して間無しに浜田の外ノ浦《とのうら》港へ漂着するところとなった。

この頃の浜田は長州の軍政下にあり、長州の兵士によって厳格な治安が敷かれており、不審な団体や個人は厳しく糺《ただ》された。

そこで、同志を代表して官三郎が長州兵士に釈明するところとなった。官三郎は上西村の造り酒屋に生まれた庄屋で、誠実にして一徹な人物であった。ところが、身なりは武士で、刀を差していたから幕府の間者と見間違われ取り調べを受けるところとなった。

困った官三郎は、浜田の船問屋の小林儀兵衛に同志を差し向け口添えを得て、やっとのことで嫌疑を晴らした。

長州藩の責任者徳富恒輔《つねすけ》は、身分が明らかになると好意を示すところとなり、脱島の十二人と膝を突き合わせて歓談するようになった。そのうち徳富は怪訝《けげん》な顔付きをして首をひねり、大声で笑いだした。

「ははは、隠岐の農兵さん、尊皇攘夷とは時代遅れな」

「ええ？　時代遅れですと？」

この時期、中央の政治は一大転換期にあった。すなわち十月には将軍の徳川慶喜が朝廷に大政を奉還し、十二月には王政復古が実現、一月三日、遂に鳥羽伏見の戦いが勃発し、政府軍が勝利したのだ。だが毅男らはその大事件を露ほども知らなかった。

「世の中は変わったぞ。幕府は潰《つぶ》れ、朝廷が政権を握って国を開き、西洋と貿易をし、今や新しい国造りに邁進《まいしん》しておるぞな」

——なんと、幕府が潰れ朝廷が政権を握っただと……。これは大事件だ。ということは、隠岐は幕府の支配から脱したのかもしれぬ。京へ上る必要はなくなったようだ。早速隠岐へ戻って作戦の練り直しだ。

驚きとともに喜び勇んだ毅男らは上京を取りやめ島後へ。ところがその頃、松江では隠岐にかかわる重大問題が発生していた。

鎮撫使は当初、隠岐まで足を運び現地を監察する予定であったから、二月二十八日、鎮撫使を迎えるため、隠岐から島後大久村庄屋の斎藤村之助、平村庄屋の横地愛藏、島前福井村庄屋の村上喜平太の三人が松江入りし、三の丸に臨んだ。ところが、鎮撫使は西園寺総督の多忙な日程から隠岐入りはこれを取り止め、書簡によりその意を伝えることとし、米子から松江城気付で、隠岐の役人宛に送付したのだ。
松江入りした三人の庄屋に対応したのは、元島後の郡代鈴村祐平《ゆうへい》で、今日は普段と異なり笑みを浮かべてやけに低姿勢である。
「隠岐から御越しの公文役（庄屋）の方々、誠に相すまぬことであるが、鎮撫使から届いた隠岐宛の書簡、表の封書を誤って開封してしまった。役人の軽率によるものだ。御勘弁願いたい。これが外封です」
鈴村が三人の前に、封筒を差し示した。
表の宛名は、
『隠岐国
　公文役方中江　大急《おおいそぎ》御用』
裏書きは、
『二月二十六日、伯州米子城下より
山陰道鎮撫使　西園寺殿　御守衛役所』
とある。鈴村は愛想笑いを浮かべながら続けた。
「そこでだ、この内封筒、この場で開けてはくれぬか」
何という言い草であろう。外封は誤って開封したが、内封はお前たちで開けろと……。村之助と愛藏は激怒し、激しく抗議をした。

「な、なんで左様な！　冗談を、失礼ではござりませぬか！」

だが鈴村はひるまなかった。鎮撫使の松江入りにピリピリしていた藩は、この日から始まる一行の査閲がいかに進展するものか、隠岐にいかような指示が下されているのかを何としても知りたかった。よって隠岐にかかわりのある有能な藩士、鈴村にこの問題の処理を託したのだ。鈴村の要求は半ば強制的で、二人は大反対したものの島前の村上喜平太が、元郡代の顔をたてようと、自ら封を切った。

開封した文書の内容は、双方にとって極めて重大なものであった。

『勅使西園寺殿は多忙な身で帰京を控えており、隠岐へ巡撫出来ぬことを承知願いたい。なおこの度、その方の国、朝廷御料と相成った。一国中の田畑石高・人員・牛馬・海上産物などについて、これまで雲州松江藩が取り立てていた諸税物品などの集計を、子細《しさい》に大小取り調べて、それを記した郷の帳簿を、公文二名をもって京都の鎮撫使役所に持参されたい』

書簡を読んだ公文はもとより、鈴村も大いに驚いた。

「朝廷御料とは、隠岐が帝《みかど》の……。ほ、本当にござるか！」

「やった！　やったぞ！」

村之助と愛藏は、今、松江城内にいることも忘れて大声を張り上げた。対する鈴村は、怪訝《けげん》な顔つきである。

――まさか、隠岐の地が松江藩の支配を脱したとは……。官軍はここまでやるのか……。それにしても何で頭越しに隠岐に？

だが、すぐ平静に戻った。苦々《にがにが》しい顔つきで鈴村は強制した。

「さあ、請書を書いて下され、請書を」

書簡を無理やり開封させられたことには立腹したものの、予期せぬ吉報に心を奪われた村之助らは、不承不承《ふしょうぶしょう》請書に署名した。

三者三様、それぞれの思いを胸に隠岐役所の門を出て、大手門に差し掛かったところで、番人から行く手を遮《さえぎ》られた。

前方に無数の提灯の明かりが揺れ動いている。見れば大手門から本丸に向かう通りの左右に、無刀で裃を纏《まと》った藩士が雪の上に土下座しているではないか。

「どげしたことだろうか？」

不思議な光景に驚いた村之助が、疑問の声を発した。

「控えておれ。都から来られた鎮撫使様の御一行をお迎えするのだ」

番人が小声で囁き、三人を松の大木の陰へ誘導した。

やがて行列が近付くと、土下座した藩士は一斉に平伏した。対照的なのが行軍する兵士である。背筋をピンと張り、肩を怒らせ、土下座している士を蔑視《べっし》するかのようだ。

遂に時代は変わった、胸の中に湧き上がるものを覚える島後の二人の庄屋。だが、島前の村上喜平太の顔つきは二人とは違っていた。

十七　無血革命

慶応三年（一八六七）六月〜慶応四年（一八六八）三月二十日　隠岐島後

西郷湾のほとりの陣屋には常時十人程の藩士と、その世話をする軽輩（奉公人）や賄《まかな》い婦がおり、軽輩の中に、出雲国北堀村の出で、十九歳の長太郎がいた。長太郎の父梅三郎は、長州征伐に浜田へ砲手手伝いとして出陣し、怪我がもとで死した。二十歳となる長太郎は、今年は晴れて足軽の道が開けると見込まれていた。

陣屋には二人の賄い婦がいて、うち一人は陣屋から北西半里にある玉若酢命神社近く、惣社村のお菊である。お菊は、野菜などを自宅から持参して料理を作り、賄いの仕事に精を出していた。

少々足が不自由な彼女は、玉若酢命《たまわかすみこと》神社の巫女《みこ》として働く娘のお玉十八歳に野菜運びを手伝わせていたから、長太郎とお玉は顔なじみであった。

玉若酢命神社は、玉若酢命を主祭神とし、隠岐国の開拓にかかわる神と伝えられる。宮司を務める億岐有尚《おきありひさ》は隠岐国を統治してきた「国造《こくぞう》」家の末裔《まつえい》である。この神社に伝わる驛鈴は律令時代に朝廷より貸与されたもので、全国でこの神社以外に存在しないという貴重な遺産である。

前年、玉若酢命神社の初夏の大祭に詣でた長太郎は、そこで巫女として舞うお玉を目の当たりにし、その妖艶《ようえん》な魅力に引き付けられ、娶《めと》りたいと思うようになった。以来、お菊にかこつけてお玉の家に通い、親しく口の聞ける仲となった。

お菊の家には、お玉のほかに、年老いた祖父母、それに長男の茂平がいた。

茂平は、僅かばかりの田畑を耕す傍ら、数年前から農兵としても熱心に活動しており、去年の暮れ頃から留守がちであった。ゆえに長太郎は、夕方陣屋を抜け出し、お菊の作る食事をよばれ、お玉と話し、午後五ツ半（九時）に陣屋へ戻る日々であった。

四月には、隠岐の年季が明け、晴れて松江藩の足軽となる見込みの長太郎は、一月のある日、思い切ってお玉に心を打ち明けた。

「いよいよわしも今年中には兵士になる。仕事場は松江に変わろうが、必ずお玉さんを呼び寄せるゆえ、嫁になってくれ」

足軽になれば字名や帯刀が許され、雑賀町の長屋にも住めるのだ。だが、お玉から予期せぬ言葉が返ってきた。

「……本土の方は信用が出来ませぬ。これまで何人かの女がその気にさせられ、挙句の果ては約束を違《たが》えられております」

「うーん……」

長太郎は、思わず胸が痛んだ。自身には、千恵という許婚《いいなずけ》（親同士が決めた婚約者）が松江にいたからだ。だがそれを決めた父親も死に、離島に来て三年、千恵のことなどすっかり忘れていた。ところが昨年、千恵の伯父と名乗る渡辺紋七が点検方としてこの陣屋へ来たのだ。紋七は酒を飲む度に、千恵のことを口にした。

「わしは母上と同じ仕事場、心配には及ばぬ」

「長太郎さんが良いお人ということは分かりますが……」

千恵のことは伏せて口説いた長太郎である。だがなぜかお玉はこれ以上前に向こうとはしなかった。そこで長太郎は母親お菊にその理由を尋ねた。しばし躊躇していたお菊が、口を開いた。

「……実は、騙したのはあの子の父親、私は騙された女です」

「な、なんと……」

お菊は涙ながらに語った。元の夫は漁師で、若くして海で死した。陣屋で飯炊き女として働いていた二十代後半——。その頃、若く逞しい藩士が陣屋に来た。寂しかったお菊は若者に接近、二人はたちまち恋仲に——。お菊が身ごもっているのを知りながら、その男は藩の命令を受けて松江に帰った。固い約束を交わしたお菊であったが、男から文の一本来ず、捨てられたというのだ。

「……お玉さんはその男の……。わかりました。それがしは、そのような悪い男ではありませぬ」

「この際申し上げます……。実はもう一つ……。兄の茂平のことです」

「なに、茂平どの、茂平どのが如何しました」

「あれは真面目な男です。ところが農兵として活動するうちにのぼせてしまい、この頃『松江藩は敵だ、今にやってやる！』などと暴言を吐き、私を避けるようになりました。今に何かしでかかすのではと心配でなりません」

「松江藩が敵だと！　うーん……。詳しい事情は分からぬが、そういえばこの頃農兵が無理を言って来るらしく、郡代の山郡様などが困っておられる様子だ」

「私も陣屋の賄い婦、上の人に息子のことが知れると、仕事を辞めねばなりません」

期せずして、二人は同じ悩みを抱えるところとなった。


浜田から毅男ら十二人が帰島した三月九日、時を同じくして村之助と愛藏が松江から戻り、加茂村の庄屋井上甃介宅に集まった。

村之助から、隠岐が朝廷御料になったことと併せて、非礼極まりない鈴村の無断開封の話を聞いた毅男や甃介、それに正弘、官三郎、貫一郎は顔色を変えた。

「何だと、手紙の封を切らせただと！　朝廷御料は嬉しいが、あの野郎、断じて許せん！」

「それもこれも、平素から横道極まりない山郡のせいだ」

「そげだ、隠岐が朝廷御料になった以上、松江藩がここに居座る理由はないぞ。叩き出してしまわこい！」

「生ぬるいわ、郡代の首を取ってやろう！」

燃え易い島後の若者の議論は激しさを増し、遂に日をまたいだ。

十日夜、十二人は決着を付けようと、毅男の実家、山田村庄屋中西喜一郎宅に集まった。

脱島十二人衆が長州藩から凄い土産話を持ち帰ったらしい、この噂を聞きつけた同志が続々と集まった。そこへ火に油を注ぐように、松江表における公翰《こうかん》強制開封だ。

平素は百姓仕事で刺激の少ないこの島に、目から火の出るような話が二つ、血の気の多い若者をいやがうえにも熱くした。

口々に郡代追放などを激しく捲《まく》し立てたところで、官三郎が姿勢を正し真顔になった。

「この問題はもはや隠岐全体の重大事件、どうだろう、全島の庄屋を集めてしっかり議論しようではないか」

「おう、さすがは官三郎だ、異議なし、早い方がええぞ」

「触れをするのに三日はかかる、善は急げだ、十五日でどうだ」

島後の庄屋大会の日取りは、たちまち十五日と決した。

「そうは言うが、島前はどげする。島前を抜きには出来ぬぞ」

島前は西ノ島の別府に代官所があった。代官足羽丈左衛門は山郡郡代と比べて深い配慮があり、その政策は島民に受け入れられていた。

殊に廻船問屋は、出雲の国と商売の繋がりが密で、松江藩の支配下でこれを順調に進めていたから、急激な変化を望まなかった。

だが事は重大である。毅男は翌日、松江帰りの村之助などを仕立てて中ノ島に渡らせ、福井村村上喜平太他数人の庄屋に説得を試みたものの、島前には被害意識も緊迫感もなく、軽くいなされた。

「予想通りだ。あいつら代官と商売で繋がっておる。ええよ、当面は島後だけで進めらこい、何度でも使者を差し向ければばえぇ」

毅男の意見に賛成した同志の面々は、次なる措置として庄屋大会の場所選定に入った。

「陣屋に漏れると危ないぞ、慎重に場所を選ばぬと」

甃介の言葉に原田村の若き医師、長谷川貫一郎が続けた。

「絶対に安全なのは船だ。海の中まで陣屋も追っては来ぬ」

「ははは、それは最後の手段、国分寺という手がある」

後醍醐天皇が仮の御所を置かれた国分寺は西郷の町外れにあり、秘密の会にはもってこいであった。

郡代を追放して新しい隠岐を作ろう、過激な同志が主流となって進めた島後の庄屋大会は三月十五日の夜、国分寺での開催が決定した。

甃介が庄屋大会の通知文を認《したた》め、手分けしてこの写しを作り、全四十九村の庄屋に触れをしていた最中のこと、米子から戻ってきた魚商人の源助が、荒い息をしながら飛び込んできた。

「なんと、え、えらいことだ、年貢が半分になるぞ！」

「何だと、年貢が半分だと、冗談いうな！」

「本当だ！　宮津から米子に戻ってきた商人が……」

「源助、まあ茶でも飲め、気を落ち着けて話せ」

甃介が冷めた茶を湯飲みに注いだ。それをがぶがぶ飲んだ源助が額の汗を拭いた。

源助の話すにはこうだ。山陰道鎮撫使の一行が京都から宮津に入った折、「今年の年貢は例年の半減になる」と大宣伝して行軍したという。米子から宮津に出かけていた木綿の仲買人がこの行軍を目の当たりにし、話を持ち帰ったというのだ。

「何や、年貢半減だ！　本当か、さすがに官軍だ」

「鎮撫使殿は朝廷御料に続いて、またわしらを悦ばしてごしなー」

「明日の庄屋大会は盛り上がるぞ。わはははは」

世話人一同は源助を交えて車座になり、茶碗酒を始めた。


三月十五日夜の国分寺は沸きに沸いた。年貢半減の話題も伝わったことから、島後四十九人の庄屋の内四十人が集結した。

世話人の毅男と嶨介が経過を説明し、会は一気に中心議題である書状を開封した松江藩を問責し、隠岐郡代を追放にもっていくか否かの議論に入った。

「何度も言うように、鈴村の非礼は偶々《たまたま》ではない。藩が日常的に隠岐を侮辱しておるその顕れだ。絶対に許せぬ。郡代は追放すべきだ」

批判の急先鋒は松江帰りの村之助であった。だが、もう一人の愛藏は腰が引けていた。

「隠岐は朝廷御料になったとは言うものの、年貢はこれまで通り松江藩経由、良い関係を保つべきです」

意見は二極分化された。五箇など農山村を拠点とする零細農・漁民層の強硬派と、西郷を中心として港湾機能を軸に発展してきた商人・町衆などの稳健派である。

西郷の特権商人は、天保期頃から櫨座《はぜ》（蝋燭を扱う商人）、菜種座、椎茸座などを組織し、米問屋、廻船業者と共に藩役人と結び、利益を独り占めしていた。

郡代追放派は自らを「隠岐正義党」と称し、出雲国松江藩になびく一派を「出雲因循党《いんじゅん》」、略して「出雲党」と称し蔑《さげす》んだ。

毅男らは、両派の対決を和らげるため、途中で「年貢半減」の話を持ちだした。このことについては両派とも大きな関心を寄せ、朗報は持ち帰って島内全域に知らせようと合意を見たものの、郡代追放の議論になるとたちまち元に戻った。庄屋二派の議論は夜になっても平行線で、結局穏健派が業《ごう》を煮やして退席するに及んだ。

この夜、強硬派の若者は国分寺からほど近い横地家で庄屋大会をけん制しており、正義党の面々も、やがて横地家へと合流した。翌十六日、再度正義党の顔ぶれが横地家に集まった時は、同志の数は百人を超えた。上席に座を占めた十二人衆がこの会議を主導し、郡代とその配下の追放の手段などを協議していた時のことである。それまで黙っていた廻船業を営む庄屋の政一郎が、遠慮がちに発言した。

「郡代の追放は治安問題にならぬであろうか。政府から弾圧を受けかねぬ、話し合いで解決すべきではないか」

「なんだと！　お前商売が可愛いだけだろうが、この野郎、斬る！　斬るぞ！」

こともあろうに脱島組の一人、貫一郎が眉を吊り上げ、刀に手をかけ政一郎に迫った。

「待て！　仲間割れして大事が果たせるか！」

水若酢《みずわかす》神社の大宮司で実力者の忌部正弘が、大手を広げて貫一郎を嗜《たしな》めた。厳《いか》つい躰、太い眉、顔中にひげを蓄え射抜くような鋭い目。貫一郎は我に返り深い礼をして、居ずまいを正した。

「刃《やいば》は罪のある郡代へ向けるべきでありました。山郡は追放などで済ますわけにいきませぬ。わしが首を斬りましょう」

「冷静になれ、みんなでじっくり考え、最善の道を選ぼう」

甃介が貫一郎の肩に手をまわし、その場はようやく沈静化した。

十五日から繰り広げられた横地家の会議は、十七日に至り、島の四人の長老、玉若酢命神社宮司億岐有尚、水若酢神社宮司忌部正弘、毅男の父中西淡斎、甃介の父井上春水が勢ぞろいした。

これまで、郡代の首を斬るべし、と強硬に主張していた貫一郎も折れ、「郡代追放」で一枚岩になった。

この席での長老からの注文は「島民挙げての意思であること、この動きを暴徒化してはならぬ、郡代追放後天朝の命の下るまで秩序ある政《まつりごと》を執り行うこと、この行動は島前と共に隠岐の国一体となって取り進めること」の四点で、同志は全員異論なくこれを受け入れた。

そこで、再度島前に使者を派遣し、郡代追放に同調するよう要請したものの、島前は姿勢を崩さなかった。

正義党は島後一枚岩の下、郡代追放の日を三月十九日と定めた。

――これでよし。時間は掛かったが、全員の賛同を取り付けた。ここまで丁寧に議論して出した結論だ。了三先生も評価して下さるであろう。

毅男は、自ら主導した島後改革の火が赤々と燃えだしたことに言い知れぬ喜びを感じていた。

一方、お玉に思いを寄せる長太郎――。

「どげですか、茂平さんのことは誰にも内緒にしておきましょう。何があれ、わしの心は揺らぎませぬ。四月にも松江に戻ったなら、準備万端整え、必ずお玉さんを松江に呼びます。わしの嫁に下され」

情熱溢れる長太郎の訴えに、お菊の表情が緩んだ。

母の説得もあったのであろう、お玉は徐々に心を開き、三月になって、長太郎を見る目が変わってきた。お玉にとってこのまま中途半端に離別すれば、兵士の妻になることなど永遠にあり得ないのだ。

三月十五日夜のこと、家を訪ねた長太郎にお玉が向き合った。

「あなた様が西郷を離れられるまであと半月、私、ようやく決心しました。如何でしょう、明後日の夜、二人で玉若酢命神社に参り、神様の前で結婚の約束を致しましょう。そして……」

長太郎にはお玉の言わんとしていることが瞬時に分かった。

「おお、夢のようだ。今、陣屋はバタバタしておるがわしは奉公人、一人居らぬとて何の問題もござらん、では明後日……」

長太郎とお玉にとって、待ちに待った十七日がやって来た。

夜五ツ（八時）人っ子一人いない玉若酢命神社に二人は詣で、本殿に向かって柏手を打った。

「神様、長太郎は、お玉さんを娶《めと》ることを約束いたします」

「わたくしお玉は、長太郎様の嫁になることを誓います」

神の前で約束を交わした二人は、その夜、母、お菊の用意した離れの四畳半で、床を共にしたのである。


翌十八日の早朝、寝ぼけ眼で陣屋に戻り来た長太郎であったが、運悪く門番の伝八に捕まった。

「長太郎、朝帰りとはふとどきな、屋敷が今どのような事情にあるか奉公人でも分かろうが。どこで遊んでおった！」

長太郎が兵士に登用されることを妬んでいた伝八は、厳しく迫ってきた。丁度そこへ、中堅藩士の渡辺紋七がやってきた。

「どげした長太郎……。朝帰りか、わっははは。伝八、こ奴はわしの姪の許嫁だ。勘弁してやってごせ」

紋七の執り成しでその場は収まったものの、長太郎にとってその存在は大きな枷《かせ》となった。


正義党は郡代追放の総大将を正弘とし、毅男や甃介、官三郎らが細部的な作戦を練って組織を固め、十八日の朝から全島に檄文を飛ばした。

各庄屋は、庄屋大会以降、島がかつてない重大な危機に直面していることを悟り、村に持ち帰って集会を重ね、動員体制、武器の調達、兵装、食料の携行など戦いの準備に奔走した。

島民には希望の光が射していた。年貢半減の朗報である。殊に、西郷を除く農山村では、人々が寄ると触るとその話題で持ちきりとなった。

十八日の夕刻、横地家で最後の打ち合わせの最中、原田村高井家の下男が、辺りを気にしながら頬かむりをしてやってきた。下男から事情を聴いた貫一郎が、慌てて大広間に駆け込んだ。

「大変だ！　陣屋がわれらの作戦を嗅《か》ぎつけた！」

「何だと、どういうことなら！」

「どこから洩れたかは分からぬが、正義党の作戦が郡代に知られ、渡辺紋七が八尾川《やびがわ》沿いの庄屋の米蔵を片っ端から調べておるようだ。今晩高井家へ泊まり、明日は貫一郎の米蔵を検査するらしい」

原田村の年寄（庄屋補佐）を務める高井家の当主は、出雲党寄りの人物であった。だが、陣屋の紋七が「備蓄している籾米《もみごめ》の調べ」と見え透いた虚言を用い、隠匿している武器を押さえ、郡代追放作戦を破綻《はたん》させようと密行していることを知ると、毅男らに伝えぬわけにはいかなかった。

殊に紋七は、気が短くて粗暴で袖の下をせびる小役人として嫌われていたから、なおさらだ。

「飛んで火にいる紋七だ、丁度ええ、捕らまえて人質にさこい」

「人質だ、紋七は剣術の達人ぞ、どうやって捕らえるかだ」

官三郎は、ニヤッと笑って片目をつぶった。

「酒だ、酒をたらふく飲ませて、寝たところを襲うのだ」

座の者が一様に納得顔をした。紋七の飲んでの失敗談は事欠かず、島中に知れ渡っていた。

「しこたま飲ますだと？　なんぼ紋七でも今夜は控えるであろう」

心配声の甃介に対し、官三郎は自信ありげに握り拳を突き上げた。

「屋敷に客を送り込もう。当主と親しい前岡茂之丞が良かろう。囲碁友達らしいから紋七も疑わぬわ。手土産は上等の酒と肴だ」

やがて横地家から提灯をぶら下げた高井家の下男と、酒肴を手にした前岡が肩を並べ、後方から数間おきに四人五人の集団が続いた。


ここは高井家の客間に対面した庭。毅男ら二十人が屋敷を取り巻き庭木の陰に身をひそめた。客間から数人の男の声がする。

「コウ、ヨセ、シチョウ」などと囲碁の話で盛り上がっていたが、やがて酒の話題に変わり、一刻半（三時間）過ぎた頃、前岡の「しげさ節」が、更にろれつの怪しい紋七の「安来節」のお返しがあった。拍手喝さいの後、座はお開きとなったようだ。

それから半刻、部屋の明かりも消え、辺りは静寂に包まれた。

丑《うし》の刻（午前一時）、下男が手燭を下げ腰をかがめて毅男のもとへ。紋七の部屋を指さした。

一同背をかがめ庭木の茂みを抜け、部屋の周りを取り囲み、毅男が口に両手を添えた。

「こら、渡辺紋七、出て来い！　紋七、出て来い！」

毅男の大声が夜のしじまを破った。だが何の応答もない。

「紋七、紋七、出て来い！　出て来い！」

とすると、突然縁側の障子が開き、きらりと光る長い物。

「なにやつ」

長身の紋七が抜き身を構えて縁側から庭に飛び降りた。

これを取り巻く毅男ら、農兵として二、三年の経験があるとはいえ、もとより剣術は素人、雲間の月に照らされた長刀の鈍い光に圧倒されたもののそこは数の力、毅男の号令により一斉に五人が長い槍を突き出した。あと下がりし辛うじて切っ先をかわした紋七、酔いに足を取られたのか、植木鉢に乗り上げ背中から地面に。

――ズッテン！

「狙撃組前へ！」

毅男の号令と共に三人が銃を構えて、一斉に紋七を取り囲んだ。

「ウッ、ま、待て、お前たち、何やつ、待ってくれ」

「撃つな、撃つでない、こやつは人質じゃ、信太郎前へ」

毅男の号令だ。三年連続隠岐相撲で大関を張った信太郎が、荒縄を手に脇を固めて紋七に迫り、これに気を取られてふらついたところを横合いから、拓三が長い手を伸ばして刀をもぎ取った。こうなれば信太郎のもの、果敢に跳びかかって得意の外掛けで仰向けに倒すと、腕をひねって腹ばいにさせ、後ろ手に縛りあげた。「立て！」ふらついて立った紋七の腰に、縄を掛けた。

信太郎と拓三は千鳥足の紋七を引き立て、五町（六百メートル）離れた横地家まで歩かせ、籾蔵《もみぐら》に押し込み柱に括《くく》りつけた。

「この蔵には青大将（蛇）が三匹もおる。仲良く遊べ」

信太郎と毅男は、鼻歌を歌いながら土蔵の錠前を降ろした。


十九日の未明、西郷の町を取り巻く四方の尾根から、赤く揺らめく光の帯が町に迫ってくる。その帯は、西郷に入ると東西北から港の方向を目指した。手に手に松明《たいまつ》と竹槍を持ち、鳶《とび》口や鎌、中には猟銃も。腰には風呂敷や縄で編んだ兵糧袋をぶら下げている。

周囲の街道から西郷に入った大集団は、やがて陣屋裏の丘、眼下に西郷湾の開ける調練場に集結した。松明の明かりが陣屋を照らし、松脂《まつやに》のはぜる匂いが煙に乗って早朝の港町を覆う。その総勢は優に三千人を超えている。直前に流された「年貢半減」の指令は、いやがうえにも島民の参加意識を駆り立てた。

竹槍が空に突き出し、栗の毬《いが》の如く並び立ち、異様な興奮と緊張感がみなぎっている。

「イチニ、イチニ、イチニ、イチニ……」

その時、港の方角から勇ましい掛け声が調練場へ。二列の一糸乱れぬ駆け足の集団は、全員銃を肩に見事な刀、統一した装備である。

「駆け足、止まれ、農兵三十名集結、これより、忌部総大将の指揮下に入ります！」

凛とした声が響き渡った。

正弘が、戸惑いながら申告を受け、甃介が、指揮官と思《おぼ》しき男に理由を問い質《ただ》した。

「我らを、同志として戦わせて下され。我らとて思いは同じです」

何と、走り来たのは一昨年指名され松江藩の訓練を受けている農兵三十人ではないか。郡代を見限って投降してきたのだ。

「これは嬉しい、島のために一緒に戦おう」

総大将の正弘は、大きく頷いた。郡代の唯一の兵士であるはずの農兵が、叛旗を翻《ひるがえ》してともに戦いたいという。正弘と毅男、そして甃介が顔を見合わせ、感激の表情を浮かべた。

この日は朝から曇り空であった。昼四ツ（十時）七人の僧侶が黒染めの衣をからげながら石段を登ってきた。肥《ふと》って赤ら顔の僧侶が、総大将正弘の前へ進み出た。

「一体この騒ぎは何事にござりますか、町民は皆迷惑しております。文武館設置の件については我々が郡代と話を付けましょう。よって速やかに解散されますように」

「お断りいたす！　隠岐は神に繋がるみかどの島になった。仏にお仕えするお方に用はござりません」

「手荒なことをされますと、後が面倒になりますぞ。くれぐれもご用心を……」

「いらぬお節介、お戻り下され」

正弘がきっぱりと言い放つと、七人は軽蔑の眼差しで読経しながら去っていった。

ここで正弘が一同を見渡して声を張った。

「我らは島後の世直しのためにここに集結した。穏便に交渉して目的を果たすのだ。敵が手を出さぬ限り、こちらが仕掛けることがあってはならぬ。我らの共通の理念は正義である。わかったな！」

「おう！」

兵士の力強い掛け声が陣屋の建物に響いてはね返った。

日が昇る頃、一群は高台の調練場から西郷の町へ降りていった。大通りは、竹槍集団で立錐の余地なく埋め尽くされた。

周囲五町の陣屋を、実に島後全男子の三分の一を超える三千四十六人の兵が取り囲んだのだ。

やがて、戦闘の指揮官、官三郎以下三人の庄屋が陣屋の門に進み出、藩兵と掛け合い、問責状を突きつけ胸を張った。

平素は厳《いか》つい陣屋の門は、この日威圧感はなく、官三郎らは玄関に立ち、応対に出た代官の今西物兵衛に恭しく封書を差し出した。

青ざめた表情の今西が突っ立っている。官三郎の丁重な物言いで我に返り、目を白黒させながら震える手で問責状を受け取った。

一　藩政が私利私欲に走り人民を苦しめている。
一　国土防衛のため文武館設置を嘆願したがこれを拒否し、嘆願した庄屋に暴力を振るい、庄屋職を取り上げ、戸〆申付《としめもうしつけ》をした。
一　鎮撫使が隠岐公文に宛てた書簡を、藩が勝手に開封した。
一　隠岐は朝廷御料となった。藩は早々に立ち退くべし。
一　藩に敵意はないが、そちらが武器を向けたなら残らず打ち取る。

当時陣屋には郡代の山郡、松江から急遽応援に駆け付けた鈴村、郡代補佐の代官今西、調方の錦織録蔵以下足軽など下僕や家族三十人がいた。

島後に不穏な動きあり、この情報を入手した松江藩は、元の郡代で、切れ者の鈴村祐平を差し向けた。

だがその鈴村は、陣屋を取り囲んだ大集団を目前にして言葉を失い顔面蒼白である。対する山郡は真っ赤な顔でいきり立っている。

「くっそ！」

血走った眼で問責状を座卓にたたきつけ、大声を発し、壁にかけていた大身《おおみ》の槍の鞘《さや》を払って大股で門に向かった。

「止めよ、山郡どの、早まるでない」

狼狽した鈴村が、懸命に山郡の袂《たもと》に手をかけ引っ張った。

「離せ！　我は殿の命令で隠岐を治めておる、一歩たりとも引かぬぞ！」

「待て、冷静になれ、ここで飛び出せば犬死に、紋七の命もない」

紋七の名を耳にした山郡は、ようやく我に返った。

「敵は数千人、とりあえず島前まで引き下がり援軍を待とう、立て直すのだ」

槍の名手の山郡は、地団駄を踏み、鈴村を睨み付けた。

昼前になると陣屋の周りは竹槍軍団で埋まり、正面には櫓《やぐら》が立てられた。総指揮官の官三郎が櫓の上から、大声を発した。

「山郡どのに告ぐ、隠岐は朝廷御料となった。早々にご退却あれ」

返事がないとみるや、官三郎は門の前に移動し、再度声を張った。

「退却するまで何日でもここに陣取る。隠岐は朝廷御料であるぞ」

門の内側では、なおもいきり立って槍を握りしめる山郡がいる。

鈴村が代官今西の脇に寄って耳打ちをし、今西が玄関に現れ官三郎に告げた。

「陣屋は引き渡す、兵を退《ひ》かせよ」

官三郎は幾分表情を緩め、総指揮官の風格をもって一礼した。

郡代が退去することを知った憂国の同志は、狂喜した。

竹槍軍団は仲間同士で竹と竹を重ね合わせ、喜びを音にした。

「やった、やった！」

——カチカチ、カチカチ、カチカチ、カチカチ
その音は、海潮の如く陣屋の周囲に広がっていった。

同志派は、山郡らの陣屋退去に当たって「屈服状」の提出を求めた。山郡は抵抗したが、鈴村から紋七の命がかかっていると諭されると、やむなく署名し、目を三角にして印を押した。

その日の夕方、藩士や家族など三十余人は、農兵が囲むように作った人垣をかき分けて静かに立ち退いていった。船着き場近くになるにつれて、赤や青の着物を纏《まと》った町人の姿も見える。そ

の中に、お玉と母のお菊がいる。お玉は目を真っ赤に泣きはらしている。長太郎がお玉の前に差し掛かったその時、お玉が袂から小さな包みを取り出し、素早く手渡した。

「長太郎様……。あああー、必ず…必ず……」

「分かっておる、体を……いとえよ、うっ、うっ……」

懸命に涙をこらえる長太郎、伸ばしたその手が、お玉の手に触れようとしたその瞬間だ。

「お前やつ、さっきから何しておる、さっさと歩け！」

無神経な農兵が二人の間を引き裂いた。農兵に押されて涙の目で後を振り返りながら、長太郎は船上の人となった。

藩船、観音丸に乗り一夜を明かした山郡ら三十人は、翌日の午後紋七が解放されると、出帆の銅鑼《どら》の音に急かされるように、夕闇迫る西郷の港を離れていった。

離島に際して、憂国同志から白米二俵と清酒一樽二斗が贈られた。船は島前に立ち寄ることなく、松江にまっすぐ帰還した。

ここに、島後の無血革命は成し得たのである。

十八　八十日の民主国

慶応四年（一八六八）三月二十日～閏四月末　隠岐―京都

毅男にとって、怒濤の如き三月十九日が暮れた。

三千四十六人の島民が陣屋を包囲し、郡代以下三十人を撤退させたが、死者はおろか一人の怪我人すら出すことなく目的を遂げ、郡代には土産まで持たせることが出来た。これは同志にとって言い表すことの出来ぬ誇りであった。いよいよこれから自治政府の樹立である。

憂国の同志の中に、西洋の政治機構を理解した目貫《めぬき》村出身の医師大西玄友がいた。玄友は天保十三年（一八四二）生まれの二十六歳。二十歳の時京に上り医学を修行し、やがて長崎に移り蘭方医学を修める過程で、西洋のデモクラシー思想に遭遇し、これを学んだ。

故郷の土を踏んだところでこの騒動が勃発し、玄友は本業の医師そっちのけで憂国の志《こころざし》に燃え、仲間入りして行動するようになった。

運動が文武館設置の嘆願から郡代の追放に発展し、毅男らが新しい国づくりを模索していることを知ると、玄友の若い血が騒いだ。

「いかがでしょう、隠岐の国づくりに、デモクラシーを導入しては」

「なんだ、そのデモクラシーとやらは」

「民が自ら政《まつりごと》を行うことです」

「民が政だと？　なるほど、それは面白そうだ。よし、お主も国づくりの一員だ。一緒に汗をかけ」

　毅男らは初めて耳にする西洋言葉と、その斬新な政治機構に驚きつつも魅力を感じ、さっそく玄友を計画作りの仲間に組み入れた。


　毅男らがまず手を付けたのは、自治政府づくりであった。

　機関中枢の「会議所」に陣屋の本体を充てることとし、ここに長老四人を据えた。これはいわゆる「立法機関」で、玉若酢命神社隠岐国造の億岐有尚、水若酢神社大宮司の忌部正弘、儒者の中西淡斎、前加茂村庄屋の井上春水の面々である。独裁にわたらぬよう、その運営は合議制とした。

　次に執行機関として総会所、すなわち「行政機関」を設けた。この頭取に穏地《おち》郡大庄屋の重栖《おもす》恕平《じょへい》が就任した。いわば内閣総理大臣に該当する。

　行政の各部所は文事頭取（内閣官房・文部）、周旋方（外務）、軍事方（防衛）、算用調方（大蔵）、廻船方（運輸）、記録方（総務）で、企画や文章力に長じている毅男と甃介は文事頭取に就いた。執行機関の長には各村の庄屋や年寄を充てたが、これは各省庁の大臣といった趣である。また、目付役（裁判）が司法府に該当した。

この仕組みはいわば三権分立であり、その骨格は、玄友の意見を要所に取り入れて毅男らが策定し、人選については、世話人の長老と相談して決めた。これはまさしく人民政府であり、明治政府に先んじた、日本における民主政治の先駆けであった。

次に、軍事方は松江藩の逆襲に対処するために、戍兵《じゅへい》局、義勇局、揮刀《きとう》局を設け、それぞれ五十人を配し、交代で港湾を巡回して警戒を強めた。

また、念願の文武館は、丘の上に建ち海を見下ろす絶景の庭を持つ郡代屋敷を充てることとし、文武の学び舎に相応しく、「立教館《りっきょうかん》」と命名した。

教授に毅男の養父で儒者の中西淡斎が就任し、剣術や柔術の武道教授には、海を越えて鳥取藩士大森某がやって来ることとなった。

出来上がった自治政府において、早急に手を付けねばならぬ案件が両手の指の数ほどもあった。まず、島前対策である。これまで何度も声を掛け、郡代追放直後も幹部を派遣して、同一歩調でと求めたが、島前は曖昧な態度に終始し、婉曲《えんきょく》にこれを断った。

そこで「我がいく」と立ち上がったのが、自治政府会議所の最高幹部億岐有尚であった。玉若酢命神社の宮司である億岐家は、隠岐国を統治してきた国造家で、その起源は応神朝（四〜五世紀）と伝わる。

ここに至って、さすがの島前も歩調を合わせることとした。代官追放は出来ぬが、鎮撫使から提出を求められている郷帳《ごうちょう》（年貢の基礎数字となる牛馬や収穫高）については、一緒に京に上り提出するとの約束を交わした。

次の重要案件は、朝廷から自治政府のお墨付きを得ることであった。

「朝廷御料」になったとはいえ、鎮撫使からの書簡一通のみである。鎮撫使を窓口として自治政府設立の経緯や体制を報告し、承認を得ぬうちは安堵出来ない。悠長に構えておれば松江藩の妨害は必至である。

そこで四月一日、毅男、村之介、弥次郎、村上宗詮が京に上った。桜の開花と同じ時期に入京した四人であったが、事は思うようにはかどらない。

京で頼りにするのは了三であり、西園寺総督であった。だが、勤王の指導者である了三は、新政府ともなり、他国との交流を軸に我が国を高めようとする方針と相容れず、徐々に主流から外れていた。

一方の西園寺公は、山陰道総督の大任を果たすと待ったなしに新しい任務が待ち受けており、役所に訪ねても姿はなく、鳥取藩出身の柴捨蔵他数名がいるだけだ。柴を相手にいかに熱弁をふるっても一向に埒《らち》が明かないのだ。

とある日、毅男は松江藩士から、意外なことを聞かされた。

「お主ら何をしておる、隠岐は松江藩の預かりに決まったぞ」

「な、何だと！　左様なことがあるものか。冗談を言うな！」

目をむいた毅男は、その真意を糺《ただ》すため鎮撫使庁に駆け込んだ。

「一体どういうことですか、本日出会った松江藩士の言うには、『隠岐は松江藩の預かりになった』と。真実は如何でありますか！」

「それは取りやめになった。すべては審議中で結論は出ていない」

柴らの返答は至って曖昧である。何回訪問して糺《ただ》しても納得の得られぬまま、不安の中で月日は過ぎていった。


時は遡ること半月の三月二十七日、松江藩主定安は、鴨川の川辺で釣り糸を垂れていた。

大橋家老の切腹問題を回避させ、鎮撫使の査察も曲りなりに乗り切った安堵感から、家老平賀縫殿《ぬい》を伴って久しぶりの息抜きであった。

桟敷ケ岳《さじきがだけ》を源とし京の南北を流れるこの川は、悠久の歴史の中で、千年の都と麗しい京文化を育んできた。人間の醜い争いとは無縁に清澄さを保ち、分け隔てなく人々に憩いの場を与えているのだ。

二人は柔らかな春の日差しを浴びながら釣り糸を垂れるものの、まだ魚の気配はない。

そこへ一頭の馬が走りきて、家臣が息せき切って河原へ。

「何事じゃ、殿の散策先まで追いかけるとは」

縫殿が不機嫌な声を発して、家臣の差し出す書付に目を凝らした。

「殿、今度は隠岐で厄介な問題が……陣屋が暴徒に囲まれ、郡代が島を撤退したようです」

「なに、郡代が撤退したと、何の理由で……」

「分かりませぬ。急いで戻りましょう」

定安が立本寺《りゅうほんじ》に戻ると、案の定、急使の書簡二通が届いていた。

報告によれば騒動の発端は二月、鎮撫使が米子から隠岐公文に宛てた書簡に「隠岐は朝廷御料となった」と書かれていたことに端を発しているという。

定安と縫殿は、昼餉もとらず熟考した。

「殿、今度も鎮撫使が火付け役ですぞ、現場を任されておるということで、振る舞いが自分勝手に流れておるような……」

「左様、大橋家老を追い詰めた演達書に続いて二度目だ。その折は太政官から叱られて撤回したのだが……」

「まだあります。年貢半減令です」

そもそも年貢半減令なるものは、慶応四年、討幕のために組織した相楽総三《さがらそうぞう》を長とする「赤報隊」からの要望で西郷隆盛が画策したもので、民心を引き付ける手段であった。新政府は、これが財政的に不可能であると判断するや急遽取り消し、相楽の率いる集団に「偽官軍《にせかんぐん》」とレッテルを貼り、相楽を信濃下諏訪で処刑した。

今度は、太政官から指摘されて、鳥取に入る前に引っ込めたのだ。

「現場で戦う者として、はったりをかまし、脅し、賺《すか》しはやむを得ぬでありましょう、が、それにしても……」

「問題は朝廷御料との文言を敢えて使ったその真意だよ。我々は太政官から何の連絡も受けておらぬ」

「……隠岐を混乱に陥れ、藩と対立させるためではありませぬか」

西園寺公望と太政官の徳大寺実則《さねのり》は実の兄弟であるがそりが合わず、しばしば衝突していた。山陰道鎮撫の終盤、松江藩の扱いを巡って西園寺が「謝罪の四箇条」を発し、これを不服とした定安が徳大寺などに抗議した。この結末は太政官が西園寺に「勝手な真似をするな！」と叱責するところとなり西園寺の面子《めんつ》は丸つぶれ。怒った西園寺は「現場のことは現場に任せろ」と強く反論したと。

「もしも、隠岐一万二千石の内乱を防げ得なかったとなれば、藩の名誉にかかわる重大問題、早く手を打ちませぬと」

「まずは、新政権に移行しても隠岐の松江藩預かりは変わらぬ、このことをしっかり確認することだ」

京にいて、足場の良い定安はすかさず手を打った。

四月上旬、太政官に、騒動の起こった隠岐の支配継続を願い出た。これと相前後して、この上申を確実なものとするため、かねて培った人脈である維新政府の副総裁、岩倉卿に縫殿を接触させた。縫殿は隠岐の地で今発生している騒動を説明し、新政権になっても隠岐の松江藩預かりは変わらぬ、このことの確証を得ようとした。

岩倉卿が縫殿の話に耳を傾け、陳情は功を奏するかに見えたのだが……。話を聞き終えると、宙を見つめて呟いた。

「隠岐は一万二千石か。隠岐と引き換えに十五万両用意出来るかな」

縫殿はしばしその意味を解し得ず、卿の目を覗き込んだ。

「今、我々は北越軍役を戦い抜く軍費、十五万両を求めておる」

新政府は、乏しい財政基盤にもかかわらず、東北・北陸戦争に打って出ようとしていた。一刻も早く日本の政情を安定させ、挙国一致、欧米列強に対抗しなければならぬ差し迫った事情が存在した。

「十五万両ですと！　とてもそのような……」

「調達はしばらく先だ。それが無理なら、北越に出兵してもらおうか。五百人くらいの兵を一年半だ、十五万両とどちらを選ぶ」

「ウッ、会津？　会津は徳川同門であります。出兵は差しさわりがござります……。うーん、しばし時間を下され」

縫殿の報告を受けた松江藩邸は、隠岐奪還のために献金すべきか、会津へ出兵すべきかと、侃々《かんかん》諤々《がくがく》の議論を重ね、結局十五万両の半分超、八万両を差し出すこととした。

内々の取引が成立した直後の四月十三日、太政官は次のような「隠岐取締令」を下した。

出雲少将へ
かねて旧幕府より預けていた隠岐は、当分、松江藩に取り締まりを仰せつける。ただし、近頃隠岐の人心は不穏と聞いている。厳重に取り締まりを致すべし。万が一島民が役場に対し、不法の所業に出たならば始末して糺《ただ》し、刑法にのっとり処罰すべし。
慶応四年四月十三日　太政官通達

松江藩は、山郡が隠岐から追放された後、何度も島後の自治政府に使者を派遣した。使者は、山郡らの横暴な政治が島民に多大な苦しみを与えたことの詫びを述べたものの、その実は穏便に陣屋を取り戻そうという魂胆がありありで、もちろん自治政府は断固拒否した。

松江藩の動きが表面化したことから、自治政府は四月五日、井上甃介以下三名を浜田に向けた。甃介らは駐屯している長州藩に「屈服状」を示して事件の経過を説明するとともに、朝廷への斡旋と、松江藩が隠岐奪還のため攻めてきた場合における援軍を願い出た。

「ほう、島民が郡代を追い返したと、それは凄い！」

二カ月前に知り合った徳富恒輔は、屈服状を手に目を丸くした。

「つきましては、朝廷から隠岐自治政府を認知してもらえるよう周旋してほしいのです。それと、松江藩による奪還の兵が隠岐に向けられた折、貴藩による支援を是非ともお願いしたいのです」

「そうよのー、朝廷に周旋することは可能である。だが、松江藩が攻めてきた時の支援はなー、只今我が藩は江戸の戦いに向けて準備中である」

徳富ら幹部は、甃介らの慰労会を催し祝福してくれたものの、支援については難色を示した。

慶応四年は閏年《うるう》のため、四月と五月の間に閏四月があった。

三月十九日、島民による無血革命を成功させ、事実上松江藩の支配から脱した島後であるが、相も変わらず貧しさは続いていた。

例年であれば、春先ともなると貧しい家では米や麦、大豆、芋といった食料が底をつき、地主や親戚へ無心し、時としては一揆や強訴に及んでいたが、今年の島後は違った。島民は以前にもまして助け合い、厳しい時期を乗り切ろうとした。

「立教館」と命名された学び舎では、中西淡斎以下五人が教授となって毎日午後から夜にかけて読み書きそろばん、儒学、国学に至るまで教授した。また武道も復活し、鳥取藩士大森教授によって柔術、剣術、銃器操作など、毎日百人を超す若者が汗を流した。

自治政府は、歩みは遅いながらも、着実に充実し、後は新政府から派遣される国主を待つばかりとなっていた。

ここで誤算が生じた。島前が郷帳の共同提出の約束を破ったのだ。島前の庄屋衆十余人は、単独で郷帳を提出しようと京へ発ったと。そこで急遽、これを追って島後都万村の乃木守吉、斎藤与一郎が、また遅れて井上甃介、横地官三郎ら四人が京に向かった。

京には既に毅男や村之助、弥一郎、宗詮がいたから、十津川屋敷は島後の若者であふれ返った。

翌日から毅男ら京滞在組は、居留守を使うなど埒《らち》のあかぬ鎮撫使庁を攻める班と、了三に指導を仰ぐ班に分かれた。

閏四月十五日、乃木、毅男ら四人は留守がちな鎮撫使庁に、やっとのことで郷帳を持参した。ねぎらいの言葉のみで、何の収穫もないまま十津川屋敷に戻った直後のことである。西郷から池田真左ヱ門、森源之亟の二人が急ぎ入京してきた。

「大変だ、兵隊が島前まで来た！　別府に大砲を陸揚げしたぞ！」

「何だと、藩兵が来たのか、奪還だな！」

「と言うことは、やっぱり隠岐は松江藩の預かりに……」

毅男らは青ざめ、大急ぎで鎮撫使庁に駆け込んだがまたもや留守、やむなく「緊急の連絡有」の張り紙をして宿に戻った。

翌朝、毅男・官三郎・甃介・乃木は鎮撫使庁に走った。

「な、何ですか、松江藩の報復とは？」

対応した柴も大いに驚き、頭を掻きむしっている。

「隠岐に松江藩が攻めてきた。事は重大だ、急ぎ幹部を集めてくれ」

毅男らの剣幕に押された柴らは、手分けして連絡し、その日の夕方、小笠原美濃介と河南藤右衛門の出席を得て緊急の評議がもたれるところとなった。評議には毅男・甃介・乃木・官三郎が出席した。

「どうやら、我らが気を抜いていた間に岩倉や徳大寺にしてやられた」

小笠原が額に縦皺を寄せた。

「徳大寺は松江藩の仕掛けに乗ったばい。おいどんら現場を預かる者の言い分をことごとくうっちょいて（置き去って）勝手なことを！」

河南が憎々しげに呟き、甃介が眉を吊り上げ小笠原に詰め寄った。

「我らの意見がなぜ太政官に伝わっておらぬ、隠岐が戦争になろうとしておるのですぞ。隊長は太政官にものが言えぬのでありますか！」

「待て、待て……現場に強い皆さんだ。松江藩の逆襲から如何に隠岐を守るか、打つ手を考えて下され」

甃介を嗜《たしな》めつつ、小笠原にじわりと迫った。腕組みをしていた小笠原がにたっと笑った。

「実はこのことについて、先ほど西園寺公と協議した。後《ご》の先《せん》でいこう、これが西園寺公の意見だ」

「後の先、それはいったい何？」

四人が身を乗り出した。

「すなわち、今後、隠岐は松江のほかに長州、鳥取でも管轄させよう、三藩の合同管轄ということだ」

「長州、鳥取にも出役《しゅつやく》（役目付与）だと！　これはよか策略ばい」

河南が大声を発し、笑みを浮かべた。

三藩による合同管轄となれば、松江藩単独で勝手なことは出来ぬ。太政官にとっても東北出兵に先立ち、松江藩を間接的に封じ込める効果も期待出来る。だからこの提案に反対する理由はない。さすがに切れ者、西園寺公である。太政官の指令を後追いで骨抜きにする策略なのだ。会議は双方が納得し、笑顔での散会となった。

　その夜、十津川屋敷は久々に盛り上がった。鎮撫使庁から受け取った指令を大事そうに回し読みし、書き写し、祝杯を挙げた。

　半刻後、毅男が重そうに木箱を取り出し、みんなの前に置いた。

「問題はこの朗報を一刻も早く島に知らせることだ。で、儂らは太政官の折衝もあるので残るが、みんなは急いで帰ってくれ。ついてはここに五百両ある、万が一戦いとなった時のために、銃を買って帰れ」

　翌日から、六人は銃の買い付けに走った。

　鬆介と官三郎、村之助、弥次郎の四人は急ぎ先行して出発、乃木と真左ヱ門は船に銃を積む手配をして、遅れて帰国の途についた。

十九　逆　襲

慶応四年（一八六八）閏四月下旬～五月十日　隠岐―松江

雲雀《ひばり》が競って歌う閏四月二十三日の姫路の出雲街道である。定安は四カ月滞在した京を離れ、出雲を目指していた。

雪の中に土下座し、屈辱に耐えた家臣にいい思いをさせてやりたい、そのためには、新政府軍で活躍することである。〝今に巻き返してやる〟そう決意した定安は太政官に陳情し、近く始まるであろう北陸道への参入をほぼ確実なものにした。この土産を携えての出雲の地への帰途であった。

そもそも代々の松江藩主は、隠岐をもて余していた。藩から遠隔の貧しい島にもかかわらず島民の意識は高く、その一方で、他国の侵略から島を護るため、膨大な人手と資金を要したからだ。藩の儒者桃源蔵などは、この島が他の藩の管轄になれば厄介な火種はなくなる、などとしばしば提言していた。

だが、真面目にして進歩的な定安は、他藩に先駆けて軍艦を保有し、隠岐の守りを固めるなど、差別意識などみじんもなかった。

よって、取締令を楯として力ずくで奪還することには否定的で、首謀者を罰して旧に復させ、藩に傷がつかねばそれでよい、この取り締まりはそう難しいことではない、鎮撫使を乗り切った定安は楽観していた。

三谷や乙部などの執政は、新政府による隠岐取り締まりの通達を受けて、山郡の後任の郡代に志立伴蔵《しだちはんぞう》を選任する一方、隠岐奪還の総指揮者に参政乙部勘解由《おとべかげゆ》を選任した。

伴蔵は、京都や大坂の勤番《きんばん》を経ていたから他藩との交流も豊富で、粘り強いことで定評があった。また勘解由は、乙部九郎兵衛家の分家の八代目で、既に五十を越えていたものの老獪《ろうかい》な武闘派として信頼されていた。

閏四月十二日、勘解由は、先発隊七十名を率いて前進拠点である島前の別府へ向かい、伴蔵はこれに遅れること四日、十数名を伴い西郷に着任した。着任とはいっても、陣屋は占拠されているから自治政府の指定した目貫村の町屋である。

町屋には応接役として、野津与平太ら四人が居ずまいを正して待ち受けていた。伴蔵は丁重な物腰で交渉に入った。

「山郡の後任志立伴蔵である。はじめに前郡代の執った政策の非を詫び謝罪を致す。そのうえで、この通達をご覧いただきたい」

太政官発の通達を四人の前に広げた伴蔵は、声を張って読んだ。

「『かねて旧幕府より預けていた隠岐は、当分、松江藩に取り締まりを仰せつける』……如何ですかな、皆さんは、鎮撫使から出された朝廷御料の書簡を根拠としておられるようであるが、この書簡はそれ以後に発せられたものである。隠岐が松江藩の預かり地であることがお分かりいただけたであろう。よって、速やかに陣屋を明け渡して下され」

「新政府からの指令であれば、この隠岐にも達しがある筈。只今、当方も京へ遣いを出しておる。それが正式な答えを持って戻るであろう、それを確認した上で返答致す」

あらかじめ答えを予測していた伴蔵は、その場は引き下がり、数日置きに同様の交渉を重ねていった。

別府で前進待機していた勘解由は、先行きせぬ交渉を横目に、閏四月二十七日いよいよ島後へ出撃を開始した。まず捕手組二十人を西郷に、続いて五月三日、五十人を八尾に上陸させ、四カ所に分宿させて同志派を牽制した。五月三日、藩は後続の第二弾として、大砲四門を装備した藩兵二百余人を島前の別府に送り込んだ。

伴蔵はこの段階で、交渉の最終期限を五月十日と定め、同志派へ通告した。

その頃京から帰途に就いた官三郎と甃介ら四人は、閏四月十九日、都を発って六日目にようやく若狭の小浜に。朗報を一刻も早く同志にと気は焦ったが、風待ちのため何日経っても出帆しない。気をもんでいたところ五月一日、急を知らせる島後からの使者、池田清兵ヱが走り来た。

「何をぐずぐずしておる、早く戻らんか。藩との交渉期限は十日だ、ぼやぼやしておったら戦いが始まる。すぐ出航しろ！」

「なに十日だと！　なら風なんか待ってはおれぬ、手漕ぎ船だ！」

髭介らは八方手を尽くして特別仕立ての手漕ぎ船を雇い、五月三日、ようやく若狭港を出航した。


月が替わった五月五日、定安は久々に松江の地に戻り来た。

翌六日、幹部を集めて大橋家老の労をねぎらい、隠岐の交渉経過の報告を受け、今後の進展を占っていたその頃――。

西郷の陣屋前に、立札が掲げられた。

太政官通達
隠岐は松江藩預かりとなった。
逆らう者は刑法により処罰する。

たちまち立札の周囲に島民が群がった。
――バキーン、バキーン
町人が、怒りの声を上げ、立札を石で叩き壊した。

五月八日・九日

ここは元の陣屋、すなわち自治政府の会議所である。日々緊張の高まるなか、四人の長老と軍事方の幹部が、額《ひたい》を集めていた。

「松江藩の動きは鳥取へ連絡した。いざという時は応援を頼めばよい」

「それにしても遅いなあー、今日も船の影は見えぬかー」

「毎日見張りを立てておりますが……。昨日から北西風が吹いておりますので、明日、明後日の内には……」

京からの情報を待ちわびる幹部であった。毅男、官三郎、甃介ら切れ者が揃いも揃って島を離れている。藩から示された交渉期限は十日、後二日しかない。昨日は、陣屋の周りに藩兵が繰り出して大砲を据え付けた。時折大きな歓声を上げて威嚇を始めた。

三日前までは平然と構えていた長老も、大砲の据え付けを知ると一様に不安な声を挙げ始めた。だがその中で、総指揮役の忌部正弘だけはさすがに堂々としていた。

「まだ何の連絡もないところを見ると、進展は無かったのかもしれぬ。わしらは勤王の民だ。朝廷が真に松江藩の預かりを決めたのであれば、それに従わねばなるまい。それが掟というものだ」

この正弘の正論に対して、軍事方の意見は真っ二つに割れた。強行派は松江藩の逆襲に対処するために設置した戍兵《じゅへい》局、義勇局、揮刀《きとう》局の百五十人だ。殊に、義勇局長の藤田冬之助は一徹で、正弘に嚙みついた。

「長老は口を開けば掟、掟と言われるが、山郡のような悪郡代に再びわれらの国を任せるのか、これまでの苦労が水の泡だ」

「いかなる場合でも掟は守らねばならぬ、これが隠岐人の伝統だ」

「勝てば官軍だ。銃に加えて猟銃、刀、竹やりで徹底抗戦すべし」

喧喧囂囂《けんけんごうごう》の議論の末、九日の夜、正弘は強硬派を抑え込んだ。明日の夕方までに京からの朗報が届かなかったなら、無抵抗で陣屋を明け渡す。如何なる場合でも銃を用いてはならぬ、と。

五月十日　朝〜夕

帰郷を急いだ官三郎と甃介ら四人がやっとの思いで西郷港に着いたのは、陣屋明け渡し交渉の最終日の朝であった。

見慣れた山々が朝焼けの雲間から顔を出している。幸いなことに砲撃音も聞こえず、煙も立っていない。

「おお、間に合った、これで隠岐が救える、急げ、急げ」

ところが湾の入り口まで船を進めたところで、急遽方向転換を余儀なくされた。見慣れぬ船が数隻碇泊していたからだ。

「まずい、あれは松江の船だ。仕方ない福浦だ、そこから飛脚便だ！」

福浦は西郷のほぼ向かい、海路二十里（八十㌔）もある港だ。

昼近くにようやく上陸し、早速早馬を手配し、軍事方頭取である官三郎の作成した文案の下、甃介が筆を走らせた。

「京の情勢は我が方に有利なり。だが我らには朝命がない。敵が武力を使えばひとまず尼寺村《にじむら》へ退け。決して武器を手に戦ってはならぬ」

飛脚便を走らせた後、四人は西郷までの道のり八里を急いだ。小舟で重栖川《おもすかわ》を上り、山越しして八尾川にたどり着き、八尾川を下って、日が沈む頃ようやく西郷の入口に差し掛かった。

この日は、朝から松江藩と自治政府の間で膝詰めの談判となった。藩側は新郡代の伴蔵が指揮を執り、藩士飯島羽右衛門を使者として遣わし、自治政府側は中村庄屋の赤沼嘉兵衛が対した。

飯島は太政官の指令を示し、陣屋の明け渡しを厳しく迫った。九ツ（正午）赤沼は指令を突き付けられ、徐々に屈服の色を濃くしていった。その時である。一艘の商船が西郷湾に入り、陣屋方向を目指して進んだ。敵味方が二十間の間隔を置き対峙しているその前に進み来た商船、甲板には、日焼けした旅姿の男が立っている。京から戻った乃木守吉だ。甲板に立った乃木は、手にした書付を振り回しながら大声を張り上げた。

「我らは松江藩の支配を脱したぞ！　これを見ろ、我らの勝ちだ！」

乃木は書付を持った手を高く掲げて船から降りると、池田と共に埠頭《ふとう》に立ち、更に声を張りながら大股で陣屋を目指した。

「我らの勝ちだ！　この書付が証拠だ、我らは松江の支配を脱したぞ！」

笑顔で叫びながら、同志の歓迎を受けて陣屋の門を潜った。

目前でこの様子を見ていた飯島羽右衛門は、慌てて隊長のもとへ。陣屋から一町（約百メートル）東方にいた勘解由と伴蔵は、首を傾げつつ部隊の前方に移動し、目前の陣屋を眺めた。

その時、陣屋でひときわ大きな歓声が沸き上がった。やがて門が空き、数人の若者が門の前に立ち、両手を掲げて手を叩き、対峙《たいじ》する藩兵に向かって大声を発しているのだ。

「おかしい、何かあったな」

勘解由と伴蔵は首を傾げた。因幡、長州の介入など、もとより預かり知らぬ二人であるが、感覚の鋭い伴蔵は、同志派の突然の異変に胸騒ぎを覚え、勘解由に進言した。

「京から何ぞ指令が……。敵の様子が俄かに変わった。時間ばかりかけておると奴らはますます居丈高になる。ここが勝負所ですぞ」

二人は協議の末、更なる圧力を加えるため、演習との名目で兵を動かすこととした。

兵士が隊列を整え、指揮官の号令一下、一斉に掛け声を発し陣屋に迫る。

「オイッチニ、オイッチニ、オイッチニ、オイッチニ」

伴蔵は、最後の談判として、楽長二郎を従え自ら交渉に臨んだ。自治政府側は京から戻ったばかりの乃木守吉を筆頭に、野津与平太、安部運平の三人だ。それぞれ決死の面持ちである。

「出て行け、出て行け、陣屋から出て行け！」

武器を構えた三百人の兵士が陣屋の門前十間の地点で停止し、一段と大声を発するのを力に、伴蔵が語調鋭く言い放った。

「これが最後だ、もはや時間切れだ！　陣屋を開放しろ！」

対する乃木が、余裕の表情で伴蔵を睨んだ。

「調練を止めさせろ、京都で鎮撫使のお墨付きが発せられた。因幡と長州が隠岐の味方に付いた。隠岐は三藩による合同管轄となった」

「何だと、因幡と長州が？　馬鹿な、証拠を見せろ、証拠を！」

一瞬驚いた二人だが、楽がすぐさま逆襲に転じ、乃木に迫った。

「証拠は井上甃介が持っておる、今、向かっておる、少々待て」

乃木が船の甲板で振り回していた書付は、乱雑に要点を書き写した模写で、もちろん印章も何もなかった。

「でたらめを！　松江藩には太政官のお墨付きがある、重ねて出す訳がない。証拠も見せずに出まかせを、この不届き者め！」

伴蔵が激しく詰《なじ》った。

「おっつけここへ、後半刻（一時間）待て、待たれよ！」

「待てぬ、これ以上待てぬ！」

海辺には夕やみが立ち込め、波が音を立てて岸壁に打ち寄せる。睨み合う双方の代表とも殺気立っている。日は既に落ちかけ、兵士の長い影が埠頭を覆う。だが、官三郎も甃介も一向に姿を現さない。

息詰まるような激しい談判は遂に決裂し、伴蔵と楽は席を蹴った。

疲れ果てた乃木ら三人、頭を垂れて陣屋に戻り、決別を正弘に告げた。苦悶の表情の正弘が、大きく首を振り突然立ち上がった。

「戦ってはならぬ、尼寺村《にじ》へ退け、戦ってはならぬぞ！」

「何を言う！　この場に及んで！　隠岐男の沽券《こけん》にかかわる」

武闘派の若者はいきり立ち、銃を手に進もうとする。対する正弘、大刀を高く振りかざして大手を広げ、これまで見せたこともない険《けわ》しい顔つきで大声を発した。

「義勇局長、銃を収めさせろ、銃を使わせてはならぬ！　ならぬぞ！」

一瞬迷った局長の藤田冬之助であったが、銃を構える隊員の前へ。

「銃を収め！　ここへ収めよ！　すべての銃をこの溝に収めろ」

抜身を手に両手を広げた冬之助に、隊員の列が乱れた。

「銃を置け、銃を収め、引け、引け！」

冬之助の声を限りの指図に、一人、また一人と銃を置いた。

それまで先頭に立って激烈な言葉を吐いていた目貫村の森勝右衛門が、ニヤッと笑い決意したように銃を高く掲げ、溝の中に投げ捨てた。そして、笑顔を冬之助に向けた。

「ちょっと挨拶してくるわ」

怪訝《けげん》な面持ちの冬之助を尻目に、門を潜り、一人で敵の面前に立ち胸を張った。歳は三十余、背は低いが、がっしりした体つき、濃い眉、大きな目、赤い頬は誰からも愛される若武者のようである。

「勝右衛門、頑張れよ！」

同志の斎藤八郎が、声援を送った。

「おお、出雲のお侍方よ、我らは朝廷の愛民なり。隠岐国は我らのもの、我らが守るゆえお帰り願いたい。撃とうとするなら撃ってみよ。我らには神の御加護がある、何ぞ弾にあたろうぞ」

甲高《かんだか》いその声は、敵にも味方にもよく伝わった。笑顔の挨拶を終えた勝右衛門、敵に手を振って向き直り、踵《きびす》を返し陣屋の門を潜ろうとしたその時であった。

――バーン！

一発の銃声が轟いた。

「うわー、あーあーあーあー……」

勝右衛門の身体が一回転し、柳の木の根元にあおむけに倒れた。頭から真っ赤な血が吹き出し、地面をのたうち回る勝右衛門、苦痛の叫びがあたり一帯に響き渡った。

その一発は、八尾の豊崎の唐臼場《からうすば》（穀物の脱穀用の踏み臼）に潜んでいた松江藩兵から発射されたのだ。

仲間の兵士が陣屋から飛び出し、勝右衛門の両脇に手をかけ引きずろうとする。その足もとへまた一人倒れ込んだ。

「卑怯者《ひきょうもの》め！　我らは丸腰ぞ！　この野郎、ぶった切ってやる」

若い同志が七、八人、憤りの声を発し、刀を引っ提げ飛び出したその時だ。

――ピー！

笛が鳴った。これを合図に、十間向こうから、雨あられと銃弾が発射され、刀や竹槍を手にした同志が相次いで倒れた。その一人は、抜身を手にした冬之助、義勇局長であった。

――バーン、バーン、バ、バーン、ド、ドーン
やがて、耳をつんざくような大音響とともに、陣屋の上塀が吹き飛び、同志が折り重なって倒れた。大砲が火を噴いたのだ。

指揮官を失った兵士は狼狽《ろうばい》し、大混乱の中、裏門へ殺到した。

「まてー、一人残らず殺してやる！」

追う兵士は、狂気化していた。二カ月前、雪の上に土下座し、鎮撫使に痛めつけられた屈辱をここで晴らすかの如く……。

郡の村上寅之助は、銃弾で倒れたところを刀で脇腹を刺され、西村の庄屋田中忠之助は、陣屋裏の草むらに隠れているところを発見され、果敢に斬りかかったものの腰を撃ち抜かれたうえ滅多切りされた。軍事方の若者は蜘蛛の子を散らすが如く散りぢりとなって、野や屋敷の陰や海に逃れた。

放置された死人の山、それを跨《また》ぎながら、勝ち誇ったように勘解由と伴蔵が陣屋の門を潜った。

三月十九日の無血革命によって成立した隠岐の自治政府は、八十日の歴史をもってここにその幕を閉じたのだ。

五月十日　夕――
官三郎と甃介、それに村之助と弥次郎が、破れた草鞋《わらじ》からはみ出し、血の流れる足を引きずりながら西郷の町外れに辿り着いた時、港の方角で砲撃音が響いた。

「うっ、あの音は……」

四人は、不安の面持ちで町の方向を見た。

——ドーン、ドーン
凄まじい砲撃音だ。紛れもなく大砲の音だ。

「しまった、遅かった！」

その時、町の方から数人の男が走ってきた。

「大変だ、松江が大砲撃った！」

「何人も死んだ、逃げろ逃げろ！」

上半身裸、裸足の男は、恐怖にひきつった顔で、叫び声を上げながら転げるように目の前を走り過ぎた。

「ここはひとまず逃れよう。二手に分かれよう。甃介はわしの家へ」

官三郎と甃介は、村之助、弥次郎と別れ、八尾川をさかのぼり、上西村の横地家へ走り込んだ。

銃声はピタッと止んでいる。官三郎は後ろを振り返りつつ、我が家へ駆け込んだ。

「おう、官三郎か、西郷はどげんなった」

白髪の老婆が奥から出てきた。官三郎の母である。

「やられました、さんざんです。死人が出ました」

「なに、死人が出たと！　ぬしらよくもまあ、おめおめと戻ってきたな……。顔も見たんない！」

母は息子を罵《ののし》りつつ奥の間へ入り、音を立てて襖を閉めた。

母は日頃から官三郎の良き理解者であった。それだけに、戦いに敗れて戻ってきた息子への落胆は大きかったのだ。

疲れ果てて仮眠する二人の部屋へ、握り飯と漬物が届いた。目を覚ました二人は、胸の疼《うず》きを覚えながら、無言で握り飯を頬ばった。官三郎の目から涙が流れた。

「……お母さん、行って来るわ」

官三郎が襖を開け、母に声を掛けた。返答はない。二人が坂道を下り始めたところ、母がびっこを引きながら駆けてきた。風呂敷包を持っている。

「これは晩飯だ。勝つまで粘れ、必ず勝てよ、勝てよ！」

官三郎は、母の手を摑み涙の目で大きく頷いた。

二人は、様子を探るため、同志の池田準一郎宅に入り込んだ。屋敷には、既に数人の同志が逃れており、驚きの表情をした。

「ぬしら、いつ戻ってきた。冬之助も祐平も藤吉も死んだぞ」

「す、すまん……」

この戦の火付け役である甃介と、軍事方頭取である官三郎は目を伏せ、頭を垂れた。

やがて同志は、戦闘に至った経緯や、長老正弘の采配、武力の差と一方的な敗戦、死人や怪我人、逃亡した仲間のことなど、ぼそぼそと涙しながら語った。

夜になって、更に二人の同志が逃れて来た。藩兵が町人に金を渡して正義党の兵士の家を案内させ、片っ端から捕らえているという。また、僧侶が頭に頭巾をかぶって、正義党幹部の家を教えているというのだ。家に寄りつけぬ同志は、空き家や洞穴《ほらあな》に隠れるもの、大挙して船で逃亡するものなど、道後の町も村も大混乱に陥っているという。

官三郎と甃介は、顔が上げられなかった。戦いの中心的な役割を担い、同志を引っ張ってきたものの、最悪の事態を招いてしまったのだ。

――今朝、無理をしてでも西郷の岸壁に上陸しておれば……。

己の非力と運の無さ。それを悔やみ、泣いた。

二十　定安の苦悩

慶応四年（一八六八）五月十日〜明治元年（一八六八）六月　隠岐—松江

十日　夜——

藩兵は正義党の家屋に乱入し、同志を探し回った。家を突き止めると、潜伏していそうな押し入れ、倉庫、納屋、屋根裏まで虱潰《しらみつぶ》しに探し、居らぬとみると片っ端から破壊した。女や老人を殴打し、米や食料、家具、家財に至るまで強奪し、乱暴狼藉の限りを尽くした。

重傷を負って陣屋から逃れ、目貫村の善立寺《ぜんりゅうじ》の前で倒れた血まみれの若者を、年老いた男女が介抱していた。そこへ追手の兵士が来た。

「そげん苦しむなら、いっそのこと成仏させてやろうか」

それを耳にした手負いの男が、目を開けじろりと兵士を睨み付けた。

「貴様らのような小者の手にはかからぬ」

「小者だと！」

兵士は怒りに怒り、手に手に丼鉢ほどもある石を提げてきて、目よりも高く掲げ、頭目掛けて投げつけた。――バックーン！

頭蓋骨が木端微塵《こっぱみじん》に砕け、脳みそが四方八方に飛び散り、見るも無残な死にざまとなった。


この戦いで、真っ先に銃撃された森勝右衛門の屋敷は、陣屋にほど近い目貫村にあり、屋号を『名田屋』といった。

「改めだ！　改めだ！　ここが森勝右衛門の家だな」

勝右衛門の父は廻船問屋を営む知恵者で、残党狩りから家族を守るため、咄嗟に手を左右に振り大声を上げた。

「いや、森ではありません、我が家は吉田です」

戸主の機転によって難を逃れた森家は、以後「吉田」と改名した。


十一日・十二日――

翌日からの残党狩りは熾烈《しれつ》を極めた。

五人・七人・十人と組になった藩兵は、逃走した同志派を捕らえるため、名簿などを手掛かりに家屋、寺社、小屋、舟の中まで捜索を行った。これに対して同志や壮士は荷物を担いで逃げまくり、島民は「出雲」と書いた紙片を頭に貼り、難を免れようとした。

八尾村の吉岡倭文麿《しずまろ》は追手の急襲に遭うや、屋根裏に隠れた。乱入してきた藩兵は次々と槍で天井を突き上げた。吉岡は薄明りの中で、敢えて突き刺した穴に足を置き、難を逃れた。

玉若酢命神社の神主億岐有尚の屋敷には藩兵十数人が乱入し、主を探し回った。朝廷から下しおかれた驛鈴《えきれい》、光格《こうかく》天皇から賜った朱塗りの唐櫃《からひつ》などが陳列されている室に土足で踏み込んだ兵士は、主の逃亡を知ると激怒し、手にした刀で大黒柱を九段にわたって斬り刻《きざ》み、銃を乱射した。

了三の郷里に近い北海岸の元屋では、新婚の夫十九歳が捕らわれそうになった。十八歳の美人妻が懸命に抵抗したところ、いきり立った兵士は銃を乱射し、夫婦とも射殺した。

下西村の宮岡茂平の家には、三月まで陣屋で藩士をしていた渡辺紋七以下七人が乗り込んだ。その兵士の中に長太郎の姿もあった。茂平の捜索が始まってひと時、「お菊さんじゃないか?」と紋七がお菊に声を掛けた。お菊はやむなく「茂平は昨夜舟で逃げました」と答えた。陣屋で働いていた頃、お菊に恩義のあった紋七は、捜索を打ち切って立ち退こうとしたその時、奥の納屋から女の悲鳴が。驚いた長太郎が駆け込むと一人の兵士がお玉に覆いかぶさり、姦淫に及ばんとしていた。逆上した長太郎は咄嗟に所携の刀で兵士に斬り付けた。

「お前仲間に何をする!」

血の付いた抜き身を手に呆然と立ちすくむ長太郎に、不審を抱いた紋七だ。

「お前、もしかしてこの女と……。貴様、わしを裏切ったな！」

長太郎と宮岡家との関係が白日の下となり、家宅捜索は再開された。屋根裏に隠れていた茂平は拘束され、この夜長太郎は囚《とら》われの身となった。

実のところ、長太郎は前日の夜密かに宮岡家を訪ねていた。目的は茂平に逃走を促すことを口実として、お玉に会うためであった。八十日ぶりに見る長太郎は、武闘服に刀とりりしい出で立ちで、家族全員がその訪問を喜んだ。

久々にお玉に寄り添った長太郎は、そこでお玉の妊娠の事実を知らされ、心が躍った。だが、まさかその翌日、紋七による声掛かりで宮岡家捜索の役目が自分に廻るとは……。これが最大の誤算となったのだ。

活動家を探し回っての拘束、無差別の略奪、陵虐《りょうぎゃく》は三日間にわたって島後一円で敢行された。殺された同志は十四人、負傷者は八人、入牢十九人、拘束六人、同志以外の島民にも、新婚夫婦の如く多数の死傷者が出た。

捕まったなら殺されると恐れおののいた同志派の面々は、船で島外へ脱出した。乃木守吉、中西喜一郎、永海文之亟ら数十人が石州浜田へ、船田二郎、藤田波之助が長州へ、重栖恕平、八幡源次ら四人が京都へ。脱出者の総数は百人を超えた。

十三日――

官三郎と甃介は潜伏先を抜け出し、額を寄せ合った。甃介が悲壮感を漂わせて呟いた。

「わしら、責任上ここを離れる訳にはいかんが、さりとて、摑まっては元も子もない」

「そうよ、わしも一晩考えた。事ここに至っては、因幡と長州の支援を実現させることだ。となれば、わしらは鳥取に向かおう」

たちまち相談はまとまった。

二人が鳥取に向かうため船を探していたところ、野津与平太ら十余人と遭遇した。与平太らは山越しし大久から小舟で境港へ脱出するという。とにかく一刻も早く島外へ逃れるため二人は同乗することとした。

大久を出発して一刻、東方から一隻の小舟が向かってきた。

「松江藩の船でなければよいが、神様、仏様」

運を天にと、官三郎がおそるおそる見あげたところ、大声が飛んできた。

「お主ら、逃げる途中か？　心配致すな、我々は鳥取藩だ」

運命は神のみぞ知る、まさに神の導きであった。

その船は鳥取藩の実力者、景山龍造以下六名を輸送中という。この日本海の大海原で、甃介らが支援を仰ぐためこれから尋ねようとしていたその人、景山龍造に巡り合うとは……。

景山は、数年前にも西郷湾に入港したアメリカ軍艦を、農兵を前に見事にさばいた人物で、甃介らにとって尊敬の的であった。

船を横に並べて事情を聴くと、景山は、不穏な情勢にある隠岐の実態を見定めるため、藩命により六人で出発、今、西郷へ向かう途中であるという。

「景山様、助けて下され、島がめちゃくちゃにされました」

「めちゃくちゃにだと、よし急ごう、案内を頼む」

官三郎と鶖介はここで与平太らと別れ、景山の船に同乗した。船中、松江藩の横暴極まりない襲撃と殺略、暴行、捕奪、略奪の生々しさを憤りを込めて語った。

景山という強い味方を得た二人は、夕方西郷にとんぼ返りした。


十四日　午前――

浜田滞在の長州藩士徳富恒輔《つねすけ》は、隠岐を支援することは自藩のためになると読んでいた。四月五日、鶖介から〝松江藩が奪還に来たなら支援してほしい〟との要請を受け、萩の藩主毛利敬親《たかちか》に報告、更に五月十日、島後から浜田に逃れた乃木らの急報を受けると、特使を立てた。

「おう、西郷か、我が藩は会津遠征に出発するところ、丁度よい」

毛利藩主は、北上する軍艦を西郷に応援させることとした。

十四日午前、長州藩の丁卯丸は薩摩藩の乾行丸を先導して島前と島後の海峡を東進していた。おりから丁卯丸の統率山田顕義は、遥か前方を西郷湾に向かう一隻の軍艦を目撃した。

「ウッ、あの艦船、もしや八雲丸では？」

山田が東進を続け西郷港の手前宇屋町に差し掛かったところ、沿岸の島民が数枚の蓆旗《むしろはた》を振って盛んに手招きするではないか。

何か重要な案件が？　異変を察知した山田は軍艦を止め、島民に事情を問うに、松浦吾平と名乗るその男が訴えた。

「わしはこの村の庄屋です。昨日来、鳥取藩の景山龍造様が来ておられます。長州の軍艦が来たなら打ち合わせがしたいと」

「おう、景山公か、分かった、ここへお呼びしてくれ」

松浦は景山が滞在する津戸村に走り、景山を宇屋町に同道した。景山は、海岸で待ち受けていた小舟に乗り、軍艦丁卯丸に乗り移った。


十四日　昼――

――ドーン、ドーン、ドーン、ドーン
松江藩の軍艦二番八雲丸が、五十人の兵士を西郷に送り込んだ。八雲丸は港に入るなり、大音響の空砲を打ち鳴らして支配を誇示し、苦痛に喘ぐ島民をことさらに震え上がらせた。

ところがそれより後一刻半（三時間）、同じ西郷湾である。

岬の上にいた人々が騒ぎ出した。見慣れぬ巨艦二隻が湾に入ると、大きく弧を描き八雲丸を左右から挟みつけたのだ。

二艘の巨艦は、長州藩の丁卯丸と薩摩藩の乾行丸で、ともに東北戦争に向かう途中、隠岐の支援に回ったのだ。八雲丸は二艦に挟まれ、完全に動きを封じられた。やがて、異変を聞き、港に走り来た松江藩総指揮官乙部勘解由が、小舟に乗り横付けした乾行丸に移っていった。

乾行丸の景山らは、呼びつけに応じて駆け付けた勘解由をとり囲んだ。

船室には景山の他、丁卯丸の統率山田顕義、乾行丸の統率本田親雄が待ち受けており、勘解由を睨みつけた。前後の事情に詳しい景山が口火を切った。

「我らがなんで貴公をお呼び立てしたか、分かっておるであろうな」

「………………」

景山に続き、山田が乱暴な口をきいた。

「なんで百姓に銃や大砲を使う。大藩の松江が……。横暴ではないか」

勘解由は、この内政干渉極まりない叱責を、青白い表情で受け止めた。

何分、鎮撫使事件から二カ月しか経っておらず、しかもこの事件は、鎮撫使が米子から発送した書簡に端を発し、その延長線上にあったからだ。

「我々と一戦交えるか！　筑前黒田藩の司令官は、大鳳丸《たいほうまる》でそこまで来ておる、屈服せぬのなら、軍艦三隻で八雲丸と対決するぞ」

薩摩の本田が威嚇し、山田が不敵な笑みを浮かべた。

「勤王の民を大砲で殺略するとは謀叛《むほん》だ！　朝廷が動くであろう」

項垂《うなだ》れて、一言も発することの出来ぬ勘解由に、景山が留めを刺した。

十四日　午後――

「拘束した者を解放し、逃亡者は帰島させよ。藩兵を速やかに島から撤退させろ、期限は二十日だ、一日の猶予もならぬ！」

因幡・長州・薩摩の三藩は、有無を言わさず抑え込んだ。屈辱の勘解由はその日、今なお福浦、北方、中村、布施などで逃亡者の捕奪に血眼になっていた兵士を、急遽呼び戻した。

十六日、松江藩は、逮捕した同志全員を釈放すると、少数の兵士を残して八雲丸で退却した。

松江藩の奪還による島後の支配は、僅か六日で終わった。


時は遡ること五月十一日の夜、松江城三の丸は藩主定安の部屋である。

「な、なんだと！　殺した！　十四人も殺しただだと！」

定安は、我が耳を疑った。目を瞬《しばた》かせて、しばし呆然とした。

「おお、何ということを……」

目の前が真っ暗になるような、そんな感覚に襲われ、よろよろとふらつき屏風《びょうぶ》の柱に手をかけ、やっとのこと体を支えた。三谷と柳多の両家老が、飛び付いて定安の身体に手を添えた。

「殿、いかがなされました……」

定安は、三谷が手渡した島後からの緊急の書簡を目にして、一瞬、立ち眩《くら》みを覚えたのだ。

「敵をせん滅、陣屋奪還」報告書には戦いの勝利を誇示するかのような文字が躍っている。「暴徒側の死者十四人、怪我人多数、藩兵には死傷者なし」。あたかも、戦闘状態にある敵国を攻め落としたかのような文体だ。

定安は、目を吊り上げ声を絞り出した。

「あれほど言ったではないか、平和裏に解決せよと。何で銃を使った、大砲までも！」

三谷と柳多は当惑した。

「それは……相手が説得に応じなかったからでありましょう」

「暴徒の側が先に撃ったのかもしれません」

二人の家老の無神経な言葉は、定安を激怒させた。

「何だと、相手は百姓ではないか。郡代を追放し陣屋を占拠しておるとはいえ同国人だぞ、同士討ちに過ぎぬ。にもかかわらず銃を、大砲までも、常軌を逸しておる！　それを容認するお前らも同罪だ！」

定安の怒りは容易に治まりそうにない。

「指揮官を捕らえ、企《たくら》んだ一味を割り出して刑法にのっとり処罰する、なぜこのような、ごく当たり前の治めが出来ぬのだ！」

同罪と口汚くののしられた三谷が、不満げな顔をして呟いた。

「この報告は第一報です、今しばらく、全容を見届けるべきかと……」

そこへ、急を聞いて縫殿と謙三郎が駆けつけた。

「殿、ご心痛のことと存じ上げます」

縫殿も謙三郎も江戸・京都・松江を行き来しており、前後の事情や京都の動きには精通していたから、殿の悲痛な心情を察していた。

二人の登場により、定安は幾分落ち着きを取り戻した。隠岐取締令を引き出す役に任じた縫殿が、口を開いた。

「『取締令』の文字やその意味を取り違えて、武力奪還すべく準備したのではありませぬか」

「いや、武力を背景として威嚇し、相手の降伏をと考えたのであるが、相手も戦闘の準備をして対抗してきたのであろう、相手が先に発砲したのでは？　現場に立つと理屈通りに事は運ばぬよ」

三谷家老が勘解由をかばった。そこで謙三郎が割って入った。

「先ほど取締令を確認しました。『……万が一島民が役場に対し、不法の所業《しょぎょう》に出れば始末して糺《ただ》し、刑法にのっとり処罰すべし』と。藩が武力をもって攻撃を仕掛けるのは論外でありましょう」

――どちらが先に仕掛けたとかではない。問題は、大砲まで使って島民を殺したことだ……。大藩としてあるまじきこと、己の藩内の問題も解決出来ぬとは、うーん、情けない。

鎮撫使から脱した定安は、意気揚々と松江に戻り来た。さあ、ここから巻き返そう、土下座させられたその屈辱を、今度は新政府軍で手柄を立てるのだ。今に見ておれ、そう心に誓って戻り着て六日後、希望の光が突然消えたのだ。しかもここに至ってはもはや打つ手はない。害を最小限に食い止めること意外に何の策もない。

定安が、力のない声で指示を発した。

「鳥取も黙ってはおるまい。三谷と柳多は、島後の混乱を鎮めるために応援の藩士を送れ。ただし、銃器を持たせてはならぬ。平賀と雨森は、島民を慰撫する手立てを考えてくれ」

定安の指示を受けて、四人の上席が部屋を出たのは夜更けであった。

ところがその四日後、西郷から勘解由の使者が急便で駆け戻った。

「大変です！　因幡と薩長が、軍艦三隻で乗り付け、有無を言わせず全員を釈放させました。松江藩は、隠岐から手を引けと……」

「な、な、何だと、因幡と薩長だと！」

──まさか、左様なことが……。

島民を十四人殺傷した、そのことで頭の整理もつかぬところへ、僅かに四日後、三藩による強行介入である。定安は憤るどころか、その手際の良さに驚き、唖然とした。そして、打ちのめされたように、その場へへなへなと……そこへ急を聞いた大橋・乙部・朝日・三谷・有澤・神谷ら宿老が駆け込んだ。

──これですべては終わりだ。何で三藩の介入だ。鳥取だけならまだしも、薩長までも……。己の島から撤退させられるとは、何たる屈辱、うーん、巻き返しなどとんでもない。もはや打つ手は何もない……。この分だと遠くないうちに、監察使が……。

定安の脇に手をかけて、起こそうとする大橋家老の手を払いのけた定安、よろよろ立ち上がり、力なく呟いた。

「長らく京へ出張していたゆえ、それがしの考えが幹部に伝わっていなかったためであろう。次から次へと問題が生ずる。もはや京でも問題にしておろう。ああ、情けない……」

首を振り、大きくため息をついた。かつて見せたこともない悲痛な面持ちである。

何とか殿に立ち直ってもらわねば……。執政のなかでも、殊に責任感の強い筑後が、厳しい目つきで前を見据えた。

「殿のご心痛はもっともにござります。ここに至っては、まず問題を引き起こした人間を特定し、責任を取らせることから着手すべきと、監察使対策こそ急がれますゆえ」

各重鎮とも、この不手際で藩主に罪が及び、藩の取りつぶしに発展することを恐れていた。速やかに責任の所在を明らかにし、朝廷に証《あかし》を立てなければならぬ、このことは一致していた。が、そこにはまた、恣意《しい》が働くのであった。

騒乱を招いた責任者は誰か、指揮者の乙部勘解由か、郡代の志立伴蔵か、前郡代の山郡宇右衛門か、誰を切腹させるべきか……。

勘解由は、代々家老乙部九郎兵衛の分家で義兄弟、神谷の叔父である。伴蔵と山郡には親戚関係は存在しない。腹の探り合いは続いた。

平素から理性派を自認している長老の有澤が、重々しく口を開いた。

「このような事件は、現場指揮官にばかり目が向くが、そもそも原因を作った者に一番の責任がある」

老獪《ろうかい》な三谷がこれに続けた。

「そげだ、島民殺傷の結果を招いたのは乙部と伴蔵だが、素因を作ったとなると山郡と鈴村だな……。わけても山郡の度重なる失政は看過出来ぬ」

乙部と神谷が肩で息をした。結局、腹を切らせるのは山郡一人と決め、郡代の補佐が不十分であった鈴村は身分と禄を取り上げることとした。

また、多数の死傷者を出した島後島民の心を癒すために、金に糸目をつけず、緊急に対策を講ずるため、家老ら四人を急派することとした。


十六日、謹慎中の山郡に、突然藩から切腹が命ぜられた。

「その方、隠岐郡代として治め方よろしからず」

その一言であった。単純で粗暴な男一人が、藩の生け贄《にえ》となったのだ。

山郡は「何か言い残すことはないか」の問いに、ぼそっと答えた。

「鈴村祐平に一言いいたかったが、言うことなく死ぬのが残念だ」

山郡はその一言を残して、十七日の深夜、菩提寺である和多見町の善導寺の仮小屋で、覚悟の切腹を果たした。


太政官は、政府の指揮の乱れが大問題を発生させたことに遅まきながら気付いた。翌二十一日、刑法官判事で鳥取藩出身の土肥謙蔵を監察使に、津和野藩士であった椋木潜《ひそむ》を監察副使に指名し、急遽京を出発、隠岐に向かわせた。

西郷に到着した土肥は、五月二十八日以降、滞在先である善立寺に郡代の志立伴蔵や、隠岐正義党の関係者を呼び出し、取り調べを行った。

最も重要な、事変の勃発となった第一発の銃弾の解明について、志立は「暴徒が先に発砲したから続けた」と供述したのに対し、正義党関係者は「直前に銃を回収した」と言い、食い違った。だが、正義党関係者の供述を裏付けるがごとく、藩兵に死傷者は一人もいなかった。

土肥は「松江藩が発砲し、これに同志派が続いた」この供述に信ぴょう性ありと判断し、志立に、有無を言わせず供述の訂正をさせた。

もはや松江藩に弁解の余地はなかった。監察使は、「松江藩に罪あり」と結論付けたから、藩としてもこれを受け入れざるを得ず、急ぎ事件関係者を処分し、監察使に屈服状を提出したのだ。


定安は、打ちひしがれて、一人観山御殿に佇んだ。三の丸の西側、通称御花畑の一角に建つこの館は、今は亡き斉貴公の隠居に充てる館として建築されたもので、館の北側は松江城を囲む濠があった。深い緑色の水を湛えた濠には、鴨が一羽遊んでいた。

「鴨が一羽か……。仲間から置いてきぼりを食ったのであろう。北へ帰らずこの濠で冬を待つとは……。予も独りぼっち、似ているなあ」

五月四日、松江に戻り着てからというもの、定安はこれまでついぞ味わったことのないような苦難にさいなまれた。十四人をも射殺した騒乱事件、因・薩・長による隠岐領介入、かつての忠臣山郡の切腹、そして監察使による追及また追及、ぐうの音も出ぬほど痛めつけられた。

西日本の雄藩、いつ寝返るか分からぬ厄介な松江、新政府からそう警戒されていた松江藩、それが、鎮撫使の「朝廷御料」の一文字によって仲間割れの暴動と相なった。新政府に、労せずして封じ込めの材料を与えてしまったのだ。

――すべては予の責任だ。京に留まり過ぎた。鎮撫使への対応には心血を注いだものの、根の深い隠岐問題からは腰を引いた。隠岐は重役任せにすべきではなかった。指揮官の選定、部隊編成、取り締まりの手順、武器の使用に至るまで陣頭指揮すべきであった。なぜそれを怠ったのだ、予の心に驕《おご》りがあったからだ。

水鳥を目で追う定安の眼から、とめどもなく涙があふれた。


下ること七月十七日、太政官は、松江藩平賀縫殿、乙部勘解由、志立伴蔵を太政官に出頭させ、本格的な追及に入った。長期の調べで松江藩の暴動実態を解明すると、十一月五日、隠岐の管理を鳥取藩に移すとともに十一月十五日、三人を京都の座敷牢に押し込めた。

翌明治二年十二月まで拘束して追及し、釈放した後も勘解由と伴蔵の両名は藩の預かり、いわば保護観察の形で留め置かれ、藩の動きを封じ込めることに利用されたのだ。

世に言う隠岐騒動は、隠岐島民による権利獲得の闘争であり、一年にせよ、理想的な三権分立の政府を樹立し、明治維新に先駆けた住民自治を推進したことは大きな意義があった。だが、一方の松江藩にとっては、時代の波に翻弄された、やり場のない一大災厄であったといえる。

二十一　護国寺燃ゆ

慶応四年（一八六八）五月～明治四年（一八七一）九月　隠岐

松江の兵士が島を去った隠岐は、太政官監察使下にある中央政府直轄の地方府という位置付けとなり、総会所と会議所が復活し島後は再び隠岐島民の手に委ねられた。

また、懸案であった島前との協調は、土肥監察使が島前の庄屋衆を西郷に招き、分裂の非を説いたことにより、同一歩調で歩むこととなった。

日本はもともと神道であったが、六世紀に大陸から伝わった仏教が広まり、やがて神と仏が同じ社寺に祀られる神仏混淆《こんこう》が出現するに至った。

江戸時代の寺院は封建的特権をもち、幕府の政治的支配を支援していたから、キリシタン禁制なども絡んで、仏教は国教の地位を獲得し、檀家制度や宗門人別帳制度（戸籍《じんぎ》管理）などによって地域の指導体制を確立していた。ところが明治新政府となり、天皇中心の神祇政策に急転換すると、国は仏教の弾圧に打って出た。

まず、慶応四年三月二十八日の、神社と仏閣の分離を命ずる神仏分離令である。社前から仏像仏具の取り除きが指示されると、かねて寺院と対立していた神官を中心として、実行に移されるところとなった。

殊に、隠岐の僧侶は、先の騒動において松江藩の手先となって、同志派を弾圧したから、神道を信仰の対象にしている同志にとって、その恨みは骨髄に徹していた。

「あいつら、碁にかこつけて博打《ばくち》にはしり、女を寺院に連れ込んで色事にうつつを抜かし、妾《めかけ》をかこって子を産ませておる」

「金がなんなると勝手に寺の財産を売り飛ばす」

「不浄極まりぬ生臭坊主ばかりだ。許してはおけぬ」

同志派の面々は、寄ると触ると、僧侶の悪口でもちきりであった。

隠岐における廃仏既釈運動のきっかけは、八月、新政府の東北遊撃軍将、権大納言久我通久《こがみちつね》が軍艦で西郷に寄港したことにある。久我大納言は曹洞宗にかかわりを持つ人物であったから、地域の寺院世話人である大谷は、願い出て安全祈願祭を挙行しようとした。相談を受けた遊撃軍の参謀早川遠江介は、島後の寺院の評価が地に落ちている実情を知ると、巻き返しに手を貸そうと知恵を巡らせた。

「よし、この際、隠岐曹洞宗本山の護国寺で、東北出陣の戦勝祈願祭を催そう。全島の僧侶を集めて盛大にやれば金も集まるし、遊撃軍に参加したい若者も集まろう、寺院の地位も上がるというものだ」

この時期、隠岐には仕事が無かったから、東北遊撃軍に参加して一稼ぎしたいと志望する若者が次々と名乗りを上げた。殊に同志派が多く、その数は七十二人にも膨れ上がり、若者は寺院側に従軍の仲介を請願し、責任者の大谷は喜んでこの労を引き受けた。

大谷は、寺院の人気が高まることを喜び、祭場となった護国寺の門前に、大きな立札を掲げた。ところが、この立札の文言が穏当を欠いていた。

「東北遊撃軍、久我大納言殿下御祈祷中。不浄の党（輩《やから》）不可入事《はいるべからず》」

不浄の党入るべからず、である。この、当てつけがましい言い回しは、同志派の心を強く抉《えぐ》るところとなった。

「不浄の輩とは、わしらへの当てつけか？　糞っ腹の立つ！」

「坊主こそ不浄の見本だ！　祈願祭など、叩き壊してやる！」

若者が騒ぎだしたことから、東北遊撃軍参加の話はたちまち立ち消えとなった。凱旋した暁には武士に取り立てられるかも、と淡い期待を抱いていた壮士の夢は水泡に帰し、その挙句、不浄の輩にされたのだ。

怒った同志派の面々は、祈願祭の当日、竹槍などを携え、いきり立って繰り出した。だが護国寺の周辺は、寺院側の堅い守りで近寄ることすらできず、地団駄を踏むところとなり、恨みは倍加した。

この時代、我が国の政治機構は目まぐるしく移り変わった。

七月、新政府は江戸を東京と改め、その二カ月後の九月八日、元号を慶応から明治に移した。翌二年はじめには政府も東京に移る、いわゆる東京遷都《せんと》を断行したのだ。

問題の隠岐は、明治元年十一月五日、松江藩から鳥取藩へ移管されるところとなった。隠岐騒動の責任を負わされたものであるが、その背景には、隠岐を持て余した松江藩、隠岐に触手を伸ばした鳥取藩、松江藩の寝返りを完全に封じ込めようとの新政府の思惑が複雑に絡み合っていた。だが鳥取の隠岐支配は長く続かず、翌二年二月「隠岐県新設」の通達が発せられた。

定安はこの通達に接し、大きく息を吸い、首を何度も縦に振った。

――隠岐県になったか。それが一番よかろう。隠岐は中沼了三の薫陶を受けた優れた指導者の下、自主自立の道を踏み出そうとしていた。いよいよこれからは誰にも干渉されることなく、己の道を歩むがよい。

明治二年二月二十五日、隠岐は島前・島後を合わせ、晴れて「隠岐県」となった。

新国家として誕生して間のない明治政府は、隠岐の知県事として真木直人《まきなおと》を送り込んだ。真木は久留米の水天宮の生まれで、幕末、過激な攘夷派の志士として活躍した真木和泉の弟であった。就任間のない真木は、国学の神道論者の立場から、仏教弾圧の姿勢を鮮明にした。

機熟せり。かねて神教は仏教の下に置かれ、これを憤っていた水若酢神社の宮司忌部正弘は、早速真木知県事に嘆願書を提出した。

「隠岐国の僧侶たちは松江藩の暴挙に加担した上、犠牲になった十四人の棺《ひつぎ》が門前を通過することを拒んだ。奴らに『宗門人別改め（民衆調査のための台帳管理）』など任すことは出来ぬ。何としても改めて戴きたい」

真木知県事は、この嘆願を即座に受け入れた。

三月上旬の夜、甃介、毅男、官三郎、貫一郎、二郎、信太、真一郎、それに神官の正弘、倭文麿ら同志は、横地家に集結した。

島民十四人の命を奪うという大惨事は、年が変わっても同志派の脳裏を深く覆い、持って行き場のない怒りは日を追って募り、その矛先は出雲党に肩入れした寺院へ向けられた。これを、廃仏既釈の国政と、真木知県事の存在が後押ししたから、過激な同志派は、この際、島内に百もある寺院を一つ残らず潰《つぶ》してしまおう、との謀略をもつに至った。今宵はその作戦会議である。

坊主憎けりゃ袈裟まで、松江藩と出雲党に加担した寺院に数々の恨みをもつ甃介は、自宅の仏壇を破壊して火をかけると、廃仏運動の団長を自ら買って出た。

「先ずは廃仏毀釈を島中に広めよう。趣意書の文案は作ってきた。みんなで複写し、明日から村々に配って全島挙げてかかろう」

団長甃介の陣頭指揮だ。松江藩による大量殺傷事件の後、委縮しきっていた同志派幹部の目に、再び光が甦《よみがえ》ってきた。

「手始めに、恨み重なる護国寺だ、着手日は……。末広がりの八日でどげだ」

「百の寺全部をやるには数カ月かかる、八日でええではないか」

三郎が続き、一同が同意した。

「よし、早速作業だ、その前に官三郎とおっ母さんのご厚意に甘えて、新酒で固めの杯だ」

この日、官三郎は久々に近くの磯で鮑《あわび》漁をし、母親譲りの手さばきで刺身、酒蒸し、肝の酢の物などこしらえ、大皿一杯に並べて歓待した。鮑の肝が大好物の甃介が、ニヤッと笑って催促し、酒好きの仲間は、一斉に「異議なし！」と声を合わせた。

一同は、茶碗になみなみと注いだ新酒を、北前船が運んできた西洋の固めの儀式、「乾杯」の発声に合わせて一気に飲み干した。


三月八日午前四ツ（十時）の護国寺である。

山門の前には甃介、官三郎、毅男、貫一郎、二郎、信太、真一郎らの姿がみえる。貫一郎は鉢巻きを締め、手には大刀を引っ提げている。

隠岐の護国寺は、古くは「護獨寺《ごどくじ》」といい、文保元年（一三一七）花園天皇の治世、後醍醐天皇の即位の前年に建立された由緒ある寺であった。

一斉蜂起の昼九ツ（正午）が近くなると、五十人もの若者が三々五々集まり、甃介の指図で枯れ枝を手に、寺院の庭で焚火《たきび》を始めた。

若者の中に、あの長太郎もいた。足軽を辞めさせられたものの、晴れてお玉と夫婦になり、玉若酢命神社の神職として職を得たのだ。今日は義兄の茂平も一緒だ。

只ならぬ気配を察知した僧侶が、本堂の奥から走り出て額に青筋を立てた。

「お前たち、何をしておる。誰の許しを得て焚火だ！」

「なんだと、生臭坊主、これでも食らえ！」

甃介が、火の付いた棒切れを僧侶めがけて投げ付けた。

「かかれ！」

甃介の号令一下、五十人が手に手に木槌や斧、鉈《なた》などをひっ下げ奇声を発しながら土足で回廊に駆け上がった。扉を蹴破り、一斉に観音堂に飛び込む。正面、丸柱と丸柱の真ん中の一段高い仏間に鎮座する高さ二間もある観世音菩薩像を目にするや、三人がこれによじ登り、五本もある手にさばり、踏み台にして、首から胴体に極悪人の如く縦横に荒縄を掛けた。貫一郎の掛け声に合わせて十数人が縄を引く。

「よいしょ、よいしょ、よいしょ……」

若者の恨みを込めた力は倍加し、やがて〝バリバリバリ〟ときしみ音を立てて仏間の座が砕け、菩薩像が横転、青畳を引き裂きながら本堂から回廊へ、更に階段を転げ落ち、庭石へ激突。数本の手が折れて飛び散り、首が曲がった。

「叩き潰せ！」

甃介の怒号とともに、十数人の若者が斧や槌を振りかざして菩薩像に跳びかかり、頭、胴体、手を滅多打ちにする。これに続き、本堂から庭に投げおろされる様々な菩薩、花立、鐘、太鼓、金銀きらめく造花、欄間に至るまで手あたり次第に叩き壊し、火を掛けていった。

「やめて！　何をする、やめてよ！」

激しい物音に驚いた奥方が、庫裏《くり》から走り出て金切り声を挙げ、その声に若者はいらだち、怒り心頭に発した。着手一刻（二時間）、遂に本堂に火を掛けた。赤黒い炎を上げて天下に名高い名刹、護国寺がめらめらと燃える。

――これでよい、十四人の同志を、何の関係もない島民を殺害し財物を強奪した松江藩、それに手を貸した憎き坊主め、お前らへの復讐だ。

甃介らは数日後、国分寺を襲撃した。名刹二寺の消失を合図に、島後の村々の寺が次々と襲われ、明治二年の初夏になると、この破壊行為は島前にも及んだ。

海士村では村役人が陣頭指揮し、地下《じげ》の民が総がかりで源福寺を襲った。源福寺には本尊大日如来像を筆頭に後鳥羽上皇の御手作と伝わる仏像が多くあった。村人はまず本堂に駆け込み、僧侶の衣や経典、花立、太鼓などを破毀し、糞尿をかけた。

次に、大日如来像や地蔵菩薩などを仁王門の前の広場に積み上げて火を掛けようとしたところ、俄《にわ》かに雨が降り出し果たせなかった。ところがその夜、村人が夜陰に乗じて如来像を持ち帰って自宅の床下に埋め、難を逃れた。

また、知夫里島の松養寺では、鐘楼や仁王門を壊したものの、信心深い一部の村人が、地蔵菩薩立像と偽って脇立天部《わきだちてんぶ》（価値の低い仏像）を持参し火の中へ投げ入れたと。

このように島前の破壊行為は、島後と比べて徹底を欠くところもあった。

隠岐における廃仏毀釈は、明治二年の夏が終わる頃、終息を見た。

破壊した寺院は九十九カ寺、僧侶から俗人となった者五十三人、脱走僧十三人、寺院が所有していた梵鐘《ぼんしょう》、仏具、屋敷地や畑、田、山林や立ち木に至るまで悉《ことごと》くこれを押さえた。

もっとも、僧侶に対する自活の道は残した。希望する者は村内に居住せしめて米を配り、後には寺院の田畑五反分を僅少の額で払い下げた。

また、寺院の財産の処分については、この年の八月、隠岐県が廃止され大森県に統合されたことから、管轄の大森県を経て政府に献納を出願した。

大森県は「寺の財産は元来隠岐島民のものあり、島民自ら処分すべし」との方針を示したが、その一方で、「寺地所在、反別、その他寺々什物《じゅうぶつ》一々明細に書き出せ」と、適正な処分について、官が調べる意思表示をした。

毅男らは、寺院の財産のうちの一部を活動資金としたものの、建物と什器は村ごとに処分し、土地は政府官有地とした。その後明治十二年に払い下げが実現、隠岐国四郡共有金となり、主に教育基本財産として活用されるところとなった。

明治五年の学制により小学校が創設されると、四十校のうち二十五校は寺院などの跡地が活用された。また、共有金は、医療施設、教育施設、図書館、奨学金、公共船舶購入等に用いるなど、新しい隠岐をつくるための遺産となった。

新政府は、東北戦争を完全に収めた後も、松江藩の動きを封じ込めるため、隠岐の争乱をとことん利用した。事件の処理を引き延ばし、事件から四年経った明治四年五月二十三日、ようやく処分を言い渡した。

禁錮一年半　　乙部勘解由、志立伴蔵
禁錮一年　　斎藤藻左衛門、高木権平、岡田隼人、小倉拾、早田豊一郎、中根権蔵、
　　　　　　高木六郎
謹慎三十日　　山根功、梶野丈左衛門

ところが、隠岐正義党には何の処罰も下されなかった。この知らせを受けた正義感の強い船田二郎が、同志派の集まりで切り出した。

「わしらは確かに鉄砲を使っておらぬし、人も殺してはおらぬ。だが、そもそもこの騒ぎを起こしたのはわしらだ。あと腐れが無いように、わしらも罰して貰わこい」

二郎の意見に、正弘も官三郎も即座に同意した。

三人は協議のうえ、嘆願書を所持して、新設された浜田県を訪問した。

「何、『待罪書《たいざいしょ》』？　これは一体なんですか」

応対した二人の役人は、怪訝《けげん》な顔をして文書を受け取った。

待罪書を提出して三カ月後の九月七日、同志に処分が下された。

徒刑一年半　　横地官三郎

禁錮一年　　　　忌部正弘
官一等減　　　　大西政一郎
杖百　　　　　　中西毅男、井上甃介、長谷川貫一郎、船田二郎、八幡信左ヱ門
杖九十　　　　　永海真一郎、君垣久賀

定安は、明治政府刑部省の科した一連の処分を、松江で知った。

――そうか、同志派は待罪書を提出したか……。どこまでも、隠岐国人らしいな。今となって思えば、隠岐の民衆が郡代を追放して自治政府を作ったあの時、彼らを自由にしてやるべきであった。


この判決申し渡しの後、官三郎は、西郷湾の外に横たわる岬山に小屋をかけ、一年半もの間一人斧を振るい、ひたすら鍬を打ち下ろす開墾の日々に明け暮れた。

――十四人の犠牲者を出し、果たしてそれに値する隠岐になったのか……。山から下りた後も、官三郎の頭からこの思いはひと時も離れなかった。

しばらく後、官三郎は一人寂しく島を離れた。そして再び隠岐の土を踏むことはなかった。

二十二　庄司家での交わり

明治元年（一八六八）一月～明治三年（一八七〇）三月二十六日　鳥取・京都・境港

一月五日、維新の緒戦、鳥羽・伏見戦に、在京家老の荒尾駿河の一声で参戦した鳥取藩は、揚羽蝶の軍旗を掲げて存在感を示した。その日、御所に招かれた駿河は「朝廷にはむかう組織があれば、総督の名をもって徹底して始末せよ」との沙汰を受けるなど、朝廷との間に特別な関係を築いていた。

山陰道の鎮撫、更に鳥羽伏見戦と、一貫して急進派の道を歩む鳥取藩は、新政府による高い信頼のもと、以後、二月十三日東山道征討に従軍し、甲州・上野・江戸と転進、目覚ましい活躍を遂げるのであった。

正月二十三日、政府から「退隠に及ばず」の指令が慶徳のもとに届いたその頃、京都では既に駿河、臼井、山田らが総裁有栖川宮と慶徳の退隠を密談し、後任には目下在京し勤王に貢献している「相模守」すなわち、若桜《わかさ》藩主池田徳定を据えよう、と画策していた。

ところが鳥取では、藩主の意思を受けて後任に実子三知麿八歳を推薦し、有栖川宮に嘆願した。だが駿河らは「幼少の三知麿ではこの難局は乗り切れぬ」と反対し、有栖川宮に、既定方針通り、と働きかけた。

これを受けて太政官は二月十八日、『慶徳退隠、相模守に家督相続を命ずる』旨の達書を発したのだ。

二十三日、この指令が家中に伝達されると、藩は真っ二つに分裂した。慶徳の元側近で、水戸にも遊学していた武道家の安達清一郎は、危機打開のため、家老、側用人、御目付など二十人を集めて二日間にわたって議論した。

「三知麿様が幼いことに乗じて、駿河らは相模守を利用しようとしておる」

「ここはやはり、慶徳公に復帰してもらう以外に収まりはつかぬではないか」

「だが、達書が届いた今となっては、如何ともしがたい。最早復帰は不可能だ」

「……ある！　まさに逆転の一手だ！　あの御仁にお出まし願おう」

清一郎を座長とした幹部会議はもめにもめた末、まず二月十一日、徴士の正人を太政官代へ派遣し、慶徳の退隠申請書を提出させた。次に、太政官から鳥取に戻り来た正人を、鎮撫使事務所へ走らせた。

後任問題で揺れ動いている藩内の動揺の実態を、小笠原美濃介・折田要蔵・河南藤右衛門らに打ち明けたのだ。

鎮撫使幹部にとって山陰道鎮撫の役目を達成するためには、頭脳と動員力のある鳥取藩が頼りであったから、藩の内部分裂は何としても避けねばならなかった。小笠原らは、慌てて西園寺のもとに走った。

報告を受けた西園寺は、直ちに慶徳への退隠慰留書を認《したた》め、側近三人を遣わし慶徳へ面会させた。もちろん、この時点で慶徳に取り付く島もなかったが、西園寺は返す刀で朝廷に、『鳥取藩主退隠問題は、公望《きんもち》帰京登庁の上説明するのでそれまで決めぬように』との書状を送付した。

そして三月下旬帰京するや、直ちに太政官代に出仕して「慶徳の譲職（辞任）は山陰道鎮撫を根底から覆す」との大義名分を掲げて強引に食い下がり、慶徳の復職再勤を取り付けたのだ。

かくして四月四日、太政官は慶徳の復職を命じた沙汰書を発出した。慶徳の退隠申請書提出で安堵しきっていた駿河らの裏をかいた、清一郎の秘策であった。

一方、西郷と勝の会談により、戦うことなく江戸城を接収した大総督府は、いよいよ戦いの矛先を会津を中核とした奥羽越列藩同盟に向けた。そして六月四日、鳥取藩へ奥州出兵を命じたのだ。

ところが、ここに至って、藩は深刻な軍資金不足に見舞われていた。国元からの送金は途絶え、手もとには僅か千両余しかない。大総督府への借用願、出兵延期や兵の引き上げを模索せざるを得なくなった。と、どうであろう、品川港出航の期限十一日になって、突如、降って湧いたように総督府から一万五千両がもたらされたのだ。鳥取藩の体面は保たれ、躍進は続くところとなった。

さて、復職再動を許されたとはいうものの、容易に前に向かぬ慶徳であった。首脳部は、何としてもかつてのような強い慶徳に戻ってもらいたいと、三月末、山陰道鎮撫の仕事を終え帰藩した鳥取の勇、沖探三《たんぞう》を側用人として起用することとした。

「殿、探三、戻って参りました、これからは殿の御傍で働かせて戴きます」

「……た、探三か、お前、戻ってくれたか、済まん、せっかく徴士《ちょうし》に召されるところを……」

新政府は、各藩及び民間から有能な人材を選び、朝廷や政府に召し上げ「徴士」の呼称で国政に従事させていた。慶応四年春、鳥取藩からは松田正人・沖探三、門脇少造など五人を人選、殊に山陰道鎮撫の功労者である探三の評価は高かったものの、慶徳や重鎮が離そうとしなかったため、探三は帰藩することとなった。

「手前のような者が徴士など滅相もござりません。殿の御世話をさせて頂けること、これ以上の名誉はござりません」

「す、済まん。お前が京へ上ったなら予が困る。よって無理を言って引き留めた。貧乏くじを引かせたのう」

「いえ、これまで、殿から授かった御恩の数々、御具合の悪い時にこそ御傍に仕えて恩返しをと、喜んで努めまする」

気力が減退し、病を口実に隠居さながら別邸に篭る慶徳を、なだめすかして立ち直らせようと、探三は夜も寝ず誠心誠意尽した。そして一月《ひと》――。

「殿、復職されてよりそろそろ二カ月、京へお礼言上に参られては。朝廷も太政官も待っておるでありましょう」

「……またそのことか、気力はなえ、病も治らぬ。早く髷《まげ》を切りたい」

「何を気弱な！　以前のような強い殿へと……。何はさて置いても京へ上られませ、一歩を踏み出せば先も見えてきます。今が一番大事な時ですぞ！」

「お前、予に指図するのか！　予の心中も知らぬくせに、ええい、下がれ、下がれ！」

自信を失い、投げやりになる慶徳を包み込むように支え、叱られても引き下がらぬ探三であった。彼は京にも顔がきいたから、自らの伝《つて》で朝廷工作も試みた。この効あってか、一月後の七月二十五日、朝廷は探三と河崎政之丞を京に呼び出し「九月、天皇は関東へ行幸される。ついては鳥取藩主にあっては供奉《ぐぶ》（お供の行列に加わる）の任に当たられたい」旨達した。


同じ山陰の雄、松江藩はその頃――。

鎮撫使によって痛めつけられ、隠岐騒動という内部分裂により、完全に封じ込められていた。

――うーん、泰平に胡坐《あぐら》、と揶揄《やゆ》されていたとはいえ、ここまで抑えられるとは、新しい国造りの大事な時期に出遅れてしまった。それがしの指揮がまずかったからだ。ここで挽回せぬことには松平家の伝統はこと切れる。

度重なる痛手の中で、誇りを取り戻すには、前に打って出るより他はない、そう気付いた定安は、再び勇を振り絞った。

ところが、これから巻き返しという時、松江藩の働き頭《がしら》、二隻の軍艦を失った。二番八雲丸は、船体の老朽化により六月イギリス人に売却、一番八雲丸は七月、官軍の命を受けて東北戦争に兵を輸送中、能登沖で暗礁に乗り上げ沈没したのだ。

手足をもがれた中で、定安は八月、自ら東北戦争への派遣を願い出た。そして九月十七日、家老の神谷兵庫《かみやひょうご》を隊長とする四百六十人の兵士を羽州《うしゅう》秋田へ出発させた。

幸か不幸か松江藩が秋田に到着した頃には、戊辰戦争の大勢は決していた。よって東北における松江藩の任務は、いきおい降伏した藩の城地の点検や残務処理、他の部隊の護衛や警備などで、戦いの場面はなかった。

翌明治二年九月、任を解かれ十月二十四日松江に凱旋し、二の丸に整列した軍令式において、定安はその労をねぎらった。

「まずもって四百六十人、その全員が無事凱旋したことを喜びたい。松江藩に課せられた役割は華々しいものではなかったが、明治維新の大事業に参画出来たことは我が藩の誇りである。皆の働きに心から感謝する」

定安は嬉しかった。東北の地では何千人もの命が奪われた、だが、我が軍には、戦いによる犠牲者は一人も出なかったからだ。

定安は凱旋した兵士に対し、慰労金五百両を支給した。

慶徳は、探三のかいがいしい世話で徐々に心身をひらき、天皇の供奉《ぐぶ》（お供の行列に加わる）の命を受けて明治元年八月十九日、その重い腰を上げた。

体調不良のため天皇への随行は叶わなかったものの、九月朔日《ついたち》参内して天皇に拝謁し、春以来の軍功の讃辞を賜るとともに、剣を下賜《かし》されたのだ。これに気を良くした慶徳は、日を置かずして参内し実力者の岩倉具視と親しく交わった。

この頃新政府は、永く続いた武家政治の弊害を打破し、新しい国体を築くために、急速なる改革を推し進めていた。岩倉はその中枢に位置し、十月二十八日「藩治職制」を定めて、各藩の職制を藩主、執政、参政、公議人などに統一し、中央集権化に乗り出した。

その最中の十一月十八日、慶徳は朝廷から正式に議定所参入を命ぜられ、藩主としての意欲を取り戻した。

――ようやくふっきれた。それもこれも探三のお陰だ。今に見ておれ。

慶徳は、側近の探三を京都留守居に登用し体制を固めると、岩倉の推進する藩政改革に一歩を踏み出した。すなわち、鳥取藩に幅を利かせ、荒尾などを増長させている門閥制度の一掃であった。

鳥取藩は江戸初期から、藩内統治の一環として、家老職にある家に藩内の重要な拠点を委任統治させる「自分手政治《じぶんてせいじ》」なる制度を敷いていた。

自分手政治は、米子・倉吉を荒尾氏に、松崎を和田氏に、八橋を津田氏に、浦富を鵜殿氏に任せていたが、この中には駿河の義弟、米子城代荒尾成富もいた。

急速に自信を取り戻した慶徳は、藩政改革断行のため、側用人河崎政之丞を使者として帰国させ、自分手政治の廃止と、「合力米」（貧者救済の米）の支給という特権の剝奪に乗り出した。

秋になると、各地へ出兵していた鳥取藩兵が相次いで帰京した。この戦いによる鳥取藩の戦死者は六十人を超えたものの、その功労は薩摩・長州・高知に次ぐ奮励と評価された。慶徳は久々に家臣の前に元気な姿を現し、その労をねぎらった。

勲一等の功労者は、河田佐久馬と荒尾駿河であった。

勇躍凱旋し十一月十八日、朝廷から慰労の酒と金子を賜った駿河であったが、慶徳は引き留めることなく十二月上旬、鳥取に戻した。

久々に我が郷土に戻った駿河であるが、その立ち位置の大きな様変わりに我が目を疑った。藩による門閥制打破によって合力米は支給停止となり、追い打ちをかけるように翌二年二月十日、二百余年続いた自分手政治は廃止され、荒尾など地方家老の一派は、窮地に立たされた。

同二年八月、駿河は小参事に召され、総学司を分掌したものの、十月、禄制が改正され、家禄減収、家来を扶養することすら出来ず兵制司に引き渡すこととなった。

鳥羽伏見の開戦以来数々の活躍を成し遂げた智将であったが、独断専行が災いしたのであろうか、慶徳復職を境に、日陰へ追いやられていった。

一方の佐久馬である。その戦功は鳥取藩にとどまらず、朝官にも及び実に威風堂々たるものがあった。

四月二十二日の下野国《しもつけのくに》安塚の戦いは深夜から早朝にかけて暴風雨の中で二刻（四時間）に及び、一進一退の攻防で戦死者多数を数え、官軍がまさに危機に陥った。この時陣頭指揮に当たった佐久馬は刀を抜き「退く者あらば自他の別なくこれを斬る」と味方を牽制して叱咤激励し、官軍を勝利に導いたのだ。慶徳にも佐久馬の活躍は伝わった。

――佐久馬への恨みは数え切れぬが、ここは仰えてその功労を称えることとしよう。

慶徳は佐久馬を引見し、その戦功を賞して酒肴を与えた。だが、宴席に臨んだ佐久馬は、遥かに平伏して首を垂れ、言葉を掛けても一声も発せず、涙に咽《むせ》ぶのであった。

「東山道での活躍は予の耳にも届いておるぞ、まあ一献」

「………」

「あれは文久三年の夏であったから、既に五年か、辛かったであろう」

「ハ、ハ、ハ、ウッ、ウッ……」

酒肴を勧めても、顔を上げることなく終始涙に咽び、一語も発することの出来ぬ佐久馬がそこにいた。

本圀寺事件以来実に五年余、言いあらわすことの出来ぬ憎悪を、まるで忘れたかのように笑みを浮かべ、佐久馬に優しい言葉を掛ける慶徳の胸の内を、佐久馬は只々涙で受け止め、そして深い礼をして退いたのだ。

明治二年正月、朝廷は佐久馬の戦功を賞し、郡務局判事に、七月京都府大参事に任命するなど、以後一貫して新政府を担う人材として重用した。

出雲の東部と因幡の西部に跨《また》がって、日本で五番目に大きい汽水湖中海がある。中海の北東沿岸は弓浜半島《きゅうひん》で、半島の北側は日本海に面し、東方八里の地点に米子城が、十五里には伯耆大山が聳えている。

弓浜半島一帯は、日野川から流れ出た土砂によって形成された農業地帯で、渡村の庄司家は綿や繭などの農産物を扱う豪農にして、大庄屋も務める名家であった。

定安と慶徳の会談は、明治三年三月二十六日、この庄司家で実現した。

山陰道鎮撫の折、松江藩が危機を救われ、その礼を述べるため定安が申し入れたのだが、隠岐騒動、慶徳の健康問題、藩政改革などに忙殺されてのびのびになっていた。

定安は、四ツ（午前十時）鳥取藩士の先導により、前藩主斉貴の忘れ形見、十五歳の世子瑶彩《ようさい》麿《まろ》及び大野家老以下家臣を従え、庄司家の門を潜った。

紋付羽織に威儀をただした五代目当主の庄司儀郎が丁重な挨拶をして出迎え、その向こうから藩主慶徳がにこやかな笑顔で歩み寄った。

「ようこそ御越しをいただきました。早朝の出発、お疲れになったことでしょう」

「いえいえ、本来なら身共が、松江か安来にてお迎えいたしますところ、伯耆の地にお招きを賜りまして恐縮にござります。この者は世子の瑶彩麿にござります。本日は修行のためとて、同行させていただきました」

瑶彩麿が挨拶をし、三人は書院の間に案内された。枯山水の庭に面した広間には備前の著名な画家、古市金峨《ふるいちきんが》の描いた屏風が立てられていた。

「まずもって、山陰道鎮撫の折には、藩の窮地をお救い戴きましたること、心から御礼を申し上げます」

「何を申されますか、身共の方こそ、隣藩のよしみとて隠岐の事変には招かざる客として周旋《しゅうせん》いたしますなど失礼の数々……ささ、まずは一献」

「いやいや、身共の方がお注ぎ申します」

「いや、この慶徳めが年下にござりますゆえ……」

「左様ですか、これはもったいない、では……。一緒に乾杯といきましょう」

「父上、それがしもいただきとうござります」

「おお、これは瑶彩麿殿、失礼の段、ささ、どうぞ」

十五歳の瑶彩麿が、脇から盃を差し出した。一瞬驚いた慶徳であったが、笑顔で酌をした。

「これ、瑶彩麿、失礼な……。いつの間にやら、酒の味を覚えたようにござりまして……」

「いやいや、何事も修行ゆえ、さあ、では、乾杯と行きますよ」

「では、かんぱーい」

「かんぱーい」

三人は、高らかに声を発し、盃を乾した。

隣藩とはいえ、藩主同士が顔を合わせて親しく交わることは初めてのことであった。幕府衰退の中で親藩として追い詰められた松江、攘夷と公武合体のはざまで苦しんだ因幡、お互いに立場の異なる中で、隣藩のよしみを通り越して、憎しみ、妬《ねた》み、騙《だま》し合いの応酬であった。だが、維新を迎えて三年、国情は激変し、二人の共通の日常は、藩の維持と自らの立ち位置の堅持にあった。

この日、定安も出雲の名物を配した二段杉折（重箱）や美酒を持参した。

「おお、美味い。この蟹がこの頃有名になった、えーと名前は確か……」

「松葉蟹と言います。今朝延縄《はえなわ》で水揚げしたものです」

「おっ、延縄？　延縄といえば、ヒラメや鯛を獲る漁法では？」

「左様、その釣り針に、たまたま掛かるらしいのです」

この時代の松葉蟹は、一本の綱《つな》に釣り針をたくさんつけた魚を獲るための延縄に、副産物として揚がったもので、極めて珍重されていたようだ。

「……それにしても、この透き通った小魚の程よい苦《にが》み、何とも言えませぬ。名は？」

「『白魚《しらうお》』と申します。宍道湖で四つ手網により獲れる、今が旬の魚です」

「なるほど、この辛口の酒によく合います。ささ、今日は無礼講、しっかり飲みましょう……」

「それがしはこの小魚は苦いから嫌いだ、今日は蟹を腹いっぱい食うぞ！」

酒がまわったと見えて、瑶彩麿が因幡公の前まで手を伸ばして、松葉蟹を摑み、口へ運んだ。

「これ、瑶彩麿、場をわきまえぬか！　……これは失礼の段お許し下され。大野家老、瑶彩麿の躾をして下され」

「なんのなんの、正直でよろしい」

　定安は、九代藩主斉貴の残した一粒種を、何としても立派な藩主にしようと、その後に生まれた己の息子二人を養子に出し、瑶彩麿の教育に心血を注いでいた。今日は、藩主教育をさせるべく大野家老を同道しており、瑶彩麿が大野に導かれて、下座に下がった。

「ところで、隠岐の一件では、貴藩の大切な所領を引き継ぐということになり恐縮にございました」

「いやいや、それにしてもせっかく手にした領地を、あのようにあっさりと手離されるとは……」

　鳥取藩が食指を伸ばした隠岐であったが、いざ手中に収めてみると、藩による管理と、島民自治とは容易に噛み合わず、貧困対策、他国からの侵略防止には大きな困難が予想され、結局鳥取藩による統治は三カ月の短期で幕となった。

「ははは、雲州公のご苦労が良く分かりました。とうとう身共は、島に渡ることも、魚を食うことも出来ずじまい、ははは」

　その時、下の間に、三味線、鼓《つづみ》を手にした囃子方《はやしがた》と、五人の踊り子が登場した。これを合図に、庄司家の当主が笑顔で進み出た。

「お殿様にはお食事中のところ、ここで少々余興をご披露申し上げます。これから披露いたしますのは『さんこ節』です。出雲国広瀬生まれの『おさん』という芸妓が、この地の港へ寄港する北前船の船乗りから教えを受けた歌に、『追分節』や『佐渡おけさ』などを掛け合わして作ったと伝わります。この頃因幡の地の座敷歌として流行《はや》っております。では、ごゆるりとお楽しみ下さりませ」

さんこ節は、三味と鼓に合わせて華やかに、早いテンポで歌い、これに合わせて、着飾った女衆が踊る庶民の労働の歌である。

「おお、いい歌でござる、踊りもよい。辛《つら》い日々のことを忘れさせてくれる」

「辛い日々ね ー……御意、今日は無礼講ゆえ一つ聞くのですが」

俄かに慶徳が真顔になり、定安に向き直った。

「松江藩は戊辰戦争の折、政府に献金をされたでありましょう、いつ、いかなる理由で、如何ほど？」

「ウッ、それは……何ゆえにそのようなことを、貴藩とどのような関係が」

「その口調でありますと、されておりますなあ、如何ほど」

「なんと、今日は無礼講とは申せ、それは……」

「実は、我々は、その献金で助けられた。撤退を免《まぬか》れたのです」

「なに、撤退を免れた、あの手柄を立てた奥州戦ですかな？　左様か……なら申しましょう、隠岐の島の預かりの継続金です。岩倉卿から要請されまして、片手少々。時期は奥州戦の始まる前あたり……」

定安は、隠岐の若者が「隠岐は朝廷御料となった」と狂喜し、陣代を追放したその直後、岩倉卿に「預かりの継続」を申し入れ、献金はその交換条件であった。

「片手少々とは七〜八万両？」

「八万両にござります」

「でしょうな……。あの時期、金の出せる藩は雲州公ぐらいなものでありました。礼を言います」

額に汗をにじませた定安が、きっと慶徳を見据えた。

「では、身共も一つ……。鎮撫使の出した謝罪の四箇条、因幡公は大橋家老を救うと周旋に乗り出された。だがあの時期、因幡公は己の身が危なく、人を救うことなど出来なかった筈、誰の策ですかな」

「な、何、う−ん、そう来ましたか……。仰せの通りあの折身共は待罪の身、鎮撫使総督御用掛の者が耳に入れ、それを受けて……」

「それとももう一つ、あの折、西園寺公は鳥取にはおられなかった筈、となると、四箇条以外の方法でもよいと指図したのは、これは一体誰、誰の策？」

「……実は、西園寺公の中には最初からその考えがおありであったとか……。我が藩にはそこまで悪知恵の回る者はおりませぬ」

「でしょうな……まさか大橋家老が首を差し出す、とは思っておらなかったでありましょう」

「はははは、雲州公もお人が悪い」

「ははは。まあ一献」

定安には想像が付いていた。まかり間違えば、因幡、出雲が戦闘状態に陥りかねぬ危険な取引条件を鳥取が作る筈がない、また、言い出した鳥取がそれを引っ込めることもありえぬと。

「実は、気が気ではありませんでした。松江藩が戦いを選択されぬかと」

「……うーん、正直言って、苦しい選択でありました。まあ、その話はこれぐらいにして……」

鎮撫使は鳥取藩に多大な利益をもたらした反面、松江藩に対してはこの上もない災禍をもたらした。定安の顔から血の気が引き、目は在りし日の怨念に燃えていた。


庄司家の庭は、近世に作庭された枯山水庭園で、その手法は出雲にみられる庭園と共通していた。書院の座敷の正面には「駕籠台石」と呼ばれる平石をはじめ、白砂敷に大降りの飛石が見事に配置され、その向こうにはソテツ、シュロ、百日紅《さるすべり》、椿など大小の樹木が新芽を付け、春を待ちわびていた。

対座する二人には、いずれも語り明かせぬ真実と、切ない思いが心の奥底に秘められていた。

「それがしは自らの迷いによって、多くの家臣を死なせてしまいました。本圀寺、そして手結浦でも……」

慶徳の目に、うっすらと涙が光り、定安の表情がにわかに曇った。

「それを言われると、手前もです。隠岐では、十四人もの民を……」

つい二年前のこと、自治獲得の情熱に燃えた隠岐の若者と、藩の名誉をかけた家臣との無益な同士討ちがあった。この騒動で藩はとことん追い詰められた。あれから三年、金も名誉も領土までも失い、僅かに気力を振り絞る定安であった。

「もっと早くこの席を……。さすれば流れは変わったでありましょう」

「しかり、今度は松江の、美保関か和多見あたりで」

山陰を担う二人の藩主、庄司家における初の対談は、厳しい日々を忘れさせ、実の兄弟のように、しばしの安らぎを分かち合う一日となった。

慶徳はそもそも争いを好む性格ではなく、弟慶喜の大政奉還を密かに後押しし、江戸城の無血開城も、慶徳が望んだ解決方法であった。

こうして明治がはじまり、新政府の職に多くの藩主が任ぜられたが、そこに慶徳の名はなく、明治四年七月の廃藩置県をもって藩知事を解雇されると、静かに歴史の表舞台から去っていった。

翌五年五月二十七日、慶徳は病のゆえを以って家督を世子輝知に譲り、隠居した。

そして、明治十年（一八七七）八月二日、明治天皇の還幸を神戸までお見送りする際、急性肺炎となり、翌朝京都小川町の旅寓《りょぐう》で逝去した。

実に四十一歳の波乱に満ちた生涯であった。

神式ゆえに戒号はなく「慶徳命《けいとくみこと》」と贈り名された。

維新の動乱期、烈公と称される水戸斉昭の薫陶の下、大藩を率い、尊王攘夷思想から転じて、尊王敬幕攘夷思想をもって藩を牽引したが、急進尊攘派との板挟みとなりもがき苦しんだ。

常に皇室を尊び、宗家を重んじ入稿兄弟愛を基本とし、進取の気質をもって誠実な人生を歩んだ。

二十三　日本の夜明け

明治三年（一八七〇）三月〜明治十五年（一八八二）十二月一日　松江・東京

新政府にとって、欧米列強の圧力に対抗して、近代国家を建設するためには、国内に分散している財政力と兵力を中央に集中すること、すなわち、中央集権と、富国強兵が必要不可欠であった。

これを実現する第一の布石は、藩主が保有している版（土地）と籍（人民）を、朝廷に返納させる版籍奉還にあり、明治二年正月、政府の呼びかけに、息のかかった薩・長・土・肥の四藩主が奉還を申し出て、翌二十四日には鳥取藩、松江藩もこれに倣い、六月までに全国がこれに追随した。

政府は、六月十七日、旧来の藩主の呼称を「知藩事」と改めたが、この段階では、財政力も兵力も、依然として全国三百二の藩にあった。

次なる布石は、強力な軍事力の確保であった。廃藩を断行したとしても、反対する雄藩に対抗出来る軍事力を保有していなければ改革は潰される、そこで政府は、強力な軍を確保するため薩・

長・土の三藩から一万の兵を東京に集め、直轄の御親兵とした。

更なる体制固めとして、政府の参議に長州の木戸、薩摩の西郷、土佐の板垣退助、佐賀の大隈重信ら実力者を据えた。

いよいよここから、藩を潰す廃藩置県の断行である。

当時、政府寄りながら独立王国のように幅を利かせ、廃藩置県に絶対反対の意を表明していた薩摩藩島津久光を封じ込めるべく、山県有朋が薩摩藩の勇、西郷に接触してこれを同意させると、計画は一挙に断行された。

明治四年（一八七一）七月十四日、朝廷に呼び出された在京の諸侯は、その理由も明かされぬ中、天皇による廃藩置県の詔《みことのり》が下り、全国三府三百二県が成立し、武家社会は終焉をみたのだ。

大反対を唱えていた久光だが、軍事力を削がれ、だまし討ちの如き儀式を挙行されるとあとの祭り、桜島を目の前にして終夜花火を打ち上げ地団駄踏む外になすすべはなかった。無血のうちに大変革は遂げられたのだ。

「なんですと、廃藩置県！」

七月二十日、在京の乙部大参事からもたらされた緊急の書状は、松江藩を上から下まで震撼させた。

急遽、書院に呼び集められた幹部は、書状を手にした定安の只ならぬ表情を目にした。

「予期せぬことが起きた、廃藩置県だ！」

「廃藩置県？　版籍奉還は政府に騙《だま》されましたが、廃藩置県とは如何なることでありましょう」

「藩が解体され、県になることだ。一昨年の版籍奉還の折は、誰もが、いずれ時が経てば藩に戻される、そう考えていたが……。大きな思い違いであった。いよいよ武家政治が終わり、新しい日本が生まれるのだ。これはまさに革命だ！」

「……されど、藩が、そのまま県に移行するのでは？　殿も我々も、肩書が変わるだけではありませぬか」

何事にも楽観的な神谷が、唇を歪《ゆが》め、笑顔で定安を見やった。

「いや、そうではない。ここに『全国の知藩事は九月中にすべて東京に引き上げ、東京で住まわせる、県には新しい知事を派遣する』と書いてある。ということは、各々方《おのおのかた》の身分も……。いずれ変わるということであろう」

二年前の改革以降、藩主と藩士の主従関係は解消され、定安は禄を十分の一に、他の幹部も同様大幅に減らされていた。

書状に目を落としていた筑後が、大声を発した。

「殿、いや知藩事殿、こう書かれております。『知事免ぜられ候得ども、大参事以下これまでの通り事務取扱致すべし』と。よって我々には、当面は身分の変動はありませぬ」

「おお、左様か。そこまで目を通していなかった。皆はしばし安堵出来るということだな、それは良かった」

定安の安堵の声を聞き、一同、顔を見合わせて表情を緩めた。

「やれやれ、助かりましたか、殿お一人が退職とは、申し訳ありません」

「ああ、恐ろしや、すんでのところでこの首が飛ぶところであった」

神谷が両手で己の首に手をかけ、目を白黒させたので、笑いが起こったが、すぐ三谷が引き締めた。

「笑っておる場合か、藩が消滅したということは、武士はいらぬということ。髷を付け刀を差し、藩主のために命を懸ける、左様な時代は終わったのだ」

三谷に続いて、大参事の筑後が続けた。

「殿には、九月上旬にも出発して戴くことになる。ついては、早急に未決を片付けて、心おきなくご出発いただこう。盛大にお見送り致すのだ」

一同が大きく頷いて立ち上がり、定安に深い礼をして部屋を出た。

松江藩は、七月十四日にさかのぼって松江藩を廃し、松江県と改称した。


定安は、いつの間にか松江が自分の故郷である、そう思うようになった。松江をこよなく愛していたから、許しを得て、つとめて妻子を松江に住まわせた。

松江を離れる日が九月七日と決まり、最後の祭礼となる七月末日の天神祭りに、定安は初めて妻子を伴って白潟天満宮に詣でた。「天神さん」の愛称で親しまれる夏の風物詩だけあって鳥居の前の広場は所狭しと屋台店が連なり、近郷近在の民であふれかえっている。

正妻の熈姫《ひろひめ》は定安と十三も年下で二十三歳、子供はなく、側室の鶴岡は三十代半ばにして五人の子持ち、だが二人は仲が良かった。

　笛や太鼓、鉦の音が響く中、定安と鶴岡が前を歩き、熈姫が側室の子で三歳になる篤郎の手を引いておもちゃの屋台店の前まで来た時だ。

「母上、これ何、くるくる回るの、ほしい」

「これはね、風車です、篤郎にはまだ早いわ」

「やだ、欲しい、欲しい、欲しいよ～」

　金子《きんす》を持ち歩かぬ熈姫が相手にせず、鳥居を潜ろうとした時だ。突然篤郎が泣き出し、その場に仰向けになり足をばたつかせた。

「駄目と言ったら駄目です、お父上に叱られますよ」

「やだー、やだー」

　篤郎はなおも足をばたつかせた。六歳の陽之進が駆け寄り、抱き起こしたところ、篤郎が屋台の上の風車を二本手にして、勢いよく走り出した。

「わーい、わーい、回る、回る」

「駄目、駄目よ！　返しなさい！」

　熈姫に追われて走り出し、何かに足を取られて横転した篤郎。あいにくそこは牛の糞の山、陽之進が抱き起こしたが後の祭り、兄弟が糞だらけだ。困りはてた家臣が羽織を脱いで、二人を抱きかかえ、広場の向こうの駕籠まで駆け戻り、兄弟を押し込んだ。

　腹を立てた屋台の主が騒ぎだした。急を聞いて後戻りした定安と鶴岡だがあいにく金を持っていない。雑踏の中で身分を明かすことも出来ず、鶴岡が家臣を探しに走った。戸惑っていた定安のところへ世子の瑶彩麿が赤い顔をしてやってきた。その横には厚化粧の女が寄り添っている。にやにやしながら瑶彩麿が屋台の主に声を掛けた。

「いかがいたした……。なに、風車だと、如何ほどだ、たったそれほどの金で大騒ぎか……鈴乃《すずの》姐さん、金だ」

瑶彩麿は連れの女に金を払わせ「釣りはいらぬぞ」と主に与えた。瑶彩麿の飛び入りでその場は円満に収まったものの、笑い話では済まなかった。


その夜のことである。殿町は三の丸の南、御鷹部屋の南隣にある家老大野舎人《とねり》の屋敷である。

――ドンドン、ドンドン！

門を激しく叩く音がする。屋敷の奥の間で酒を飲んでいた舎人、家臣の雪之丞・龍之介・天馬が驚いて門まで出たところ、男の泣き声がする。門の蝶番《ちょうつがい》を外した途端、一人の男が足元へ転り込んできた。褌《ふんどし》一枚、裸足《はだし》、顔から腕から血を流している。門の向こうにヤクザ風の男三人が棒を構えていきり立っている。表の騒ぎで異常を察知した舎人も、駆け付けた。

「何だ、この騒ぎは！」

足もとにうずくまっていた男が、血だらけの顔を舎人に向けた。

「ご、ご家老、瑶彩《ようさい》、瑶彩麿《ようさいまろ》です～助けて～」

「よ、瑶彩？　うっ、一体、どうしたというのだ」

裸の瑶彩麿が哀願し、和多見の文字の入った法被《はっぴ》を着た男が腕を摑み、背に足をかけている。

「この若僧が、うちの芸者をかどわかした。身請けすると大物を言い、連れ出して隠しておる」

「盗人《ぬすっと》め！　女を返せ、それが嫌なら百両出せ！」

「こら！　本当か……黙っておるところを見ると……馬鹿もん！」

――ビシッ
「ひゃー」

舎人のびんたが瑶彩麿に飛んだ。

その時だった。石畳をかけてくる数人の足音が門の前で止まった。

「よ、瑶彩麿、どうしたのよ！」

「あ、姉上、姉上～　鈴乃を、鈴乃を～」

駆けてきたのは姉の熈姫と家臣であった。日頃から瑶彩麿の身辺で世話をする家臣は、瑶彩麿が和多見のやくざに捕えられたことで困り果て、姉の屋敷に駆け込んだのだ。

「あっ、奥方、ここはそれがしに……。お前ら、和多見のどこだ、この始末はそれがしが付ける」

「何だと、貴様、何者だ、この男の何だ！」

「拙者は松江藩家老の大野舎人《とねり》、これは家来の子だ。和多見は芸妓置屋であろうと女郎屋であろうと知り尽くしておる。家来の子の始末はそれがしの役目、さあ、案内せよ」

機転の利く舎人は、咄嗟に瑶彩麿の身分を秘匿した。舎人は、家来三人を引き連れて和多見へ向かい、次期藩主の女遊びの始末を付けるため、夜中まで費やした。

忠臣、舎人の骨折りで、公邊《こうへん》の沙汰となることは食い止めたものの、瑶彩麿の女と金にまつわる悪癖は、定安と熈姫にとって深刻な問題となった。

定安は、瑶彩麿の遊び癖が本物にならぬうちに気持ちを入れ替えさせよう、そのためには江戸入りして環境が変わったなら、速やかに藩主の座を継がせることだ、そう考え、熈姫にも打ち明けていた。熈姫は松平家の直系である弟が、無事十一代を引き継ぐようにと、朝から晩まで神経を使い、自分のことを二の次にして、弟にかかわる日々となった。


礼を重んずる定安は、帰京に先立ち美保関神社・日御碕神社・鰐淵寺・月照寺を始めとした社寺に参拝して貢物《みつぎもの》を捧げるとともに、田部家・絲原家・小幡家・瀧川家などの名家をも訪ね、深甚なる敬意を表した。

いよいよ最後の締めくくりは杵築大社である。定安は困難な課題に直面するとその都度この社を詣で、祈りをささげ、気持ちを鎮めて事に臨んだ。

予《かね》て尊敬する千家家第七十九代宮司、出雲国造千家尊澄《たかずみ》に献品を寄附し、お礼を申し上げたところ、予期せぬ言葉が返ってきた。

「礼を言うのは私の方です。多難な時世にあって、この出雲の地を一度も戦火に晒《さら》すことなく新しい御代へと導かれました。民とこの地にとってこれほどのご加護はありません。民に代わって礼を申し述べます」

――何という讃辞であろう。突如我が国を襲った外圧と内乱、多くの藩主が戦いに活路を求める中にあって、定安はひたすら和平を重んじ、戦を避けることでこの地を守り抜いた。これは己にとって必ずしも満足のいく選択ではなかったのだが……。

定安はその一言で救われた気がした。

鳥居を潜《くぐ》り、本殿を振り返る定安の目に、小雨にけぶる八雲山がまぶしく映えた。

八月下旬のある日の午後、定安は筑後を伴って久々に亀田山に臨んだ。

残暑厳しいこの日、じっとしていても汗の出るような三の丸と違い、緑に包まれた城山は程よい木陰と風と、ヒグラシの奏でる歌が交錯し、思いのほか涼しかった。石段を上り櫓門を潜ると、勇壮な本丸が目にまぶしい。

「いよいよ我が故郷、松江とも離別だ。予の一番好きな景色を、しかとこの瞼の裏に焼き付けておきたい。さあ、上るぞ」

敵の襲来に備えて城壁に無数に開けられた鉄砲狭間《はざま》なる小窓、今となっては一度も使うことなく守り抜いた出雲国、それが定安の誇りであった。築城から二百六十年、何十万人の人々が様々な思いを抱いて上下したであろうすり減った桐の階段を、一歩一歩踏みしめながら最上階に臨んだ。突然目の前がぱあっと開けた。

南方に、青い水を満々とたたえた宍道湖、目を東に転ずると、遥か彼方に、伯耆富士が男性的な姿を夕暮れの空に突き出している。

――ああ、去年の春、あの山のふもとの庄司家で慶徳公と会談した。あの折は、まさか一年後にこのような時代の急変があろうとは、想像だにしなかった。

ゆっくりと目を西に移した。何という見事な夕焼けであろうか。大きな、真っ赤な太陽が雲間から顔を出し宍道湖を赤く染め、今まさに西の大地に沈まんとしている。人間の営みの醜《みにく》さ、怒り、悲しみ、妬《ねた》み、そして僅かな成果と喜び、そのすべてを焼き尽くすかのように。

――時代に翻弄され、己の意に背いてなすべきことをなさず、なしてはならぬことをなした。この罪深い身。願わくば、この悠久の湖の藻屑《もくず》として果てることが出来たなら……。

「殿、今夜は、家臣との送別の宴、そろそろ下界へ下りませぬと」

「……下界？　おお、下界か、ははは、左様であった。夕焼けに見とれて、一番大事な現世を忘れるところであった」

常に明るく前を見て、くそがつくほど真面目にして、誠実に質素に、欲に晦《くら》まされぬ定安の生き方は、旧藩士はもとより、町民や百姓にまで伝わり、慕われていた。

その顕れか、別れを惜しむ旧藩士も町民も、こぞって餞別を願い出た。

思慮深い定安は、元家臣からの申し出でには遠慮しつつも応じたが、商人や町人、百姓などには、謝意を込めて受領を辞退した。

――予の、松江離別に際し、温かい志を戴き感謝する。幸いに旅費も準備出来た。折角の志を無にするようであるが、その気持ちだけ戴き、餞別はお受け致さぬ。今後とも安堵に暮らし、もし生活に困っている人がいたなら、申し合わせて救ってほしい。その方が、餞別を貰い受けるより一段と嬉しい。この度の温かい気持ちはいつまでも忘れない。

定安が松江を離れる、九月七日の朝が来た。

十八年前の国入りの行列と同様乗馬とし、ふるさと松江が良く見えるように、民からも定安公が見易いようにと、元家臣が意を用いた。

行列は、松平家を管理する随員十七人が周囲を固め、その前後に別れを惜しむ旧藩士や市民が付き従って、午前九時に屋敷を後にした。

松江大橋を渡り、白潟、天神に差し掛かったあたりから小雨が降り始めたものの、沿道は老若男女であふれ返り、行列が近づくと、歓声を上げて手を振り、老人は「だんだんだんだん」と唱え柏手を打った。

津田街道の松並木通りの沿道には茣蓙《ござ》が敷きつめられた。

「お前さん、餞別、差し上げなった？」

「ああ、だーも返しなった。そーで紙に包んできたが、ほれ」

「そげかね、わすは夜なべして、餞別袋縫ったがや、これ、見らっしゃい」

「おらは大根と人参持ってきたが、どげだ、受け取ってごされーだらか」

「わしはここから、列に入る。ほれ、これが昼飯だ」

弁当の風呂敷や袋を腰に、列に加わる町人や百姓で、行列は優に二千人を超える大集団となった。草履《ぞうり》や草鞋《わらじ》が雨でぬれ、ぴちゃぴちゃと音をたてる中、そのほぼ中央に、栗毛の馬に跨《また》が《が》り背筋をピンと張った定安の姿が見える。髪も顔も雨でぬれているが、爽やかな笑顔だ。

「お殿様がこげんいい男だったとは知らなんだ。有難や、有難や」

沿道から一斉に歓声と拍手が沸き上がり、定安が手を振ったその時であった。

――チャリン、チャリン、チャリン、チャリン
誰かが布袋を投げると、これに釣られてあちこちから裸銭や和紙に包んだ銭が乱れ飛んだ。

「これこれ、物を投げるのはやめよ」

「？　餞、餞別、餞別か……。殿に当たらぬように、気ｰ付けてなあ」

袖で目を覆っている娘、涙を拭こうともせず手を振る老婆、日に焼けた髭面《ひげづら》の男が鼻水をすすっている。

定安の心に、藩主として勤めた十九年が走馬灯のように駆け巡った。

――ああ、母上、それがしはあなたの教えをうけて、この松江を故郷とし、家臣を、民を愛し、戦火を及ばさぬよう精一杯務めてきました。にもかかわらず、今日こうして松江を立ち去らねばならぬとは、なんと悲しいことでしょうか。いま、我が祖先が、人徳をもって治めたこの大地を眺めていると、とめどもなく涙が溢れるのです。

行列は武内神社で小休止し、やがて安来を過ぎ、鳥取藩との国境、吉佐《きさ》に到着した。そこで定安は見送りの人々に謝辞を送った。

「十八歳で藩主に就任して、十九年が過ぎました。それがしの故郷は出雲であります。これからも出雲の地が平穏で、皆が幸せに過ごせるよう、精一杯務めます。身は東京に移れども、心は出

雲の地にあります。今日、離任に当たって、このように盛大な見送りをしてくれたことを生涯忘れません。有難う、有難う」

定安は、流れる涙を拭《ぬぐ》おうともせず、心からの笑顔で深い礼をした。二千人が見送る小雨の中、後ろを振り返りつつ、十七人の随員と国境を越えて行った。


明治四年（一八七一）九月十九日、東京に着いた定安は神楽坂の新邸に入った。

東京の住人となり、華族に列せられた定安は、牛込に屋敷を購入して商會所を開設すると、旧藩士の生活支援に乗り出した。

その一方で、松平家の家督を、世子の瑶彩麿に譲るための準備に入った。

松江の芸者と縁の切れた瑶彩麿は、藩主襲封の日も近いことから、さすがに自重しているかに見えた。だが、酒が入ると周囲の目を盗んで遊びまわり、早くも女にうつつをぬかすなど、年末には数人の借金取りが屋敷に押し掛けた。

「瑶彩麿、この金は私が払う、年が明けたなら世継ぎだからね。頼むから大人しくしてよ。私を見なさい、こんなに痩せたのよ」

熈《ひろ》姫は、弟がもめごとを起すその度に、定安やその周囲に悟られぬようにと金を工面し、秘かに始末をした。懸命に庇《かば》い、泣きながら叱るのであった。そんな姉の苦労の甲斐もあって、翌五年三月七日、松平家の家督は、瑶彩麿改め「直應《なおたか》」十七歳に継がせることが出来た。

弟を当主にと懸命に気遣い、どうにかその日に漕ぎつけた熈姫であったが、襲名披露の儀式の数日後、吐血し病の床に臥せるところとなった。弟の問題を抱えての東京移住、これに続く襲名の世話によって、急激に健康をむしばまれたのだ。

何としても熙姫を助けねばならぬ、定安は公務との板挟みの中、妻の看病に心血を注いだ。だが熙姫の病は日を追って悪化した。

「私は長くありませぬ。どうぞ瑶彩麿のことを、守ってやって下され」

「何を言う、病気は治る。医学を信じて気楽に養生するのだ」

付きっきりで看病し、励ました定安であったが、病状は改善せず、江戸の夏を乗り切った九月十二日、熙姫はよもやの若さで帰らぬ人となった。享年二十四歳、定安との人生はこれからであった。

「ひ、熙姫ー、すまぬ、すまぬ。それがしがもっと気を配ってやれば……。ああー許しておくれ……。直應のことは必ず一人前にしてやる。安心して成仏せよ」

定安は姫の亡骸《なきがら》を胸に抱き、声を上げて泣いた。

妻に先立たれ悲嘆にくれた定安であったが、故郷、松江に尽くすことを新たな生きがいに求め、前を向いた。この頃、牛込に開校した商會所を拠点として、旧藩士などの生活支援に尽力する一方、松江銀行の創立に立ち上がったのだ。

明治七年六月、松江の雑賀町を火元とした七百十二戸消失、死傷者多数の大火災発生の報に接すると、直ちに救助金を送付した。

また、かねて、松江に藩祖松平直政を祀った神社のないことに心を痛めていた定安は、明治十年、楽山公園（松江市川津町）に「楽山神社」を創建した。その後、数次にわたって神社用地などを寄進したほか、高眞公（直政）頌徳碑を建立し、盛大なる建碑式を挙行した。十一年、松江銀行の創設に成功すると、十三年には月照寺修繕のため講金を、十四年には、旧松江士族授産費三千円を寄進した。

このように定安は、離任に当たって約した、故郷松江の発展のために尽すとの誓いをひと時も忘れることなく、誠実にその実行に邁進した。

楽山神社は定安没後の、明治三十一年「松江神社」と改称され、松江城の南に移築された。

姉の死後、しばらく鳴りを潜めていた直應であったが、三年後の明治八年、再びもめごとを起こした。噂は皇室にまで知れ渡るところとなり、直應は同十年十一月、精神病の診断書を提出し、退任するに及んだ。

「退任は絶対駄目だ」。強く反対した定安は、宗家を巻き込んで懸命な説得に入った。だが、直應の意志は固かった。

――うーん、仕方ない……。

一旦、十二代当主に復帰した定安は、再び旧藩士の力を借りて説得を試みたもののいかんともし難く、十三年十月、やむなく三男の優之丞《ゆうのじょう》を養子先の大坂両替屋「天王寺家」から離縁復籍させ、当主を継がせるための教育に入った。

その頃から定安の体力は急速に衰え、脚気症と気管支症の合併により度々発作が起こるようになった。

そこで、意を決し明治十五年十一月十七日、十八歳になった優之丞に雲州松平家の十三代当主を継がせた。

――あー、不本意ではあるが仕方ない。優之丞は苦労して育ったゆえ、何とか松平家を率いていくであろう。……それにしても、ここにきて急激に衰えてきた。命あるうちに、いま一度松江を訪れ、母の墓前に線香を手向けたいものだ……。

二度にわたる当主の仕事を終え、肩の荷を下ろした定安に、二週間後の十二月一日、異変が起きた。

この日は、朝から根岸の屋敷で雇人平岡勝藏と仕事の打ち合わせをし、平岡が退席しようとした九時二十分、突如として激しい頭痛と吐き気に襲われ、その場に頽《くずお》れた。

次第に遠のいていく意識の中で、定安はひたすら母のもとへと歩を運んだ。

……母上、今そちらに向かっています。

思えば、十九年もの間、出雲の地と、民の幸せを願って闘いました。母上のご期待に応えようと、何度倒れてもへこたれず、起き上がりました。何故ならば、あなたが持たせてくれた「起き上がり小法師」と一緒だったからです。

ああ、母上、もうすぐ参ります……。待っていて下さい……。

定安は、皆劇性脳溢血と診断され、その日の午後五時三十分、帰らぬ人となった。

享年四十八歳、苦しみと忍耐の波乱に満ちた一生であった。

戒名は、定安の愛した「松江」の地にちなんで、

「松江院殿俊譽濟世定安大居士」

と付けられた。


生涯にわたって平和を、出雲を、民を愛し、無益な戦いを回避することで国を守った定安は、松江を退いたのち、自ら歩んだ人生を述懐した歌を詠んだ。

おもひやる　過しむかしの跡とへは
こゝろにはつる　事そ多かる

完

あとがき

私は、凝り性で、一度魅力に取りつかれたなら容易に抜け出せぬタイプである。そんな私が六十六歳にして出会ったある友人の一言で、歴史小説の執筆にはまった。故郷の偉大な歴史を伝えることの意義に目覚めたのだ。

素人ながら、手探りで何とか二冊を書き上げたのが平成三十年の四月。さて、次なるテーマは？その頃、前年に訪れた香港、そこで出会ったガイドの呉氏「日本は国が一つでいいね」と溜息交りに呟いたその一言が妙に脳裏から離れない。やはり維新を書こう、となれば最後の殿様、定安公だ。そう心に決め、資料集めに、執筆にと駒を進めたのだが、我が心の乗りがいまひとつ冴えない。後戻りしようか、そう迷いながら、気分転換にと鳥取の地を踏んだ。

その頃の松江が「不昧公没後二百年」一色であったのに対し、鳥取は「明治維新から百五十年」を掲げ、県をあげて先人の功績を讃えていた。まさにグッドタイミング。学ぶうちに〝幕末維新、因幡と出雲は切り離すことの出来ぬ山陰国であった〟そう気付いた。そこで迷いから脱し、ひたすら「山陰の夜明け」へと分け入ったのだ。

幕末の山陰で驚いたことは、隣組であるにもかかわらず歴史家ですら知らないことが多いこと。一例をあげれば、米子城の家老村河直方が大山の地へ二百人の兵士を隠し、松江城を襲撃しようとした未遂事件。更には、第二次長征の折、浜田を脱出した慶徳の実弟武聡親子など浜田藩士や家族三千人が八カ月にわたり松江の地で保護されていたこと、などなど。

当然のことながら、慶徳や定安の生きざまについてもあまり知られていない。

名門水戸藩の出ながら、慶徳は、尊攘派と保守派で割れる鳥取にあって、ひたすら耐えに耐えて時流に乗った慶徳は、維新期、国内でもまれにみる躍進を遂げ、新日本樹立の立役者となった。

一方の定安、軍艦取得のころまでは勇ましかったが、幕府の衰退とともに腰が引け、山陰道鎮撫使ではとことん追い詰められ、隠岐島の内乱までも……。時代の波に大きく乗り遅れた。では、定安に評価すべきところはないのか、否である。

その誠実で平和を愛する藩運営は、十九年もの間、ぶれることなく国土と領民を戦火から守りぬいた。まさに隠れた名君といえる。

歴史に「ＩＦ」は存在しないというが、鎮撫使の挑発に乗って松江藩が戦いの道を選んでいたならどうであろう。西欧列強の思う壺、我が国は、香港の如き運命を辿っていたのかもしれない。

この小説を半分くらい書き進んだ頃、新型コロナウイルスが世界を襲った。公的機関の利用や移動制限によって、筆の勢いは急速に鈍化したものの、多くの方々のご理解と励ましにより、なんとか上梓に漕ぎつけた。

前松江歴史館館長の藤岡大拙氏、元松江市史料編纂課の内田文恵氏、米子市の掃苔家青山侑市氏には制作の指導を、鳥取市歴史博物館横山展宏氏、津山市歴史博物館梶村明慶氏、黒坂町泉龍

寺住職三島道秀氏、境港市教育委員会川端豊氏には史料の提供と解説を、松江歴史館学芸員西島太郎氏・新庄正典氏、松江市史料編纂課小山祥子氏には史実の解説を、前松江市郷土館館長安部登氏・隠岐島歴史家小室賢治氏・牧尾実氏・藤原時造氏には史料の提供と時代考証を、それぞれお世話になった。

また、隠岐島出身島根県議会議員吉田雅紀氏には先祖の歴史を、友人で雲南市副市長の吉山治氏には隠岐現地調査と史料の提供を、友人の河津和徳氏には史料の提供と助言を、友人の小川さくら氏には執筆の助言と装丁画の制作を、今井印刷㈱の永見真一氏・黒田一正氏・佐々木保二氏・實重捺美氏には制作上の意見と支援をいただいた。

史料の参考使用をお許し頂いた皆様方共々、謹んでお礼を申し上げる。

終わりに、人類は紀元前の昔から、様々な感染症と戦い、乗り越えてきた。いかなる土砂降りもいつかは止むがごとく、新型コロナウイルスを乗り越える日は必ず来る。その日の一日も早いことを祈念して、筆をおく。

令和三年六月吉日

山口信夫

主な参考文献

『雲陽秘事記』島根県立図書館寄託　比布智神社文書　年号不詳
『津山温知会誌・第二編』津山温知会　一九〇九
『詑間樊六』井原大之助　松陽新報社　一九一二
『島根県史・九　藩政時代下』島根県　秀英舎　一九三〇
『島根叢書』岡田射鴈　島根県教育会　一九三三
『松平定安公伝』松平直亮　私家本　一九三四
『鎮撫使さんとお加代』永井栄蔵　立命館出版部　一九三五
『因幡勤王二十士と手結の浦事變』安部正吉　報光社　一九三六
『松江市史』上野富太郎　松江市　一九四一
『鳥取藩幕末秘史』山根幸恵　毎日新聞社　一九六〇
『新修松江市誌』松江市史編纂委員会　島根新聞社　一九六二
『大山史話』下村章雄　稲葉書房　一九六六
『米子の歴史』佐々木謙以下六人　伯耆文化研究会　一九六七
『鳥取県史・近代』鳥取県　矢谷印刷所　一九六九
『日本庶民生活史料集成・騒擾』谷川健一　三陽社　一九七〇
『鳥取藩史・第一巻』鳥取県　県立図書館　一九六九
『伯耆米子城』佐々木謙・佐々木一雄　稲葉書房　一九七一
『和訳出雲私史』(復版) 島根郷土資料刊行会　今井書店印刷工場　一九七二
『日本漢詩下』猪口篤志　明治書院　一九七二
『隠岐島史』隠岐支庁　名著出帆　一九七二
『郷土史出雲』安部鶴造　今井書店　一九七三
『米子市史全』米子市　名著出版　一九七三
『日本の歴史二十・明治維新』井上清　一九七四
『続・なつかしい松江』園山亀蔵　黒潮社　一九七四
『雲藩遺聞』島根県広瀬町　ハーベスト出版　一九七五
『新編物語藩史』菅貞人　新人物往来社　一九七六
『中沼了三』中沼郁　報光社　一九七六
『松江藩軍艦八雲丸の航跡』新田新　研究収録　一九七六
『西郷町史・上下巻』町史編纂委員会　一九七六
『もう一つの明治維新』中沼郁・斎藤公子　創風社　一九七六
『石州口乃戦』矢富熊一郎　柏村印刷　一九七七
『雲藩職制』正井儀之丞・早川伸　歴史図書社　一九七九
『鳥取県史第三巻』鳥取県　矢谷印刷所　一九七九
『池田慶徳公御伝記』鳥取県立博物館　矢谷印刷所　一九七九
『松江藩海軍歴史の研究』鈴木樸實　高東印刷　一九八二
『松江市誌』市史編纂委員会　松江市　一九八九
『五箇村誌』五箇村役場　一九八九
『弓浜物語』畠中弘　伯耆文庫刊行会　一九八九
『藩士大辞典　中国・四国編』木村礎　雄山閣出版　一九九〇
『出雲国松江藩の昔ばなし』柳浦豊實　同上　一九九〇
『池田慶徳公伝』県立博物館　矢谷印刷所　一九九二
『隠岐学セミナー報告書』松本健一　西郷町文化振興財団　一九

九四～二〇〇八
『山陰史談』浅川清栄　山陰歴史研究所　一九九五
『山陰沖の幕末維新動乱』大西俊輝　近代文芸社　一九九六
『松江藩格式と職制』中原健次　松江今井書店　一九九七
『鳥取県の歴史』内藤正中など三名　山川出版　一九九七
『松江藩の反射炉について』野津隆　山陰歴史研究会　一九九八
『雨森精翁とその周辺』平田郷土史研究会　土江明文社　一九九八
『出雲国朝鮮人参史の研究』小村弌　八坂書房　一九九九
『島根県歴史大年表』藤岡大拙　郷土出版社　二〇〇一
『再現日本史1～10』大日本印刷　二〇〇一
『朝酌郷土史』朝酌公民館　報光社　二〇〇一
『しながわの大名下屋敷』品川区立品川歴史館　二〇〇三
『新修米子市史』市史編纂協議会　米子市　二〇〇四
『松江藩列士録　第一～六巻』島根県立図書館　報光社　二〇〇六
『布野雲平伝　花失せじ』卜部忠治　島根日日新聞社　二〇〇七
『隠岐島コミューン伝説』松本健一　辺境社　二〇〇七
『今、出雲がおもしろい』藤岡大拙　出雲学研究所　二〇〇七
『隠岐共和国ふたたび』牧尾実　論創社　二〇〇八
『浜田城炎ゆ』小寺雅夫　溪水社　二〇〇八
『詳説日本史研究』佐藤信　山川出版社　二〇〇八
『忘れ雪』毛利宏嗣　郁朋社　二〇〇九
『雨森精翁「養正塾」での念い』松本敏雄　墨蹟資料館　二〇一〇
『続　松江藩の時代』乾隆明　山陰中央新報社　二〇一〇
『松江藩を支えた代々家老六家』玉木勲　ハーベスト出版　二〇一一
『松江市史　近世Ⅰ・Ⅱ』松江市史編集委員会　松江市　二〇一一
『シリーズ藩物語松江藩』石井悠　現代書館　二〇一二
『松江藩掃苔録』青山侑市　松江市教育委員会　二〇一二
『神と語って夢ならず』松本侑子　光文社　二〇一三
『親子で学ぶ松江藩の時代』宍道正年　松江歴史館　二〇一三
『鳥取藩二十二士と明治維新』県立博物館　螢光社　二〇一三
『古代文化研究』県古代文化センター　松陽印刷　二〇一六
『松江藩のお家騒動』内田文恵　松江市史料編纂課　二〇一六
『しまねの地下資源―歩みと期待』酒井禮男　山陰中央新報社　二〇一六
『幕末の海軍』神谷大介　吉川弘文館　二〇一八
『律儀者と不昧さん』山口信夫　今井出版　二〇一八
『鳥取の明治維新』鳥取市歴史博物館　綜合印刷　二〇一八
『山陰道鎮撫の道を辿る』立命館史資料センター　二〇一八
『新　松平定安公伝』寺井敏夫　山陰文藝協会　二〇一九
『松江市史通史編3』市史編纂委員会　松江市　二〇一九
『隠岐騒動史料集成』一五〇隠岐維新を次世代に伝える会　二〇二〇

このほかにも多くの史料・資料を参照させて頂きました。

著者略歴

山口信夫（やまぐち　のぶお）

1943年生まれ　島根県邑智郡川本町出身。
松江市上東川津町在住。
演劇・声楽・柔道・絵画を愛好。

［略歴］
大社・益田・松江の各警察署長
中国管区警察局・警察庁課長補佐
島根県警察本部交通部長・刑事部長　歴任
混声合唱団「まほろば」創設　初代団長
環境市民団体「くにびきエコクラブ」創設　名誉会長
合唱団「みずうみ」団員
松江警察署発足110周年記念誌『庁舎は語る』執筆代表
演劇制作25本、上演55回
著書：国宝松江城秘話『誇り高きのぼせもん』(2016)
　　　松江藩栄光への道『律儀者と不昧さん』(2018)

山陰最後の殿様
定安と慶徳

令和三年（二〇二一）六月十六日　発行

著者　山口信夫
発行
発売　今井出版
印刷　今井印刷株式会社
製本　日宝綜合製本株式会社

ISBN 978-4-86611-246-6